CW00695749

LA VOLONTÉ DE PUNIR

Du même auteur

Albert Camus : la juste révolte, Michalon, coll. « Le bien commun », 2002.

Barbie, Touvier, Papon : des procès pour la mémoire, dirigé par Jean-Paul Jean et Denis Salas, Autrement, coll. « Mémoires », 2002.

La Justice : révolution démocratique (dir.), Desclée de Brouwer, 2001.

Le Tiers Pouvoir : vers une autre justice, en collaboration avec Antoine Garapon, Hachette Littératures, coll. « Forum », 1998 ; rééd. coll. « Pluriel », 2000.

Justice et Psychiatrie : normes, responsabilité, éthique, dirigé par Claude Louzoun et Denis Salas, Érès, 1998.

La Justice et le Mal, dirigé par Antoine Garapon et Denis Salas, Odile Jacob, coll. « Opus », 1997.

La République pénalisée, en collaboration avec Antoine Garapon, Hachette Littératures, coll. « Questions de Société », 1996.

La Justice des mineurs : évolution d'un modèle, dirigé par Antoine Garapon et Denis Salas, LGDJ, coll. « La pensée juridique », 1995.

Sujet de chair et sujet de droit : la justice face au transsexualisme, PUF, coll. « Les voies du droit », 1994.

Du procès pénal, PUF, coll. « Les voies du droit », 1991.

Denis Salas

LA VOLONTÉ DE PUNIR

Essai sur le populisme pénal

Fayard

Collection dirigée par Gilles Achache et Joël Roman.

À Florence.

« Le crime impuni, selon les Grecs, infectait la cité.
Mais l'innocence condamnée et le crime trop puni,
à la longue, ne la souillent pas moins. »

Albert CAMUS, *Réflexions sur la guillotine.*

Prologue

Il est difficile de ne pas s'y arrêter. À l'entrée du palais de justice, à gauche, dans une niche du vieil édifice baroque, on remarque quelques gerbes, des photos d'enfants et des inscriptions griffonnées à la hâte. C'est une stèle commémorative disposée sur quelques marches entre deux colonnes de pierre. Pour qui tant de petites flammes attendent-elles d'être allumées ? Quel est ce devoir de mémoire rappelé aux hommes de loi qui traversent rapidement le vestibule ? Comme nous sommes à Bruxelles, peu après l'affaire Dutroux, on songe aux crimes d'enfants qui ont endeuillé le peuple belge. On devine leur portrait dans un petit médaillon. On lit, un peu effacés par la pluie, une litanie de prénoms. On retient ses larmes devant les récits d'enfance brisée et les fragments de confession qui parsèment le sol. Mais, en regardant de plus près, c'est de tous les enfants disparus qu'il est question, quels que soient leur âge et leur nationalité. C'est une martyrologie qu'une plume tremblante a minutieusement retracée. Jour après jour, elle est présentée au monde judiciaire se rendant à son labeur quotidien. Elle lui remet en mémoire la trace de ses fautes. Elle témoigne des traumatismes que son indifférence ou son inertie provoquent. Tel est le vœu qu'exprime cet étrange ex-voto : que ce lieu porte à jamais le témoignage des victimes

11

qui attendent justice. Et puis, le vocabulaire religieux cesse brusquement. En haut, sur une feuille blanche près d'un petit chandelier rouge où est gravé « Priez pour nous », on lit cette inscription : « Application *stricte* des peines pour les individus dangereux. »

Que s'est-il passé pour qu'une telle ferveur punitive envahisse ainsi les palais de justice ? Faut-il y voir un effet des médias sensibles à la colère comme à la pitié ? Est-ce l'augmentation des atteintes aux personnes à la fin du siècle dernier – et spécialement des violences sexuelles – ou l'exploitation politique de la peur qu'elles entraînent ? Une chose est certaine : au nom d'un devoir de mémoire envers les victimes, une « volonté de punir » envahit les sociétés démocratiques. Aux États-Unis, bien sûr, où le 11 septembre 2001 en fut le catalyseur. Mais aussi en Europe où les démocraties légifèrent compulsivement. Partout les États spécialisent une police qui ausculte une société perçue comme menaçante. En France, l'élan répressif amorcé sous une majorité de gauche se poursuit sous une majorité de droite[1].

À nouveau l'État s'arme puissamment. Il saisit l'occasion d'affirmer solennellement sa souveraineté en se dotant d'une police forte, d'une magistrature disciplinée, d'un droit d'exception. Sans doute, de bonnes raisons expliquent cette attitude. Mais quel est l'ennemi qui la suscite ? Le crime organisé qui se joue de frontières irrémédiablement ouvertes ? Le terrorisme aux imperceptibles et foisonnantes ramifications ? Il est difficile de cerner une menace qui s'étend du crime

---

1. Aux lois françaises du 15 novembre 2001 sur la sécurité quotidienne et du 4 mars 2002 (modifiant celle du 15 juin 2000 sur la présomption d'innocence) ont succédé les lois dites « Sarkozy » du 29 août 2002 et du 18 mars 2003 destinées à lutter contre la petite et moyenne délinquance. Ajoutons la loi du 9 septembre 2002 qui concerne les mineurs délinquants, la loi constitutionnelle du 25 mars 2003 sur le mandat d'arrêt européen et surtout la loi du 9 mars 2004 destinée à lutter contre le crime organisé (dite « Perben II »).

sexuel et des réseaux pédophiles au terrorisme de « basse intensité ». Comment se protéger d'une délinquance d'autant plus menaçante qu'elle est masquée, éparpillée, transnationale ? Comment, en somme, se défendre d'un ennemi intérieur qui semble bien être la figure invisible à l'origine de tous ces dispositifs défensifs ? Une chose est certaine : avec la multiplication des infractions, l'aggravation des peines et l'inflation carcérale, le prix de la sécurité ne cesse d'augmenter[1].

Ce cycle répressif ne survient pas soudainement. Dans les années 1990, une première vague de pénalisation s'accompagnait en France d'une émancipation judiciaire inédite. La norme pénale s'affirmait comme le seul langage disponible dans une société où les valeurs partagées s'affaiblissent. Soutenue par une société civile représentée par les victimes, les médias et l'opinion publique, la justice opérait sa révolution : longtemps instrument du pouvoir politique, voilà qu'elle lui demandait des comptes. Rien – ni l'administration, ni le monde économique, ni la haute politique – ne lui semblait plus hors d'atteinte. Cette avancée fut symbolisée par la figure du juge promu au rang d'acteur politique. Même si elle semble maintenant avoir atteint ses limites, la transition tumultueuse qu'elle ouvre est loin d'être terminée.

Mais la volonté de punir actuelle est d'une autre ampleur. Dans un monde postérieur au 11 Septembre et, dans notre pays, aux élections présidentielles du 21 avril 2002, le discours politique veut rassurer et punir. Plus que la justice, la police et la prison – symboles de la puissance étatique – en sont les

---

1. Entre le 1ᵉʳ octobre 2001 et le 1ᵉʳ septembre 2004, la population écrouée en France est passée de 46 000 à près de 63 000 détenus, soit une augmentation de 35 %, chiffre sans précédent depuis la fin de la Seconde Guerre mondiale (62 000 en 1946) étant précisé qu'à l'époque la moitié des détenus l'étaient pour faits de collaboration dans un pays de 40 millions d'habitants.

relais privilégiés. Ce discours affirme une volonté de respecter ses engagements. À un rythme soutenu, les lois martèlent la détermination des gouvernants. Le volontarisme législatif et l'opinion acquise à sa cause sont les nouvelles composantes d'un récit partagé par les médias. On ne sait pas trop où nous conduit cette dévotion à la sécurité promue au rang d'un droit fondamental. La tentation d'exorciser les grands problèmes de société par le *seul* interdit juridique triomphe : délinquance juvénile, flux migratoires, propos racistes ou homophobes, port de signes religieux à l'école...

Ce livre ne cherche pourtant pas à dénoncer une dérive sécuritaire. Son propos n'est ni de méconnaître les nouvelles formes de criminalité, ni de contester la demande de sécurité qu'elles inspirent. Il ne porte pas sur la nécessité de la réponse au crime (qui n'est guère douteuse) mais sur les excès de cette réponse qui en ruinent toujours la légitimité et souvent l'efficacité. Il analyse un danger qui ne relève pas d'un mauvais choix politique mais d'une transformation de la démocratie elle-même. Il cherche, dans l'exemple français et au-delà, à cerner les faits et les représentations qui conduisent à radicaliser le droit de punir – ce pouvoir d'incriminer mais aussi d'accuser, de juger, de condamner. Au centre de nos interrogations se trouve le moment décisif où se forge cette radicalité, le *populisme pénal*. Loin d'être l'apanage des partis extrêmes, il caractérise tout discours qui appelle à punir *au nom* des victimes bafouées et *contre* des institutions disqualifiées. Il naît de la rencontre d'une pathologie de la représentation et d'une pathologie de l'accusation : réduite à une communauté d'émotions, la société démocratique « surréagit » aux agressions réelles ou supposées, au risque de basculer dans une escalade de la violence et de la contre-violence. Toute hésitation serait l'indice d'une faiblesse. Toute prudence, une marque de complicité. Seule compte

14

l'exaltation populiste de l'unité du peuple en péril. La vie collective semble suspendue à la dénonciation permanente de menaces. Trois systèmes (médiatique, judiciaire, politique) façonnent un « peuple-émotion[1] » qui envahit l'espace public : à côté de la justice qui lui donne son langage, les médias mettent en récit l'émotion collective et le discours politique y mêle ses propres réponses. Quand la menace est là, ensemble et dans l'urgence, ils déclenchent un emballement incontrôlable. Une figure que tous veulent s'approprier incarne cette coalescence imprévisible : la victime.

Mais comment expliquer qu'un tel emballement menace la démocratie en elle-même ? La volonté de punir, tant qu'elle s'exprime dans le langage du droit, équilibre la tendance à la répression par une tendance contraire à la clémence. Le monopole étatique de la violence n'est légitime que parce que le droit l'encadre par un système d'infractions, d'échelle des peines et de contraintes procédurales. L'élan vers la répression peut aussi être modéré, rééquilibré, différé. Le droit de punir, qui comporte des normes répressives (récidive, circonstances aggravantes) et non répressives (grâce ou amnistie), s'en trouve stabilisé. Que ce système soit jugé impuissant à combattre le crime, qu'il cède aux appels pressants d'une société menacée, voilà qu'il sort de son cadre et oublie la modération qui le gouverne. Cette exacerbation de la réaction sociale, véritable invocation d'un peuple imaginaire, provoque une paralysie des médiations démocratiques. Par lui-même, le droit pénal est fait d'une articulation prudente entre la volonté de punir et le renoncement à punir. Qu'il s'en écarte et le voilà asservi au scandale de l'insécurité et à celui de l'impunité. Plus encore : son seul langage sera le scandale, sa seule posture, l'accusation.

---

1. Pierre Rosanvallon, *Le Peuple introuvable. Histoire de la représentation démocratique en France*, Gallimard, 1998, p. 340 et *sqq*.

15

Qu'il poursuive dans cette voie et surgira la dénonciation de l'injustice, de la détention abusive, de l'erreur judiciaire. Les causes qui expliquent cette oscillation brutale sont profondes, tant le droit de punir se dilate et se déplace, tant il est porté aux extrêmes qu'il a précisément pour objet de tempérer.

On pensait les démocraties libérales bien armées pour y résister. Leurs droits, leur système de justice et leurs contre-pouvoirs plaident en ce sens. On découvre que toute démo-cratie exposée à des menaces est mise à l'épreuve dans ses fondements mêmes. Dépendante de l'opinion, figure imagi-naire du peuple, la démocratie est facilement otage des paniques morales qui se propagent dans une société média-tisée : il suffit de voir avec quelle facilité le dernier référendum suisse d'initiative populaire a décidé la prison à vie pour les criminels dangereux[1]. Il faudrait sans cesse être à l'écoute d'une société menacée par des ennemis, réels ou supposés. Objet de toutes les attentes, le droit de punir est, en quelque sorte, placé hors de ses gonds. Si « les hommes sont incapables de pardonner ce qu'ils ne peuvent punir », ils sont aussi « inca-pables de punir ce qui se révèle impardonnable[2] ». Crime contre l'humanité auquel songe ici Arendt, mais aussi crimes terroristes, crimes sexuels tels le viol, l'inceste ou la pédophilie. Quand la condamnation morale est sans appel, comment retrouver des raisons de punir et des possibilités de pardonner ?

Le pari de ce livre est d'explorer ce paradoxe d'un droit de punir sans mesure. Il propose une réflexion en trois temps. Le premier, auquel sont consacrés les deux premiers

---

1. Issu d'une initiative populaire pour une « vraie perpétuité », la Constitution suisse est enrichie d'un amendement qui prévoit la prison à vie sans aménagement possible pour tous les criminels dangereux. A. Vallotton remarque que peu d'hommes politiques s'y sont opposés, de peur de déplaire à leurs électeurs. « L'initiative populaire pour une vraie perpétuité », *Champ pénal*, vol. 1, sur le site www.revue.org

2. Hannah Arendt, *Condition de l'homme moderne*, Pocket, coll. « Agora », 1983, p. 307.

chapitres, analyse les racines de cette mutation. Nous sommes en face d'un double mouvement : d'un côté, le déclin de notre sollicitude envers l'homme coupable face aux formes multiples d'insécurité ; de l'autre, la demande croissante des victimes qui place notre société sous l'emprise des sentiments moraux. Les deux figures du coupable et de la victime se croisent dans notre justice de manière imprévue. Nous vivons à la fois la crise d'une réponse individualisée à la délinquance et une exigence de reconnaissance des victimes. Longtemps silencieuse, la victime vient au-devant de la scène au point d'occulter le souci du coupable. Une ancienne culture pénale fondée sur le statut subjectif de la faute se transforme profondément. Habitée par le couple de la victimisation et de la pénalisation, elle ne sait plus ce qu'est punir. Le mal s'échappe de l'intériorité de l'homme coupable, prend le visage de la plainte longtemps condamnée au silence. La peine n'est plus comprise comme la sanction d'une faute mais comme la réparation d'un tort. L'engrenage de la plainte reproduit celui de la violence au lieu de s'en distancier. La dette de la société est assortie d'une clause de réparation illimitée. Le droit de punir cherche son nouveau centre de gravité autour du mal subi, dans le récit du malheur éprouvé, lui qui est outillé pour réprimer le mal agi, attentif aux biographies accidentées de ses auteurs. La délinquance est ainsi dissociée du délinquant. Nous découvrons un mal qui ne se résume pas à une infraction assortie d'une peine. Il ne se pense plus comme un passage à l'acte dont il faut décrypter le mystère. Il n'est plus une désobéissance à la loi sanctionnée par un châtiment. Ce mal est sans commune mesure avec la faute commise. Il sort de l'intériorité blâmable d'un auteur. Il se mesure à l'ampleur des conséquences irréversibles entraînées dans son sillage. Le mal est dans la *peur* qu'il inspire, l'*insécurité* qu'il répand mais aussi dans les *risques* qu'il nous fait courir. Les conséquences de l'acte entrent, en quelque sorte, dans la faute. Nous ne savons plus jusqu'où punir tant la dialectique de la punition et du pardon est désarticulée, happée par une émotion collective magnétisée par les violences subies. Les références de la responsabilité et de la peine deviennent incertaines. Le coupable devient un « lointain » à mesure que sa victime devient mon « prochain ». Le délinquant est réduit à un risque dont il faut se préserver (chapitre I).

Simultanément, la figure de la victime se fait omniprésente dans notre imaginaire collectif. Mais c'est moins la victime *singulière* désignée comme telle par la justice que la victime *invoquée* par de multiples récits qui circulent à son sujet, qu'ils soient médiatiques ou politiques. Autant la victime tente de ne pas sombrer dans le silence et la honte, autant le discours *sur* la victime se prête à de bruyantes stratégies d'instrumentalisation. Plus grave encore, ses exigences exacerbent les attentes exclusivement répressives. La trame du droit de punir se déchire : incriminations floues, accusation illimitée, responsabilité sans imputation individuelle et peines démesurées. Décrochée de l'infraction, hors de toute procédure, la peine perd sa causalité et devient flottante. La volonté de punir devient coextensive aux « atteintes » à la personne humaine. Les catégories pénales sont dilatées dans leur espace sémantique (crimes sexuels, crimes contre l'humanité, par exemple) et dans le temps de leur mise en œuvre (prescription). Le fait semble bien durable : la peine qui frappe l'acte et son auteur a désormais une vocation réparatrice pour la victime et, au-delà, pour la société (chapitre II). Tel est le premier temps de la démonstration.

Le deuxième temps voudrait mettre à l'épreuve ces hypothèses afin de mieux en cerner les manifestations mais aussi les points de résistance. Toutes les sociétés démocratiques traversent – à des degrés divers – un cycle dominé par la répression, au détriment de l'autre pôle du droit pénal qui privilégie la clémence. Certes, la différence est grande entre les États-Unis et la France. Outre-Atlantique, de longue date, la politique pénale est résolument répressive : discours politique guerrier, peines automatiques et infamantes, inflation carcérale unique au monde, sévères privations des droits civiques, « responsabilisation » du juge... La volonté de punir y est devenue un enjeu politique : les lois sont dédiées à la cause des victimes et les guerres sont faites en leur nom. Les États-Unis sont la terre d'élection du populisme pénal – l'expression y est née – alors que l'Europe semble y résister davantage. Dans le débat qui s'engage aux États-Unis comme en Europe sur la légitimité de la riposte aux nouvelles formes de terrorisme se joue l'avenir de la démocratie libérale. On y mesure la résistance de l'État de droit au moment où les risques sont omniprésents dans un monde habité par une violence sans frontières (chapitre III).

Dans notre pays, la percée du populisme pénal ces dernières années est spectaculaire. Depuis les années 1970, la demande de sécurité adressée à l'État est récurrente. Si la peine de mort a disparu de notre droit, on constate, en revanche, l'inflation des lois pénales et la lourdeur des peines encourues et prononcées. À défaut de nourrir une politique de réformes, la question pénale devient l'un des enjeux de la compétition politique. Les lois se succèdent à un rythme accéléré dès lors que chaque majorité veut afficher *sa* réforme. Sous cette pression permanente, une nouvelle économie de la punition permet de livrer bataille sur deux fronts : celui de la petite et moyenne délinquance et celui du crime organisé. Une seule référence domine les débats : la performance et l'efficacité dans la lutte contre le crime.

Une omission aussi : les garanties du procès équitable jugées trop indulgentes pour les ennemis du genre humain. Une justification, enfin : la cause des victimes, matrice du populisme pénal et de l'état d'exception permanent qui traverse le droit de punir (chapitre IV).

Cette évolution, si puissante soit-elle, n'est ni fatale ni inéluctable. Il faut s'interroger sur les réponses et les stratégies à opposer au populisme pénal et à ses conséquences. C'est le troisième et dernier temps de ce livre auquel sont consacrés les deux derniers chapitres. Une première réflexion naît d'une attention portée aux relations singulières qui se nouent dans l'acte de punir. Par lui-même, cet acte implique une coprésence des protagonistes et s'éloigne du volontarisme législatif. Punir ne consiste pas à poser une division entre « eux » et « nous » pour mieux cimenter une identité ébranlée. Il est toujours possible d'opposer une « criminologie du semblable » à une « criminologie de l'autre ». C'est là, dans le face-à-face, qu'on peut, à côté de l'abstraction de la loi, replacer la relation singulière au centre de la peine. L'exercice des fonctions coercitives (enquêter, juger, détenir) appelle une juste relation à autrui. Décrochée de sa seule dimension répressive, la peine peut être travaillée dans toute l'étendue de ses possibles et être rendue à sa tension constitutive entre la compréhension qui explique et l'incompréhension qui accuse. La recherche d'un sens de la peine nourri d'un rapport au semblable y retrouve sa chance (chapitre V).

Peut-on aller plus loin et défendre une culture démocratique menacée par la radicalité de la volonté de punir ? Un dernier chapitre (chapitre VI) esquisse, dans cette perspective, ce que pourrait être une éthique de la résistance légitime. À la démesure pénale, celle-ci oppose un surcroît de délibération politique. À la célébration populiste d'une communauté d'émotions, les médiations patientes entre l'État et l'individu.

À la durée solitaire de la peine, à l'indifférence à l'égard d'autrui, une éthique de la reconnaissance mutuelle. À la tentation immémoriale de la vengeance, un souci équilibré des victimes, des auteurs d'infractions et de la collectivité. Ce qui suppose de penser les conditions d'un monde commun dont chacun se sente coresponsable. Tant il est vrai qu'une société démocratique plus portée à exclure qu'à lier ne peut se projeter en avant. Otage de ses peurs, elle ne peut construire qu'un lien social pauvre et négatif. Son avenir suppose d'être lucide sur cette fracture, de mobiliser ses acteurs pour assurer sa propre continuité.

I

Métamorphose d'une inquiétude démocratique

> « L'âme de la peine, la peine vraie, c'est la *réprobation* générale par la même raison que le vrai gouvernement, c'est l'opinion publique. »
>
> Gabriel TARDE, *La Philosophie pénale.*

La demande de protection qui émerge de nos démocraties perméables aux émotions collectives n'est pas sans conséquences pour leur équilibre. Si l'urgence est d'armer préventivement l'État contre une menace criminelle, comment accepter un droit d'intervention aussi vaste d'autant qu'il n'y a souvent en face ni crime ni délinquant ? Le droit de punir conçu pour modérer la puissance étatique peut, au contraire, l'exacerber. Dans un texte datant de 1956, *Le Paradoxe politique*[1], Paul Ricœur rappelle que l'État procède *à la*

---

1. Ce texte, écrit en 1956 pendant l'insurrection hongroise de Budapest, est repris dans *Histoire et Vérité*, Seuil, 1956, p. 265-285.

fois de la violence du pouvoir et de l'aspiration à fonder le vivre-ensemble. Il incarne le monopole de la violence légale mais il aspire à pacifier la cité au sein d'institutions justes. Nous devons donc le penser du côté de *la force* qui le fait agir dans l'histoire, mais aussi dans *la forme* de l'État de droit. Issu de la violence, il a besoin de la forme du droit pour fonder son acceptabilité et de l'adhésion du peuple pour devenir légitime. Paix et violence sont étroitement imbriquées dès l'origine. De cette « rationalité introuvable » résultent ces mouvements de flux et de reflux entre le droit et la puissance, la raison pénale et la raison d'État. D'un côté, l'État est partie prenante d'une décision souveraine et brandit la loi pour punir ceux qui l'offensent – la justice incarne alors l'ancienne *Thémis* ; de l'autre, la loi veut la paix et la réconciliation – c'est la justice comme *Diké*[1]. Traversé par ce paradoxe, le droit de punir est une mince trame prête à se rompre. Il suffit d'une incrimination élastique, d'opportunités accrues, de lois d'exception. Le pouvoir doit être organisé et distribué de sorte que son application soit répartie entre différents acteurs. En démocratie libérale, l'action étatique et le contrôle du juge vivent en tension permanente. L'État doit accepter les limites *internes* à sa puissance que sont la constitution et les droits fondamentaux. Voilà pourquoi on ne peut penser la violence légale en dehors de cette ambivalence. Une analyse qu'on retrouve souvent dans le sillage de *Surveiller et punir*[2] suggère qu'autour de la prison prolifère un savoir destiné à dissimuler

---

1. Ces deux paradigmes apparaissent dans le droit grec : la *Thémis* est une justice intrafamiliale qui châtie celui qui offense les valeurs sacrées du groupe ; la *Dikè* est une justice interfamiliale qui privilégie la paix et l'équilibre entre les groupes. Gustave Glotz, *La Solidarité de la famille dans le droit criminel en Grèce,* Paris, 1904, p. 20. Voir une première analyse amorcée dans notre article, « Le droit pénal entre Thémis et Dikè », *Droits*, PUF, 1992.

2. Voir, en ce sens, Ph. Artières et P. Lascoumes, *Gouverner et enfermer, la prison, un modèle indépassable ?*, Presses de Sciences Po, 2004.

sa violence fondamentale. Au fond, la prison serait la part honteuse qu'une société démocratique ne parviendrait pas à assumer. Ses hauts murs rappellent, à ceux qui l'oublieraient, la distance infinie qui sépare le souverain de ses sujets. Quand il ne reste ni supplices, ni peine de mort, demeure cette institution qui incarne la violence primordiale de l'État. Institution où celui-ci règle froidement ses comptes, montre sans états d'âme qu'il est le seul maître et rappelle durement aux infracteurs ce qui leur en coûte s'ils ignorent sa loi.

Mais cette prison indiscutablement violente chemine aussi dans une société démocratique. Elle est donc au centre d'une tension entre les droits de la personne et la violence faite aux personnes. Elle est marquée par une double appartenance à la puissance étatique et la cité démocratique. Maintenue dans cette ambivalence, elle est partie prenante du « paradoxe politique ». Mieux : elle est travaillée par cette dualité qui est nécessaire si elle ne veut pas basculer dans la démesure. Punir des égaux provoque une inquiétude légitime sur les limites de cette violence légale, qu'elle soit carcérale, policière ou judiciaire. La recherche d'un sens à l'enfermement – son usage, sa pénibilité, ses conséquences directes et indirectes sur le détenu – ne la quitte jamais. Institution où des semblables coexistent, il importe de maintenir la prison dans la continuité d'un espace public démocratique.

La longue histoire de la prison républicaine réalise ce programme paradoxal. Le discours de l'humanisation des peines et de la réhabilitation des détenus y trouve durant deux siècles son inspiration la plus constante. Mais, à la fin du siècle dernier, l'irruption d'une insécurité multiforme donne à la peine une fonction moins rédemptrice. Ses vertus réhabilitatrices se dissolvent. La volonté politique semble indifférente au travail obscur sur l'homme coupable. Sans cesse trempée dans l'indignation collective, la peine renoue avec les racines anthropologiques de la vengeance : faire mal pour éliminer le mal.

Changer l'homme coupable

À l'origine pourtant, la Révolution veut façonner un homme nouveau. Il suffit de lire les débats sur le Code pénal de 1791 pour mesurer la permanence du rêve pédagogique des hommes de 1789 : l'éducation et le travail sont le pivot de cette renaissance de l'homme coupable. À défaut d'être supprimée, la peine de mort est limitée. La « marque » infamante et les peines perpétuelles sont refusées comme le vestige d'une époque barbare[1]. Nouvel Adam, l'homme démocratique se reconnaît comme membre d'une société d'individus égaux en droit. Aux statuts différenciés des sociétés aristocratiques succède l'égalité démocratique. L'école – mais aussi l'asile et la prison – aura pour mission de produire cet homme semblable à ses pareils. Dès lors qu'aucune inégalité de statut ne sépare plus les hommes, ils peuvent se reconnaître comme appartenant à une société d'égaux.

La volonté politique va devoir répondre à l'inquiétude née de cette indétermination démocratique. Comme l'Église assurait la médiation entre les fidèles et l'au-delà, l'État devient l'organe de réflexion de la société sur elle-même. Un long face-à-face commence entre l'État et des individus atomisés et sans attaches. La destruction des appartenances natives ou organiques ne laisse pas d'autre choix à

---

1. La marque était, sous l'Ancien Régime, une fleur de lys sur l'épaule. Dans le Code pénal de 1791, la peine la plus longue était de vingt-quatre ans. Voir Jean-Marie Carbasse, *Histoire du droit pénal et de la justice criminelle*, PUF, 2001, p. 378 et *sqq.*

cette communauté politique. Son ambition vise à enfanter l'individu, à éduquer même les plus inéducables, bref, à miser sur l'intégration. Nul n'est *a priori* exclu de ce nouveau pacte social.

Naissance du paradoxe pénitentiaire

Ce bel idéal ne résiste pas aux mutations sociales de la première moitié du XIXᵉ siècle. Peu à peu, les masses urbaines échappent au contrôle des communautés locales. Hors de leurs réseaux de proximité, les laissés-pour-compte de ces mutations forment le nouveau prolétariat. Le XIXᵉ siècle donne naissance à un État punitif dominé par la prison et le bagne. Résolument utilitariste, le Code pénal de 1810, un « code de fer », réintroduit la « marque » et la prison perpétuelle. Le désordre urbain, aux premiers temps de l'ère industrielle, impose la nécessité d'une police des « sans-aveux ». Le vagabondage et surtout la récidive deviennent les véritables obsessions du XIXᵉ siècle[1]. Mieux renseigné sur la criminalité, l'État veut répondre à une société de plus en plus inquiète d'un résidu de violence inéliminable[2]. La catégorie de l'autre sans visage l'obsède. Du monde glauque des *Mystères de Paris* jusqu'à l'homme aliéné de *La Bête humaine,* on y verra toujours la cohorte des criminels-nés, image d'une altérité dangereuse et sans remède, et le Javert des *Misérables* ne renonce jamais à traquer un Jean Valjean qui illustre pourtant la rédemption la plus accomplie.

Entre l'ambition rédemptrice de la peine et la nécessité d'éliminer les inamendables, un paradoxe se noue durablement. Jusque-là, le partage était clair : l'État punit les corps,

---

1. Voir Bernard Schnapper, « La récidive, une obsession créatrice au XIXᵉ siècle », in *Voies nouvelles en histoire du droit,* PUF, 1991, p. 313-347.
2. Le compte général du crime date de 1831 et le casier judiciaire de 1860.

l'Église s'occupe des âmes. Le for intérieur et le for extérieur sont clairement distingués. Mais la théologie pénitentielle et la peine étatique vont converger. À son tour, l'État veut une peine purifiante et exige la collaboration active du condamné. Les innombrables projets de réforme pénitentiaire aspirent tous à l'amendement. Nul ne se résout à un enfermement sans perspective de pardon. La lecture de la déviance n'exclut jamais *a priori* d'y inscrire un pari moral, un projet thérapeutique. Le crime est une infirmité dont on peut apprendre à guérir. Un rapport nouveau à autrui apparaît entre la « folie du crime » qui est déraison totale et la « folie criminelle » ouverte au traitement, au dialogue, bref à une relation au semblable [1].

L'impossible jugement : le cas Pierre Rivière (1835)

Le dossier de Pierre Rivière, condamné à mort par la cour d'assises du Calvados, qui fut exhumé des *Annales d'hygiène publique et légale* par Michel Foucault, mérite une relecture. Le 3 juin 1835, ce jeune homme de vingt ans tue à coups de serpe sa mère, son frère et sa sœur. Suit une longue errance dans les bois comme s'il se retirait lui-même dans l'univers silencieux de son malheur. Une fois arrêté, il présente son acte comme une manière de protéger son père contre une mère malfaisante. On y ressent un fils qui s'est peu à peu enfermé dans le labyrinthe d'un conflit familial lourd et sans issue. Il sera parricide par la force du Code pénal de 1810 qui incrimine et punit de mort le meurtre de la mère, du

---

1. Sur cette distinction, voir Marc Renneville, *Crime et folie*, Fayard, 2003, p. 11.

père ou de tout ascendant légitime (ancien art. 229). Les faits sont reconnus et les trois homicides sont bien prémédités. Rivière n'avait-il pas aiguisé sa serpe peu auparavant et mûrement choisi le moment propice pour agir ? La peine de mort s'impose d'autant plus qu'au crime se superpose une âme criminelle. Monstre, Rivière l'est biographiquement, lui qui crucifiait les grenouilles et broyait les jeunes oiseaux entre deux pierres. Monstre, il l'est encore par son acte barbare perpétré en toute lucidité. Monstre, il se qualifie comme tel dans le récit de son crime en appelant de ses vœux l'expiation qu'il mérite.

Mais le mémoire, *Moi Pierre Rivière ayant égorgé ma mère, ma sœur, mon frère...*, qu'il écrit en détention change cette perspective. Pour les uns, c'est un élément à charge qui démontre la préméditation. Pour les autres, c'est, au contraire, la preuve clinique du « clivage » caractéristique de la monomanie. Quelle lecture choisir ? Rivière est-il dément ou criminel ? S'il est coupable d'homicide, mérite-t-il au moins les circonstances atténuantes ? À cette question, la loi n'offre aucune réponse. Seul un acte de jugement peut conduire à une décision juste. Le jury, qui à l'époque juge seul de la culpabilité, hésite. Par sept voix contre six, il refuse les circonstances atténuantes. Les juges en tirent les conséquences : ce sera la mort. Sauf s'il est gracié, Rivière devrait donc être conduit à l'échafaud la tête revêtue d'un voile noir comme les parricides même s'il échappe à l'ablation du poing droit, sanction supprimée en 1832.

Loin d'être clos, le débat rebondit hors du prétoire. Le doute habite inépuisablement la décision. Une campagne de presse brocarde une société qui confie au bourreau le soin de guérir ses malades. D'éminents psychiatres plaident en faveur de l'irresponsabilité pénale. Certains jurés adressent au roi, fait rare, un recours en grâce pour commuer sa peine. « Nous reconnaissons que tous les maux qu'il a soufferts dans la personne de son père qu'il chérissait au point de s'immoler à lui, ont dû puissamment l'ébranler... » Le rapport du président de la cour d'assises va dans le même sens : « Si la clémence royale daignait s'étendre sur Rivière, son état mental en serait le seul motif... » Le garde des Sceaux, à son tour, renchérit : « J'éprouve moi-même trop de doutes sur l'état mental de ce condamné pour conclure soit à l'exécution de l'arrêt, soit à l'exemption de toute peine [1]. » La peine sera commuée en réclusion à perpétuité. Rivière se pendra en 1840 dans la maison centrale de Beaulieu.

Trop punir ou pas assez ? Le cas Rivière exprime le refus d'un « code de fer » qui ignore la pitié. Les jurés ne peuvent se résoudre *dans ce cas* à ordonner la mort. Au cœur du dilemme, se dévoile l'inquiétude qui habite la conscience démocratique. Comment qualifier ce qui est un crime majeur mais aussi – au moins en intention – un acte fou ? Si la société est touchée par un tel crime, elle l'est autant par la mise à mort d'un dément. L'horreur provoquée par de tels faits cède devant le sentiment de pitié envers son semblable. Trop punir serait injuste et peut-être scandaleux. Ce serait provoquer un « assassinat judiciaire » comme le dira la presse, une erreur de diagnostic diront les experts, une injustice selon les jurés, les juges et les politiques. Quand les jurés sont inquiets, les psychiatres divisés, l'opinion ébranlée, il fallait un geste de prudence, d'apaisement, de souveraineté aussi. La modération pénale est un acte politique autant qu'une sagesse pratique. La clémence au sens d'un pardon de puissance est l'ultime réponse à l'indécidable.

---

1. Textes extraits de « *Moi Pierre Rivière ayant égorgé ma mère, ma sœur, mon frère* » : *un cas de parricide au XIXe siècle* présenté par Michel Foucault, Gallimard, coll. « Archives », 1973.

Au long du XIXᵉ siècle, la question des prisons devient brûlante : comment prévenir le « péril récidiviste » et la corruption des prisons qui en est le ferment ? En quoi la privation de liberté dans un pourrissoir peut-elle apprendre à bien gérer sa vie ? L'éducation accordée aux prisonniers ne va-t-elle pas renforcer leur dangerosité ? En somme, pour punir quelques-uns, doit-on les corrompre tous ? Ainsi naît le « paradoxe pénitentiaire [1] » qui ne cesse de s'intensifier à mesure que la prison devient la peine de référence. Si l'État veut endosser la fonction pastorale, il n'oublie jamais de défendre la société. La foule des misérables émeut mais le combat contre « l'armée du mal » mobilise. Le crime indigne – surtout celui du délinquant d'habitude – mais le criminel égaré ou l'enfant sans famille incitent à la pitié. S'il est impossible de renoncer à une prison criminogène, il n'est pas moins indispensable d'en réduire les effets nocifs.

À défaut d'être dénoué, ce paradoxe est mis en scène. Le débat oppose l'optimisme de la réinsertion – le rachat chrétien laïcisé – et le pessimisme à l'égard des inamendables. Des travaux de Tocqueville sur le système pénitentiaire en 1831 à ceux de la commission d'Haussonville sur l'état des prisons en 1872, la tension ne se relâche jamais. Elle culmine avec le débat à la Chambre sur la relégation entre Waldeck Rousseau et Clemenceau en 1883. Le premier, alors président du Conseil, tient un discours sécuritaire qui oppose « la rue heureuse », où règne la tranquillité, à « la rue des faubourgs » où sévit le délinquant incorrigible qu'il faut éliminer pour protéger les petites gens. À cette « politique du débarras », Clemenceau oppose celle de l'amendement qui prévient le mal

---

1. Jacques Léauté le définit comme « la recherche de l'amendement au moyen de la claustration », ce qui fait de la prison la plus criminogène des peines car elle assure les conditions de sa reproduction (*Criminologie et sciences pénitentiaires*, PUF, 1972, p. 99).

et déplore, en écho à Tocqueville, l'absence d'un système pénitentiaire digne de ce nom [1]. Entre l'utopie philanthropique et le rêve de la cité hygiénique, le débat sur la « bonne » prison ne trouve guère d'issue.

Ce type de débat reste pourtant exceptionnel. L'essor de la presse à grand tirage, pendant la monarchie de Juillet puis la Troisième République – avant de diminuer ensuite –, alimente la thématique de l'insécurité. Reste qu'en deçà des passions de l'opinion on continue de comprendre le crime comme une pathologie dont la société peut guérir par une démarche prophylactique et humaniste. Qu'il éduque ou punisse, cet État tutélaire aime le secret. Son pivot est l'expert ; son unité de mesure, le dossier. Les sujets qu'il place sous son regard ne sont visibles que de lui. Il scrute sans relâche la forme des crânes et les signes corporels pour identifier les types criminels. Il collectionne les anomalies scandaleuses pour son hygiénisme méticuleux. L'expert se fait phrénologue, anthropologue, paléontologue. Ce labeur inlassable opère des distinctions subtiles entre bons et mauvais coupables. L'État savant engendre deux laboratoires, deux lieux clos : l'asile et la prison, lieu de régénération pour les uns et d'élimination pour les autres. Tout cela est propice au traitement mais aussi à l'arbitraire des peines obscures. Avec ses immuables règlements pénitentiaires, l'État geôlier continue silencieusement sa besogne. L'œil des experts suffit à rassurer une société de propriétaires et une élite qui croit à la science.

Mais cette science pénale n'exclut pas la bienveillance paternelle. La nation offre sa protection aux enfants perdus, ses « pupilles », et aux jeunes filles confiées au « Bon Pasteur ». Le paradoxe pénitentiaire est dénoué par un compromis qui

---

1. Robert Badinter, *La Prison républicaine*, Fayard, 1992 ; Le Livre de Poche, p. 139 et *sqq.*

consistera à réprimer les marges dangereuses tout en restant indulgent pour les « bons » pauvres. Si cet État de la fin du XIXᵉ siècle veut éloigner les récidivistes, il ne désespère pas d'amender les autres ; il s'efforce d'aider les pauvres sédentaires mais reste fermement convaincu qu'il doit éliminer les parasites. Pour les récidivistes, ce sera la prison ou la relégation ; pour les autres, le sursis et la libération conditionnelle[1]. Or ce n'est ni la prison ni le bagne, peu à peu supprimé, qui libèrent cette société de ses obsessions. Parmi de nombreux facteurs – notamment, la surveillance policière –, le sursis semble décisif. À partir de son adoption à la fin du XIXᵉ siècle, on observe sur une longue période une baisse de la criminalité et du taux d'incarcération. Moins tendu, l'arc pénal laisse sa chance à d'autres régulations. Cette politique menée entre les années 1880 et la Seconde Guerre mondiale sera durable. L'obsession de la récidive diminue au début du XXᵉ siècle avant de réapparaître avec la même force au milieu des années 1970.

L'élan de 1945

La période qui s'ouvre après 1945 ne rompt pas avec l'héritage du siècle précédent. Le contexte de la Libération lui donne seulement l'allure d'un nouveau commencement. La Constitution de 1946 symbolise la promesse d'une République qui se veut égalitaire, redistributive et solidaire. Un État résolument social offre aux individus un véritable filet de sécurité : statut du salariat, système de protection sociale et services publics au premier rang desquels l'école et le logement. Un élan humaniste prend appui sur le rejet explicite d'une Europe de la puissance et de la négation de l'homme. Deux grandes réformes marquent le retour en force du traitement social de la déviance : l'ordonnance du 2 février 1945

---

1. Le sursis date de 1885 et la libération conditionnelle de 1891.

sur l'enfance délinquante et la réforme pénitentiaire. Le refus de la prison pour les mineurs et l'objectif de réhabilitation pour les condamnés dominent une politique pénale largement façonnée de 1945 à 1975 par le mouvement de Défense sociale nouvelle[1]. Plus que jamais, le châtiment est un « besoin de l'âme » qui honore le coupable d'une « éducation supplémentaire » destinée à parfaire son insertion dans la société[2].

Les réformes d'après-guerre se font là encore sans débat public. Le débat a lieu à *l'intérieur* de l'administration pénitentiaire, au sein des sociétés savantes qui accumulent des savoirs, reformulent les projets criminologiques. Là sont les grands commis de l'État connus des professions concernées mais ignorés du grand public[3]. Un trait commun les unit : anciens déportés et souvent fervents chrétiens, ils sont convaincus de la nocivité de l'enfermement. Ils connaissent la période fondatrice et mesurent l'enjeu des commencements. Ils veulent à leur tour régénérer l'homme sans appartenance des sociétés démocratiques. Un défi est à la hauteur d'une mission spirituelle de l'État : promouvoir une « *metanoia* [conversion] laïque[4] » grâce à une organisation de la peine qui favorise la pénitence volontaire du coupable.

Le droit de punir n'a qu'une finalité : la réhabilitation. L'ordonnance du 2 février 1945 relative à l'enfance délinquante parie sur le potentiel des enfants qui recommencent à vivre dans un champ de ruines comme l'adolescent suicidaire

---

1. Marc Ancel, *La Défense sociale nouvelle*, Cujas, 1980, p. 32. La Défense sociale nouvelle résume à elle seule le paradoxe pénitentiaire puisqu'elle vise à « protéger la société en protégeant également tous les citoyens, même délinquants ».

2. Pour reprendre les belles formules de Simone Weil, *L'Enracinement*, Gallimard, 1949, p. 33.

3. Par exemple, Jean Chazal, issu de la première génération des juges des enfants, Paul Amor, premier directeur de l'administration pénitentiaire, et Pierre Cannat, membre de l'œuvre de Saint-Vincent de Paul.

4. Roger Merle, *La Pénitence et la peine*, Cerf/Cujas, 1985, p. 150.

d'*Allemagne année zéro*, le film de Rossellini tourné en 1946. Mais, pour les hommes de la Libération, c'est le *régime progressif* qui autorise tous les espoirs puisqu'il doit préparer par étapes le retour du condamné à la vie libre. Animé par des vertus de charité et d'espérance, il vise à faire reculer le plus loin possible l'« inamendabilité ». Ce qui compte d'abord est de défendre le délinquant en danger d'exclusion dans sa propre société[1]. On croit entendre Charles Lucas, ce grand réformateur du siècle précédent : la prison sera à l'auteur des infractions ce que l'hôpital est pour le malade, un lieu de guérison.

Le rêve démocratique de l'homme régénéré annoncé par les hommes de 1789 semble s'accomplir. À un moment où le nombre de détenus avoisine les 60 000, le cas des condamnés pour *indignité nationale* – près de 100 000 personnes accusées de collaboration – par les Chambres civiques montre que la peine garde des vertus inclusives. Pour ce type de « délinquant », il est clair que la prison n'est pas de mise. On y reconnaît non cet « autre » que l'on fustige mais un « semblable » qu'il faut réintégrer. À quoi servirait pour eux une incarcération sans perspective ? Un jour prochain, ils reprendront leur place au fur et à mesure que le climat de l'épuration s'apaisera. Ni traîtres ni criminels, seulement « inciviques », leur lien avec la communauté politique se distend sans se rompre. L'indignité – au sens juridique – punit la violation de *la fraternité* républicaine mise à mal par les années de l'Occupation. À une irrévocable criminalisation s'oppose une offre politique d'intégration. Bel exemple de cette « honte réintégrative » profondément inclusive à l'inverse de la « honte stigmatisante[2] ».

---

1. « La peine privative de liberté a pour *but essentiel* l'amendement et le reclassement social du condamné » (principe n° 1 de la commission de réforme des prisons, 1945).
2. Le crime d'indignité nationale créé en 1944 est puni d'une dégradation civique temporaire (durée de cinq ans). Voir Anne Simonin, « L'indignité nationale un crime nouveau ? », in *Charles de Gaulle et la justice*, Cujas, 2003, p. 207 et *sqq*.

En somme, l'homme coupable est regardé en face. Sa punition ouvre toujours sur une promesse de pardon. L'« État providence pénal » (*penal welfare state*[1]) parie sur l'avenir. Son art de punir évoque le berger qui doit « rendre chaque bête en bon état » comme l'Église rachète le pécheur repentant. Les textes lyriques de la revue *Esprit* traduisent bien l'ambition morale d'une justice qui doit « rencontrer celui qu'elle a saisi » et « le restituer à la société en le restituant à lui-même[2]. » La société se purifie non par l'exclusion de ceux qui ont violé ses règles mais par leur réintégration. La figure qui domine est celle d'un *État bienveillant* prodiguant des soins pour les inadaptés et une offre de travail aux déviants occasionnels. Attaché à travailler le grain de l'individualité, cet État ne punit jamais sans intention d'offrir un secours. Protégées contre le proxénétisme, les prostituées font l'objet d'un suivi sanitaire et social ; les toxicomanes sont des « usagers malades » soumis à des « injonctions thérapeutiques » ; les alcooliques bénéficient de soins judiciairement ordonnés et les familles déviantes d'une assistance éducative[3]. Bref, la peine est traversée de significations morales, sociales et thérapeutiques. Entre le droit de punir et le *devoir de socialisation,* le second l'emporte. La gestion de la délinquance sur le mode éducatif (ou réhabilitatif) arrime plus que jamais le pénal au social. Toute une culture professionnelle (magistrats, psychiatres, éducateurs...) construit la déviance comme une carence individuelle. Le postulat d'inclusion est soutenu par l'ampleur de cette culture criminologique, version savante d'une croyance en l'homme démocratique. Arbre aux racines profondes, elle va longtemps

---

1. Terme emprunté au sociologue anglais David Garland, *The Culture of Control,* Oxford University Press, 2001, p. 27.
2. Voir les textes rassemblés par Monique Seyler, *La Prison immobile,* DDB, 2001.
3. Respectivement lois de 1946, 1954, 1958 et 1970.

contenir les chocs subis par une société aux prises avec son histoire.

La prison en proie aux critiques

La guerre d'Algérie est l'événement où l'élan de 1945 se brise une première fois. Mobilisé par les impératifs de la répression, le système pénal va se durcir. Qualifiés de « rebelles », les détenus s'apparentent à des ennemis et la prison devient l'auxiliaire d'une guerre aux contours indéterminés. En métropole, les tribunaux de droit commun doivent punir les auteurs de la sédition « terroriste ». En Algérie, la peine de mort et l'internement arbitraire sont érigés en moyens de répression habituels. La lutte contre le terrorisme et l'incarcération des Algériens dans les années 1960 provoque un durcissement des règles pénitentiaires. La priorité sécuritaire ne cesse de s'affirmer au moment où les détenus nord-africains forment le tiers de la population carcérale. Arrêté, le « terroriste » demeure un ennemi irréductible. Évadé, il devient un « fuyard abattu ». La mission de surveillance, sous contrôle politique constant, dévore toutes les autres [1]. Le système carcéral s'organise pour répondre à ces nouveaux besoins avec la création en 1967 de la catégorie de détenus particulièrement surveillés (DPS), qui inaugure une gestion des détenus classés selon leur degré de dangerosité. La rupture est totale avec le régime progressif. La culture éducative ne subsiste guère que pour le traitement des mineurs délinquants.

Cette période historique coïncide avec le début d'un désenchantement intellectuel qui marque une seconde rupture avec le modèle de 1945. Aux États-Unis, et un peu plus tard

---

1. Il suffit de lire les courriers cinglants du général de Gaulle à son Premier ministre en 1963 à l'occasion d'évasions. Voir Jean-Charles Froment, *La République des surveillants de prison : ambiguïtés et paradoxes d'une politique pénitentiaire en France (1958-1998)*, LGDJ, 1998, p. 82-83.

en Europe, une salve de critiques délégitime la philosophie du traitement. Beaucoup ne la jugent ni légitime, ni même utile. Le pouvoir arbitraire, dit-on, des experts fait bon marché des garanties juridiques. Comment accepter des « peines » en quelque sorte indéterminées et soumises au jugement médical ? Le traitement n'est que le masque d'un dispositif doux de contrôle. La clinique passe pour subvertir le mandat donné à la justice. Or le mandataire n'est pas l'auteur de l'infraction, mais la société, qui ne lui donne qu'un seul sens : mettre fin au crime. Il n'est pas acceptable que le délit devienne un aléa – *a fortiori* un symptôme dans un parcours criminel. Le traitement, du reste, n'a aucun résultat à faire valoir. « Rien ne marche ! » (*Nothing works !*) clame-t-on dans les années 1970 aux États-Unis. Les nombreuses enquêtes le montrent, les chiffres le confirment : l'échec de la réhabilitation est inévitable chez des sujets marqués par des déterminants externes très puissants tant ils sont enlisés dans la culture du crime. Délégitimé par son absence de résultats, contesté pour sa « bienveillance armée » et son indifférence à la légalité, le traitement psychologique et social perd une bonne part de son crédit[1].

Dans le même temps, quoique dans une perspective opposée, le système pénal est démasqué dans son projet disciplinaire et contesté dans son principe fondateur par la perspective critique que propose Michel Foucault. La prison « carcéralise » la société par l'alliance de savoirs normalisants et de lois répressives. Qui sont ces coupables incarcérés ? Non des individus vulnérables en quête de rachat mais une « clientèle » de jeunes adultes, pauvres, issus de l'immigration

---

1. Voir la reprise des arguments de la littérature anglo-américaine : critique chez Jacques Vérin, *Pour une nouvelle politique pénale*, LGDJ, 1994, p. 145 et *sqq.* ; favorable chez Maurice Cusson, *Le Contrôle social du crime*, PUF, 1983, p. 63 et *sqq.* et Raymond Gassin, *Criminologie*, Dalloz, 2003, p. 539 et *sqq.*

et sans profession. La délinquance est un produit des institutions pénales à la fois source et réponse au problème qu'elles révèlent. Le danger est moins la prison vouée à un déclin irréversible que l'émergence d'un « archipel carcéral » qui assure un *continuum* disciplinaire et permet un contrôle diffus. Plus radical encore, Louk Hulsman dévoile les racines théologiques du droit de punir. Centrée sur la faute, la polarité du Bien et du Mal prive de leurs vraies solutions les conflits humains. Arrachés à leur tissu relationnel auquel ils sont noués comme une « plante », le droit de punir transforme les actes en délits, c'est-à-dire en « pierre[1] ». Hulsman n'en tire qu'une conclusion : abolir cet appareil coercitif, aussi aveugle que nocif, et sans autre finalité que de persévérer dans son fonctionnement.

Le monde pénal issu de 1945 semble bien loin. Attaquée sur ces deux fronts, la prison rédemptrice cesse d'animer les projets de réforme, disparaît du paysage intellectuel. Alors que le climat politique privilégie plus que jamais les attentes sécuritaires, le paradoxe pénitentiaire est dévoilé, retourné, démystifié. Comment accepter « une justice qui s'innocente de punir en prétendant traiter le criminel[2] » ? Au nom de quoi réhabiliter s'il s'agit de réintégrer dans une société inégale et injuste ? La clameur qui vient de la prison américaine d'Attica où une révolte des Black Panthers est noyée dans un bain de sang sert de révélateur. Sur la ruine des institutions dominatrices et pétries de bonnes intentions, la vérité d'un combat politique s'impose. Voici que le sujet trouve dans la révolte le pivot de son redressement. Voici que le droit retourné à son profit par un individu libre devient une arme contre l'oppression. Voici que la parole affranchie du contrôle

---

1. Louk Hulsman, Jacqueline Bernat de Celis, *Peines perdues*, Le Centurion, 1982.
2. Michel Foucault, *Dits et écrits*, III, Gallimard, 1994, p. 290.

social (le mot a fait fortune) libère le sens politique de l'infraction. On se souvient du manifeste du GIP (Groupe Information Prison) dont le principal mot d'ordre est : « La parole aux détenus [1]. »

Seule compte en effet la parole prise à la première personne. L'homme n'est ni coupable ni curable, mais politiquement opprimé. Il revendique non la place d'un sujet rééducable mais d'un acteur politique. Il réclame haut et fort la responsabilité de ses choix. Au même moment, après les secousses de la décolonisation, la société française veut être mieux protégée de la menace du terrorisme, de l'insécurité urbaine et du fardeau de la délinquance quotidienne. Que répondre à l'inquiétude démocratique qui exige de punir un semblable au moment où tant de menaces et de risques s'amoncellent ? La lecture individualisante héritée du XIXᵉ siècle ne fonctionne plus. Face à cette nouvelle réalité, le droit de punir doit se mettre en quête d'un autre langage.

L'ascension d'une société de sécurité

Comment cette inflexion a-t-elle été possible dans ce dernier demi-siècle ? Le déclin des ambitions de l'après-guerre n'est pas seul en cause. Depuis la fin des années 1970, on observe presque partout en Europe, parallèlement au déclin de l'élan intégrateur et des politiques sociales qui le soutenaient, une volonté politique d'endiguer l'accroissement de la criminalité. En France, la politique pénale mobilise un nouveau système d'acteurs autour d'un État de sécurité. Le droit de punir n'est plus – ou plus seulement – le moyen de normaliser un individu déviant mais devient partie prenante d'un dispositif de sécurité.

---

1. *Ibid.*, II, p. 304.

Le tournant de 1975

Cette inflexion s'explique, pour une part, par les mutations de la criminalité. La lente croissance de la petite et moyenne délinquance depuis un demi-siècle va peser lourdement sur les politiques publiques. On ne sait comment répondre à cette délinquance en miettes, face cachée de la société de consommation, indissociable des sites urbains où l'anonymat multiplie les occasions de délits et leur impunité. La croissance indiscutable des violences contre les personnes (bien que les homicides déclinent à long terme) renforce cette insécurité. Parmi celles-ci, la hausse des chiffres du viol exprime une nouvelle sensibilité de notre société à son égard depuis le début des années 1980. Massivement sollicitée, la justice offre des réponses inadéquates ou tardives. Le phénomène plus récent des incivilités échappe tout autant à ses grilles d'analyse. Plus que les violences elles-mêmes, il provoque une spirale de dégradation du lien social dans des territoires de plus en plus vastes. Par vagues successives (vols, violences, incivilités), une sensibilité à l'insécurité nourrit des attentes nouvelles, met à l'épreuve les institutions pénales[1].

Que peuvent faire les lourds appareils policiers et judiciaires dans cette nouvelle conjoncture ? À première vue, leur impact est faible. L'abandon relatif de la sécurité quotidienne est inscrit en creux dans un appareil policier outillé avant tout pour le maintien de l'ordre. Notre justice, elle aussi, est appareillée pour punir une infraction que seul son code peut reconnaître. La restauration du lien social n'est pas – du moins *a priori* – un objet dont elle peut s'emparer. L'une (la police) semble inadéquate, l'autre (la justice) bien trop lointaine. Seul

---

1. Voir Philippe Robert, *Le Crime, le citoyen et l'État*, Droz, 1999, p. 180 et *sqq.* et Laurent Mucchielli, *Violences et insécurité*, La Découverte, 2002, p. 62 et *sqq.*

le rétablissement de l'ordre public fait sens avec leurs procédures. Le choix de privilégier les infractions *sans victimes directes* (délits routiers, immigration clandestine et trafic de stupéfiants, etc.) correspond à leurs priorités internes. Ce contentieux pèse lourdement, dans ce dernier quart de siècle, sur des ressources policières limitées. On comprend que les citoyens en viennent à se protéger eux-mêmes et que le marché de la sécurité grandisse inexorablement.

À partir du milieu des années 1970, une insécurité polymorphe s'installe durablement. Le délitement des grands pôles d'intégration de l'État providence que sont le salariat et l'aide sociale est patent : chômage de longue durée, amenuisement du filet de protection sociale, ségrégation spatiale en sont les conséquences directes. Le pacte social de l'après-guerre cède. Lié au modèle salarial et inséré dans une économie longtemps étatisée, le *Welfare* n'est plus adapté à une économie mondialisée et en mouvement. Les politiques d'intégration universalistes se muent en politiques ciblées sur les populations à problèmes[1]. Les quartiers en difficulté ne sont plus des aires de conquête pour l'action sociale. Le scandale n'est plus la pauvreté endémique qui y règne mais l'impossibilité pour la police d'y circuler. On n'y entend que la violence qui explose et non la haine qui gronde. On ne songe qu'à nettoyer les rues, à rendre moins visibles les signes de la fracture sociale. Là pourtant s'accumulent le sous-emploi chronique, les dislocations familiales et donc les opportunités délinquantes. En panne de politique sociale, l'État n'incarne plus la solidarité, n'offre plus de perspectives d'intégration.

La représentation de la délinquance héritée de l'aprèsguerre s'infléchit. Par la puissance de son appareil et par l'élan politique qui le soutenait, l'État était capable d'imposer son

---

1. Robert Castel, *L'Insécurité sociale*, Seuil, 2003, p. 23.

projet à la société. L'homme coupable était puni à l'aune des actes commis et des responsabilités correspondantes. Adaptée à sa faute et à sa personne, la peine pouvait s'ouvrir à un projet de réinsertion sociale. Désormais, les menaces sont vues du côté de ceux qui les subissent : les victimes ou ceux qui s'en réclament. Le déplacement d'accent s'opère à partir du moment où l'on passe d'un modèle de réponse à l'acte ou de traitement des individus à la régulation des espaces et des populations qui vivent dans un espace donné : les « dispositifs de sécurité[1] ». Les savoirs construits pour une délinquance perçue comme un phénomène individuel sont redistribués, réorientés ou disqualifiés. Le sens de l'action change quand l'objet change : « aménager un milieu en fonction d'événements ou d'une série d'événements ou d'éléments possibles », tel est « l'espace propre de la sécurité » qui renvoie à une gestion collective de phénomènes jusque-là individualisés. Ce qui compte est de faire progresser la connaissance de la maladie – plus que du malade lui-même – pour éviter qu'elle ne devienne une épidémie. Toute une série de savoirs naissent du besoin de prévenir les crises, d'anticiper les risques dans un espace et pour une population donnée, bref de « défendre la société ».

L'objet de ces savoirs est la population mais aussi le public. « Le public cesse d'être alors un simple destinataire de la norme juridique ou encore un aspect de l'environnement du système pénal pour devenir à la fois une sorte de *critère* et de *prolongement interne* de ce système[2]. » De nouveaux acteurs

---

1. Au sens où l'entend Michel Foucault, voir « Sécurité, territoire, population », Gallimard/Seuil, coll. « Hautes études », 2004, p. 13-89 et « Il faut défendre la société », *id.*, 1997, p. 213 et *sqq.*

2. Alvaro P. Pires, « La rationalité pénale moderne, la société du risque et la juridicisation de l'opinion publique », *Sociologie et sociétés*, vol. 33, n° 1, 2001, p. 194-195. Je souligne.

apparaissent – *mass media*, mouvements sociaux, partis politiques, associations de victimes... – ce qui élargit le champ de vision, déplace les enjeux de la peine, recompose son objet. Contre un droit de punir individualisé naît une volonté de punir issue du besoin collectif de sécurité : à quoi servent les sanctions si elles ne ramènent pas la sécurité dans un quartier ? La réprobation inhérente à la peine – son « âme » selon Tarde – est de ramener la cohésion, la sécurité, la paix sociale, bref, de restaurer une « conscience collective » menacée de dissolution. Moins ouverte à l'utilité ou la rétribution, elle se coule dans le « choix » de l'opinion publique. « Assise sur l'opinion, la peine me paraît tout autrement justifiable qu'assise sur l'utilité[1]. » Le public vient, en somme, nommer du dehors la délinquance. Nul gouvernement ne peut l'ignorer sans se rendre coupable d'indifférence. Aucun ne se hasarde à voir dans l'opinion un facteur parmi d'autres. Dormante ou furieuse, moins « justifiable » aujourd'hui que ne le pensait Tarde en son temps, l'opinion s'affirme comme le critère et le destinataire du droit de punir.

Quelles sont les étapes de ce déplacement d'accent ? Un premier diagnostic, le rapport Peyrefitte en 1977, place la ville au centre du débat criminologique et annonce un processus qui saisit la délinquance à partir de ses conséquences sur la vie sociale et construit ses remèdes dans cette perspective. Tout un système d'acteurs nouveaux va s'inscrire dans cette direction. Dans les années 1980, à la faveur de la décentralisation, les conseils communaux de lutte contre la délinquance placent l'élu en position de décideur. Ce leadership fait ressortir le point de vue des citadins ou des victimes comme l'inspiration déterminante des réformes[2]. La lutte contre l'insécurité doit être

---

1. G. Tarde, *La Philosophie pénale* (1890), Cujas, 1972, p. 509.
2. Hugues Lagrange, *De l'affrontement à l'esquive*, Syros, 2001, p. 120.

ostentatoire et lisible pour réaffirmer la cohésion sociale que ronge l'insécurité. La politique pénale dépasse largement la sphère étroite tracée par l'infraction et la peine. Elle redéploie ses effets sur une collectivité rassurée de trouver un objet dont elle peut se saisir : la ville ou le quartier deviennent peu à peu la catégorie opérationnelle des politiques pénales ; le « local » sera la nouvelle échelle de l'intervention de l'État.

Sans doute, au même moment, certaines réformes prolongent-elles l'héritage de 1945. On y retrouve le même souci de modération – les nouvelles peines alternatives à l'emprisonnement, par exemple – et d'individualisation – les « centres de détention » créés dans un but de resocialisation à côté des « centrales » plus sécuritaires. Mais le signe d'une rupture à l'égard de cette culture n'en apparaît pas moins net : la volonté de revenir à la légalité stricte des peines – le projet « sécurité et liberté » de 1981 – fait scandale au regard de l'héritage de 1945. « Nous étions sans doute, reconnaît Alain Peyrefitte, encore trop près de la Seconde Guerre mondiale pour que les notions d'enfermement et de châtiment redeviennent acceptables [1]. » L'apparition de la *période de sûreté* en 1978 ajoute à la peine d'emprisonnement l'impossibilité absolue de tout aménagement. La dialectique de la punition et du pardon est directement touchée. À partir du moment où l'équilibre entre ces deux pôles est rompu, on ouvre la voie à une peine sans issue. Le temps ne fait plus signe vers un nouveau commencement mais se fige dans une inexorable expiation. Depuis l'abolition de la peine de mort en 1981, la tendance se confirme avec l'allongement des longues peines à trente ans en 1986 et l'apparition de la peine de perpétuité « réelle » en 1994 pour les meurtres et viols d'enfants.

---

1. Alain Peyrefitte, entretien cité par Philippe Cohen, *Protéger ou disparaître*, Gallimard, 1999, p. 39.

Mais surtout, le sens réhabilitatif de la peine n'est plus porté *politiquement*. Alors qu'en 1945 la priorité était la perspective d'amendement, le Conseil constitutionnel se borne à rappeler, sans les hiérarchiser, les différentes significations de la peine[1]. Neutralité prudente ? Sans doute. Mais il faut y déplorer, en creux, la perte de toute référence à une peine ayant un horizon de réhabilitation. Renoncement à un héritage d'autant plus significatif qu'il est le fait d'une institution gardienne des droits fondamentaux. Sur les ruines du système de 1945, cette doctrine neutre marque le début d'une nouvelle ère. Comment exprimer mieux la fin du cycle ouvert à la Libération, même si, pour les mineurs et les toxicomanes notamment, la part de l'éducatif et du soin résiste mieux ?

Cette philosophie se retrouve dans le Code pénal de 1994. Son filet de protection est tissé autour des atteintes aux droits subjectifs : étranger menaçant, mise en danger d'autrui, partenaire sexuel contaminant, harcèlement sexuel... L'interdit pénal exprime, certes négativement, des valeurs individualistes. La multiplication des droits-créances (« droits à... ») d'individus placés hors de leurs cadres collectifs manifeste ce que notre société est devenue. Le paternalisme d'État n'est plus de mise dans une société civile qui se veut émancipée. Celle-ci semble oublier que seules de solides protections sociales en assurent l'autonomie et la vitalité. En faisant du Code pénal la « consécration des valeurs de notre temps », nous confions, en somme, au seul droit de punir le soin de nous protéger. Sa raison d'être est la valeur *expressive* de défense de la personne humaine. « Les textes de 1810 privilégient de façon significative la défense de l'État et le respect de la

---

1. « L'exécution des peines privatives de liberté en matière correctionnelle et criminelle a été conçue non seulement pour protéger la société et assurer la punition du condamné mais aussi pour favoriser l'amendement de celui-ci et préparer son éventuelle réinsertion » (Conseil constitutionnel, décision du 20 janvier 1994).

propriété privée... Le nouveau Code pénal doit prendre pour fin première la défense de la personne humaine et tendre à assurer son plein épanouissement en la protégeant contre toutes les atteintes, qu'elles visent sa vie, son corps, ses libertés sa sûreté, sa dignité, son environnement[1]. »

Dans cet esprit, le Code pénal étend largement le champ des incriminations et renforce la sévérité des peines qui passent de vingt à trente ans pour les crimes et de cinq à dix ans pour les délits. En graduant la peine – son énoncé comme son application – à l'aune des blessures de notre société, le droit de punir finit par perdre sa subsidiarité. Dans un collectif affaibli et sans médiations confortées, toute déviance devient vite insupportable. L'inquiétude démocratique (au sens où l'auteur de l'infraction est aussi mon semblable) se meut en méfiance envers un autrui anonyme. Le « paradoxe pénitentiaire » confine alors à la contradiction : la réintégration des délinquants ne peut résister à tant de facteurs contraires – délitement du lien social, opinion publique, choix politique – qui expriment avant tout une volonté de défendre la société[2].

Face à cette convergence de facteurs sociologiques et politiques, comment poursuivre une exploration équilibrée des moyens de traiter la délinquance ? Sur la frêle balance de la justice, les droits d'un individu ne pèsent guère face à ceux de la société aussi fortement exprimés. L'essor des associations de victimes (et non d'aide aux victimes, constituées de professionnels), consacrées par le législateur ces dernières années, sera décisif. Leur présence dans l'espace public, le

---

1. « Exposé des motifs du projet de loi portant réforme du Code pénal » déposé par Robert Badinter le 20 février 1986, in *Nouveau Code pénal, mode d'emploi*, 10/18, 1993, p. 419.
2. Voir sur ce point l'analyse de Sonia Snacken appuyée sur les travaux du Conseil de l'Europe, « Analyse de la surpopulation pénitentiaire », in *La Surpopulation pénitentiaire en Europe*, Bruylant, 1999, p. 9-31.

débat politique et le prétoire ne cesse de s'affirmer. Nombre de lois récentes érigent la sécurité en un droit fondamental au sens où celui-ci est une « condition de l'exercice des libertés individuelles et collectives [1] ». Le pouvoir de punir devient la ligne de défense qu'une démocratie se donne à elle-même. À la sûreté qui protège les libertés de l'arbitraire, elle préfère la sécurité pour défendre ces mêmes libertés. Le droit à la sécurité devient la norme de référence des politiques pénales. Singulière mutation d'une culture démocratique que l'on croyait ancrée depuis l'après-guerre dans un humanisme pénal manifestement passé de mode !

L'après-11 Septembre ou la peur sans frontières

La mondialisation donne une ampleur inédite à cette mutation. Au cours de la guerre froide, les sociétés occidentales ont eu besoin d'un adversaire commun pour fédérer – sinon une unité, du moins leur identité politique par-delà les intérêts nationaux. Tout un héritage de déchirements et de guerres n'a pu être dépassé qu'en opposant l'alliance des démocraties libérales au monde communiste. « Le négatif se laissait aisément désigner comme *l'autre*, le monde se laissant aisément scinder ; il y avait toujours un extérieur opposable à soi : l'autre bloc, l'autre idéologie, l'autre classe [2]... » Avec l'effondrement de l'URSS et la chute du mur de Berlin, cet autre menaçant, mais clairement identifié, s'est évanoui. La mondialisation a supprimé l'extériorité qui séparait le « nous » des « autres ». Ne pouvant s'exprimer, elle s'est en quelque sorte silencieusement intériorisée. C'est ainsi que dans l'après-1989, les

---

1. Le droit à la sécurité est affirmé d'abord par la loi Pasqua (article 1er de la loi du 21 janvier 1995) puis les lois Vaillant sur la sécurité quotidienne (2001) et Sarkozy de 2003 précitées.
2. François Jullien, *L'Ombre au tableau, du mal ou du négatif*, Seuil, 2004, p. 12. Souligné par l'auteur.

menaces se déplacent, se recomposent et portent d'autres noms : immigration illégale, nébuleuses terroristes, trafic de drogue et d'êtres humains. Elles réclament une autre organisation défensive, une intense surveillance au-dedans comme au-dehors.

Avec le terrorisme et désormais l'hyperterrorisme, on assiste à une démultiplication des sources de la violence de masse en deçà des États qui en avaient jusque-là le monopole. Les attentats du 11 Septembre révèlent une crise des différences à l'échelle planétaire où les acteurs non étatiques se multiplient alors que les moyens de destruction s'accroissent. Plus le monde est « liquide [1] » et sans frontières, plus s'accroît la demande de sécurité. L'hyperfluidité de la communication exaspère l'urgence de cette demande. Nos villes semblent abriter des suspects capables de propager à l'intérieur le chaos jusque-là situé à ses confins. Nul ne peut s'abriter seul dans son espace protégé tant l'interdépendance des stratégies est nécessaire face à une menace globale. Les frontières ne nous protègent plus, les lois sont contournées et les appareils étatiques semblent impuissants face à la contagion des risques. L'ouverture des marchés et la libre circulation des personnes apportent avec elles une criminalité transnationale inédite. La tentation de reconstruire des espaces protégés ou *gated communities* dans les villes traduit le besoin de rester entre soi, de contrôler les frontières, de résister à la fragmentation du monde. Bref, si l'on en croit George W. Bush, le 11 Septembre a déclenché une « guerre d'un genre nouveau » qui suppose d'inventer des moyens exceptionnels et des concepts inédits comme celui de « guerre préventive » qui a justifié l'attaque de l'Irak au printemps 2003.

---

1. Zygmunt Bauman, *Liquid Modernity*, Cambridge, Polity Press, 2000.

Cette violence disséminée (et non plus interétatique) ne semble plus rencontrer de bornes. Tel est sans doute un des effets majeurs du 11 Septembre : « Le terrorisme prétend changer les règles mêmes qui définissaient le jeu politique en établissant une relation d'hostilité là où régnait une relation d'adversité[1]. » Il replace la division ami/ennemi *à l'intérieur du corps politique* là où précisément elle avait été chassée pour rétablir la paix. Le terrorisme n'est plus un phénomène exceptionnel et lointain car il a perdu ses « externalités », ce qui est le propre des sociétés du risque[2] ; il entre désormais dans la vie quotidienne et atteint les individus dans leur espace social propre. Pierre Hassner le souligne avec raison : le local et le global, le public et le privé, l'intérieur et l'extérieur sont confondus. Le terrorisme peut être le fait d'un individu isolé (comme l'attentat d'Oklahoma en 1995 ou les lettres à l'anthrax dans les semaines qui suivirent le 11 Septembre) ou d'une organisation criminelle comme Al Qaida. On ne peut plus habiter un « centre stable et pacifique » avec des nantis protégés contre une « périphérie turbulente » où se battent des pauvres. « Des civils tuent des civils, ils surgissent du sein du même centre pour l'attaquer de l'intérieur de ses frontières mais ils viennent des quatre coins du monde et c'est là que la riposte doit aller les chercher[3]. » Cette transterritorialité du terrorisme oblige à surveiller les frontières, mais aussi à porter des attaques loin du centre contre un ennemi insaisissable.

La menace de l'étranger intérieur devient obsédante. Sa caractéristique est d'être à la fois *invisible* et *infiltré*. Parce qu'il est au-dedans et non localisable, cet autre sans visage est

1. Paul Dumouchel, « Le terrorisme à l'âge impérial », *Esprit*, août-septembre 2002, p. 145.
2. Ulrich Beck, *La Société du risque*, Alto-Aubier, 2001, p. 7.
3. Pierre Hassner, Introduction à *Guerres et sociétés, État et violence après la guerre froide*, Karthala, 2003, p. 10.

infiniment plus dangereux. À sa manière, le terroriste, parce qu'il peut frapper au cœur des villes, pérennise la vulnérabilité de nos sociétés. Les attentats du 11 Septembre n'ont-ils pas eu lieu à partir des lignes intérieures, les moins surveillées des États-Unis ? N'ont-ils pas été préparés dans des communautés d'immigrés (en Allemagne, notamment), dont beaucoup avaient acquis la nationalité des pays qu'ils ont agressés ? Ceux-ci n'étaient-ils pas des diplômés d'universités occidentales ? Et comment ne pas songer peu après le 11 Septembre aux snipers de Washington qui, au cœur de la ville, se jouaient de la police ? Nous assistons à la réapparition des figures de la guerre et de la catastrophe au cœur de nos villes épargnées depuis la fin de la Seconde Guerre mondiale. Le terrorisme de masse trouve dans les agglomérations urbaines une profusion de cibles qu'aucune société de contrôle ne pourra jamais protéger.

Nous devons donc appréhender un singulier objet. Non un individu sujet d'une responsabilité mais un groupe d'individus à risques ; non un justiciable à juger mais une menace à identifier, une cible à détruire. Acte de guerre ? Opération de police ? Mesure d'exception ? Aucun vocabulaire n'est adéquat pour désigner une conjoncture aussi tendue. Seule certitude, cette politique de défense se nourrit d'un effort permanent de désignation d'un ennemi qui se dérobe. Dans le discours politique postérieur au 11 Septembre, le droit de punir et le vocabulaire de la guerre se mêlent. Sécurité intérieure et extérieure, stratégie de dissuasion et protection de l'ordre public se confondent. Militarisation du pénal et criminalisation de la stratégie se croisent. Plus l'horizon des sociétés s'élargit, plus s'accroît la perte de tout ancrage territorial et plus grandit la peur de l'invasion. Des frontières ouvertes font craindre une altérité non plus lointaine mais installée au-dedans. « Quand la menace est fluide, déterritorialisée et non repérable, dit Olivier Mongin, la réplique elle-même devient globale au risque d'intensifier la spirale de la violence. Quand le flou s'installe et qu'il n'y a plus de frontière ni de limites à l'action préventive, la peur prend le pouvoir [1]. » La guerre devient un moyen de retrouver la sécurité : la « guerre préventive » contre l'Irak n'est-elle pas une réponse anticipée à une insécurité née de la détention non avérée d'armes de destruction massive ? Une guerre à fronts multiples se décline en sanctions juridiques, diplomatiques ou économiques. Pris dans ce mouvement, le droit de punir se drape d'une rhétorique guerrière. Partout apparaissent les appels à la croisade contre la drogue et la pédophilie, à la mobilisation générale contre le crime, aux « couvre-feux » dans les quartiers à risques. Nul ne se soucie des dangers de ces dispositifs de sécurité. Ils aspirent les catégories du droit dans la volonté de punir. Ils fournissent son programme et son langage au populisme pénal.

Au contact d'une société fragilisée, le droit de punir s'amplifie démesurément : lui qui condense les craintes du passé, voici qu'il est envahi par celles du présent et veut conjurer celles de l'avenir. Voilà qu'il est sans cesse pensé à travers l'urgence, les situations critiques, l'exception. Au lieu d'apaiser la quête de sécurité, il renforce l'insécurité. Face à l'ubiquité des menaces, il est sur tous les fronts. Sans cesse sollicitée, la « puissance de définir [2] » de l'État souverain doit choisir ses ennemis. À quoi sert le statut de « combattant illégal » qui permet à l'administration américaine de garder des prisonniers étrangers dans la prison de Guantanamo ? Pourquoi le gouvernement anglais détient-il sans procès des prisonniers au secret dans la prison de Belmarsh ? Pas seulement pour obtenir des présumés

---

1. Olivier Mongin, « Une entrée brutale dans l'après-guerre froide », *Esprit*, août-septembre 2002.
2. Voir Heide Gerstenberger, « La violence dans l'histoire de l'État ou la puissance de définir », *in* « Violence et politique », *Lignes*, n° 25, mai 1995, p. 23-33.

terroristes des renseignements. Avant tout pour dominer le mal, pour le fixer dans un lieu, pour en symboliser la capture par le spectacle des corps domestiqués, détenus, voire torturés. Ainsi, le pouvoir politique se rend visible par la représentation de sa puissance punitive. Ainsi se déroule, à la face du monde, « un rituel de la défaite des forces du Mal par les forces du Bien qui met au premier plan la plus importante fonction du droit de punir : rassurer et protéger [1] ».

L'irruption des populismes

Quand la prévention du pire occulte la visée du bien commun, quand le partage de la peur l'emporte sur le souci du monde, les institutions démocratiques ne peuvent que s'affaiblir. Il n'est guère étonnant que la montée en puissance dans de nombreux pays européens depuis les années 1980 de partis d'extrême droite soit centrée sur une thématique xénophobe et sécuritaire. Partout, sauf en Allemagne et en Espagne où ils sont marginaux ou inexistants, ces partis ont obtenu des résultats électoraux significatifs. En février 2000, pour la première fois depuis la Seconde Guerre mondiale, un parti d'extrême droite entre au gouvernement dans un pays démocratique (le FPÖ de Jörg Haider en Autriche). Leur idéologie d'exclusion constitue une réponse directe aux inquiétudes nées de la mondialisation. La découverte partout en Europe occidentale des cellules « dormantes » d'Al Qaida n'a fait que stimuler les inquiétudes face à un islamisme radical généré par une immigration censée menacer le « peuple-souche ».

Le thème de l'insécurité envahit le discours politique, s'installe dans les programmes électoraux. À un monde

---

1. C. Summer, *Censure, Politics, and Criminal Justice* (1990), cité par Charlotte Vanneste, « Pénalité, criminalité, insécurité et économie », in *Délinquance et insécurité en Europe*, Bruylant, 2001, p. 87.

ouvert et incertain, ces partis opposent une société fermée et repliée sur le passé. Contre une mondialisation de tous les dangers, ils en appellent à une nation mythique et trouvent leur public dans les laissés-pour-compte de la globalisation. La carte sociale et géographique situe clairement leur électorat : les quartiers de grande concentration urbaine où sévit la petite et moyenne délinquance. Telle est la France lepéniste : celle de la décomposition du monde ouvrier et d'une perte d'identité qui conduit à la xénophobie. Son exaltation du militantisme et des rituels d'appartenance donne une identité à ceux qui doutent de leur utilité sociale. On se souvient de l'invitation de Jean-Marie Le Pen lancée aux « victimes de l'insécurité, de la pauvreté et de la misère » à « entrer dans l'espérance » entre les deux tours des élections présidentielles de 2002.

Mais surtout « le populisme est un polémisme, selon P.-A. Taguieff, son appel au peuple est toujours un appel contre certains "autres" ; ceux d'en haut ou ceux d'en face selon que le peuple destinataire est un *démos* ou un *ethnos*[1] ». Il impose sa rhétorique guerrière à la vie démocratique – la haine de l'autre qu'il faut expulser. Il exprime bien la confusion de la guerre et de la paix, de la sécurité intérieure et extérieure qui est la marque de nos inquiétudes. Des individus qui se sentent menacés d'insignifiance s'apparentent à un peuple de victimes et, par la grâce de cette rhétorique réactionnaire, deviennent les hérauts de la préférence nationale, bref de « vrais Français ». Il est vrai que l'Europe des droits de l'homme et du grand marché ne fournit guère de sentiment d'appartenance. Le vote FN ne se contente pas de fédérer des ressentiments, de traduire une « revanche des périphéries » :

---

1. Pierre-André Taguieff, *L'Illusion populiste*, Berg International, 2002, p. 103.

le 21 avril 2002, il a déstabilisé les partis de gouvernement avec le succès que l'on connaît[1].

L'entrée de la thématique d'extrême droite dans les programmes de gouvernement est inévitable. En Europe, la Belgique s'est engagée dans cette voie. Au début des années 1990, l'extrême droite a connu dans certaines régions de tels scores qu'ils ont justifié une stratégie de reconquête de l'électorat perdu. Le choix postérieur – et jamais démenti depuis – d'une politique de sécurité « globale et intégrée » en est la conséquence directe. Le discours populiste n'est donc plus en Europe l'apanage de l'extrême droite. La France, après le choc du 21 avril 2002, semble à son tour opter pour un « social-populisme sécuritaire » sans qu'on puisse encore savoir jusqu'où il va nous conduire[2]. Plus encore, la politique *tough on crime* du *New Labour* conduite par Tony Blair est fondée depuis 1997 sur une thématique punitive (le thème de la « Grande-Bretagne du désastre » fit florès) lancée par Margaret Thatcher. La surenchère populiste rebondit dans la campagne législative de 2005 où l'affichage punitif de la plate-forme du *Labour* est vu par les *Tories* comme une gesticulation sans impact sur la sécurité réelle[3].

Les dirigeants politiques n'ont pourtant pas le monopole du populisme pénal. Les juges y ont aussi leur part. Leur détermination dans la lutte contre la corruption est sans doute le fait politique majeur de ces dernières années. Certains d'entre eux sont devenus des acteurs politiques à part entière. Porte-parole de l'opinion, ils dénoncent une corruption

---

1. Rappelons qu'au premier tour des présidentielles de 2002 les deux candidats d'extrême droite ont obtenu 19 % contre 20 % à Jacques Chirac et 16 % à Lionel Jospin et 3,3 % au candidat communiste.

2. Joël Roman, « La tentation populiste », *Esprit,* juin 2002.

3. Voir le débat entre David Blunkett (alors ministre de l'Intérieur du gouvernement Blair) et le conservateur Michael Howard dans *The Independent,* 30 septembre 2004.

politique impunie au nom de l'égalité de tous devant la loi. Moins captifs d'un corps hiérarchisé, ils sont reconnus par une société qui les acclame. Si elle a incontestablement redonné à la démocratie une part de sa crédibilité, cette attitude se retourne contre elle. Prise au piège d'un espace public médiatisé et d'un temps qui n'est pas le sien, l'action du juge se dégrade en activisme. Son rôle d'acteur collectif où l'aspire la démocratie d'opinion n'en est que plus incertain. Sa popularité est à son comble quand il s'identifie à une cause ou raconte « son » combat contre la criminalité. À propos de l'affaire Elf, la juge d'instruction Eva Joly se décrit comme un chef d'équipe, protégée par des gardes du corps prêts à mourir pour elle et auréolée d'un refus vertueux de toute alliance avec la presse. Comment ne pas être fasciné par ce programme[1] ?

En Italie, pendant l'opération Mani Pulite, le procureur Antonio Di Pietro connaît une notoriété fulgurante à partir de procès télévisés en direct. N'est-il pas un homme aux origines humbles (son père était paysan), ayant exercé plusieurs métiers (il a été policier), aux manières franches qui tranchent avec celles de la classe politique ? Peu d'accusés puissants sortent indemnes des confrontations avec un procureur devenu l'icône de Milan qui se transforme, grâce à lui, en « capitale morale ». Démissionnaire quand les médias abandonnent les juges de Mani Pulite, le procureur intègre se lancera dans une carrière politique. Mais c'est le magistrat allemand du tribunal de Hambourg, Ronald Schill, qui va jusqu'au bout de la démarche populiste. Les motivations orales fracassantes à l'appui de peines exorbitantes dont il était coutumier lui ont valu le surnom de *gnadenloser Richter* (« juge sans pitié »). Sa célébrité lui a permis de fonder un parti populiste au nom révélateur de « parti d'offensive constitutionnelle ». Élu aux élections

---

1. Eva Joly, *Est-ce dans ce monde que nous voulons vivre ?*, Les Arènes, 2003.

régionales du Land de Hambourg en 2001, il recueille 19,4 % des voix et devient ensuite ministre de l'Intérieur de ce Land[1].

On pourrait multiplier les exemples de ce glissement. Tous démontrent que le populisme pénal s'installe comme une composante de la vie démocratique. Son discours, porté par divers acteurs, déborde largement celui de l'extrême droite. Trois éléments le caractérisent : tout d'abord, les promesses, attractives pour l'électorat parce que punitives et radicales ; ensuite, une indifférence à l'égard de l'efficacité de ces politiques qui valent exclusivement par leur impact sur l'opinion ; enfin, une législation pénale fondée sur le besoin de sécurité supposé de l'opinion. En un mot, pour remporter des suffrages, il faut promettre de réduire la criminalité. Telle est la « formule gagnante » sans cesse expérimentée avec succès si l'on en croit une analyse qui couvre cinq pays anglo-saxons[2]. Les autres nations – et notamment la France – sont-elles mieux protégées de cette évolution ? Sans doute des pays où ni les juges, ni les procureurs ne sont élus, où le poids de l'État reste fort, sont mieux armés pour y résister. Mais là aussi, un droit de punir purement répressif et une démocratie d'opinion effervescente ne cessent de s'alimenter réciproquement. Les pathologies qui caractérisent le populisme pénal y sont tout aussi fortes. Son noyau dur – la synergie entre les trois facteurs que sont l'émotion de l'opinion, le discours politique et le récit médiatique – semble bien en pleine expansion.

Un nouveau châtiment : la réprobation médiatique

Le récit médiatique est le corps conducteur de ce populisme. N'est-ce pas lui qui donne sens aux événements,

---

1. H.-G. Betz, *La Droite populiste en Europe, extrême et démocrate*, Autrement, 2004, p. 33.
2. Julian V. Roberts (*et al.*) *Penal Populism and Public Opinion. Lessons from Five Countries*, Oxford University Press, 2003, p. 8.

accrédite ses acteurs en leur donnant la parole, bref, façonne le réel en le révélant ? Les médias de masse uniformisent nos sociétés et nous réunissent autour des mêmes images. Nous subissons la loi de ces constructions narratives qui composent les personnages, diffusent les scénarios, dessinent la carte de nos angoisses. En réaction à un « trouble dans la causalité du monde », dit Georges Auclair, le récit médiatique oppose une pensée affective, des rôles stéréotypés (l'assassin odieux et les innocentes victimes), une représentation volontiers binaire (le Bien et le Mal), qui appellent un jugement immédiat de son public (coupable ou innocent). Ainsi, il rend le crime représentable par la mise en récit. Ce simulacre de sens donné à l'Inexplicable qui annule symboliquement son pouvoir désintégrateur agit comme le *mana* des sociétés primitives[1]. Le fait divers parle le langage des affects. Sa référence à l'horrible détail le rend immédiatement perceptible. Ainsi dans le cas de Patrick Henry, on répétera *ad nauseam* que le cadavre de l'enfant est resté abandonné treize jours sous le lit alors que le meurtrier multipliait les déclarations sur les écrans.

Patrick Henry, 1976-2002

Rien mieux que le destin de Patrick Henry résume en un quart de siècle la part prise par le récit médiatique dans le populisme pénal. En 1976, Patrick Henry kidnappe et rançonne un enfant de huit ans dans un climat d'intense médiatisation d'où restera un mot fameux : « La France a peur. » Arrêté puis jugé, il échappe à la peine de mort. Condamné à la réclusion criminelle à perpétuité, il obtiendra sa « conditionnelle » vingt-cinq ans plus tard. À bien des

---

1. Voir Georges Auclair, *Le Mana quotidien*, Anthropos, 1982 et Marc Lits et Annick Dubied, *Le Fait divers*, PUF, 1999, p. 55 et *sqq.*

égards, le temps en a fait un autre homme : diplômé en mathématiques et en informatique, il a mûri et présente en 2001 un solide projet de réinsertion. Le temps de la réhabilitation semble venu. Pourtant, la société ne semble décidée ni à oublier, ni à pardonner. Le mythe de la prison rédemptrice ne fonctionne plus. Certains médias ne cessent de repasser les images d'archive, de faire résonner son acte monstrueux dans l'opinion. L'homme en liberté conditionnelle commettra d'autres délits et sera réincarcéré en réalisant la prophétie de *Paris Match* : « Patrick Henry a changé certes, mais son regard, ce regard perçant, est toujours le même. »

Quel est le sens de ce retour programmé en prison ? Ce n'est pas la conséquence d'une longue incarcération qui aurait fait de cet homme un inadapté chronique. Ce n'est pas non plus l'échec d'un processus de réinsertion. Ne venait-il pas de travailler pour une entreprise d'imprimerie qui se proposait de l'embaucher ? Ce n'est pas davantage la vindicte de la famille de sa victime, totalement absente parmi tant de porte-parole indignés en son nom. S'il revient en prison c'est que le regard de notre société a changé en sens inverse de son parcours individuel. L'homme coupable habite le temps subjectif de son travail de reconstruction. Son identité est narrative en ce sens qu'il veut devenir un autre lui-même. Il confie : « J'ai senti grandir en moi le sentiment moral. » Il dit encore : « Je me suis servi de ma solitude comme d'un instrument de réforme [1]... » Mais nul n'entend plus cette confession. Toute une société ne veut y voir que l'incarnation du mal absolu. Son identité n'est pas un « moi » en instance d'avenir mais un « ça » fixé une fois pour toutes. Les médias de masse ne regardent que l'intégrité brisée du corps de l'enfant livré à l'agresseur. Dans ce récit, les victimes innocentes deviennent la métonymie du corps social comme si,

---

1. *Paroles de détenus*, Librio, 2000, p. 157.

à travers elles, il criait « plus jamais ça ! » Peu importe que des juges aient cru en cet homme au point de le libérer. Le temps constitutif du travail psychique est bel et bien invisible. Seule résonne inoubliablement la profanation de l'innocence.

Que voit-on en effet de lui ? Qu'il signe avec un éditeur un contrat avantageux, vend des interviews, commet de nouveaux délits. Les images confirment le monstre qu'il était (en diffusant à nouveau les journaux télévisés de 1976), qu'il est resté (son visage au « regard perçant ») et qu'il sera (son comportement de récidiviste l'atteste). L'homme est figé, mis à distance, dans l'éternité télévisuelle de son crime. Une réactivation hypnotique de l'acte commis *in illo tempore* a valeur de réserve inépuisable de réprobation. Un flot d'images déverse une vérité : l'innocence de la victime et l'horreur du crime rend invisible l'action transformatrice de la peine. Rivé à son acte, l'homme ainsi condamné ne peut plus *socialement* s'en séparer. La marque de l'infamie l'isole parmi les hommes. Sa peine est sans réintégration dans le temps, sans refuge dans l'espace. On songe à ce vers d'Eschyle dans *L'Orestie* : « Où donc s'arrêtera, enfin endormie, l'ardeur du malheur ? »

Pourquoi tant de stéréotypes ? À quoi servent les catégories toutes faites (crime passionnel, crime crapuleux...), les figures typiques (sympathique ou non) et surtout la victime (passionnément aimée comme l'image claire et pure de l'innocence) ? Avant tout à répondre à l'inattendu du Mal, à le recevoir dans le moule du familier et des antithèses convenues. Les médias fonctionnent comme un système de normalisation de l'absurde. Le récit médiatique veut innocenter le monde du mal commis ou, à tout le moins, élaborer une défense contre le chaos. Il canalise par sa forme et la mise en intrigue la peur, le scandale, l'horreur. Rien de nouveau depuis que la presse existe, sans doute. Sauf qu'à l'ère des puissants médias de masse, ce récit se substitue à l'institution chargée d'opérer cette fonction : la justice.

Les médias tranchent : malheur au condamné sur lequel ils inscrivent la marque de Caïn. Il ne lui reste qu'à entrer dans l'image qui lui est offerte. C'est là la peine la plus terrible, parce qu'elle puise dans la violence anthropologique de la société : « L'âme de la peine, la peine vraie, c'est la réprobation générale [1] » et, doit-on ajouter, la plus irrémédiable. Nulle procédure, nulle réhabilitation ne la modère. Voici la peine à nouveau ramenée à la figure religieuse du châtiment, à la solidarité émotionnelle tributaire des peurs collectives, à l'ancienne *Thémis* issue de l'hostilité unanime. À l'opposé d'une peine qui punit un coupable, le sacrifice délivre des peurs collectives. L'arrière-plan sacrificiel du populisme pénal repose sur ce fondement anthropologique : ce qui a été défait par le crime doit être annulé par le châtiment.

Au terme de ce parcours d'un demi-siècle, la sécurité est devenue une valeur cardinale des sociétés démocratiques. Le droit de punir s'est éloigné du délinquant qui fut sa passion pendant près de deux siècles. Nous sommes à l'opposé du rêve révolutionnaire selon lequel toute peine devait être afflictive mais aussi « correctionnelle » afin d'amender le coupable. En somme, on se met à penser la délinquance comme une maladie dont il faut endiguer la progression dans le corps social afin d'épargner de nouvelles victimes. On la diagnostique par des courbes à la hausse ou à la baisse, on la prévient par des stratégies hygiénistes, on la combat par des lois pénales plus dures. Le but de ces dispositifs de sécurité est de la fixer dans des proportions acceptables pour la société, dans une moyenne qui réduise sa progression menaçante. Mais, derrière ces dispositifs, surgit la violence originelle de l'État et, avec elle, la

---

1. G. Tarde, *La Philosophie pénale, op. cit.*, p. 492.

strate la plus archaïque de la peine, l'équivalence du mal par le mal. L'inquiétude démocratique inlassablement reformulée depuis deux siècles se décentre : nous sommes passés d'un délinquant compris comme un individu à corriger à une délinquance subie comme un phénomène social et même mondial. La question pénale focalise les moyens par lesquels une société croit conjurer le risque de sa fracture et retrouver les voies de sa cohésion.

Mesurons le chemin parcouru. Dans la décennie 1970, la France avait peur, certes, mais elle a eu le courage politique d'abolir la peine de mort. Une partie de la presse présentait même le procès de Patrick Henry comme l'emblème du combat abolitionniste. En 2002, l'homme coupable est emporté dans le tourbillon des représentations populistes de l'insécurité. Entre-temps, un déplacement majeur s'est produit : nous avons pris le parti des victimes.

II

Le temps des victimes

« Vous êtes là dans la brume qui avance. Vous
êtes ma terre. Vous avez pris possession du vaste
monde. Vous m'entourez. Vous me parlez. Vous
êtes le monde et vous êtes moi. Vous avez gagné
car vos visages sont dans toutes les brumes, vos
voix dans toutes les saisons, vos gémissements
dans toutes les nuits. »

Jean GIONO, *Refus d'obéissance*, 1937.

La découverte de l'expérience des victimes est récente.
La criminologie ne l'a longtemps regardée qu'à travers le criminel. La victime est, sous cet angle, provocatrice, « précipi-
tante » ou encore « récidivante », tant son imbrication avec
son agresseur est totale, tant elle forme avec lui un « couple
pénal [1] ». Tout se passe comme si le tort causé à la victime

---

1. Ezzat Fattah, « Victims' Right : Past, Present, and Future. A global view », *in*
R. Cario et D. Salas, *Œuvre de justice et victimes*, I, L'Harmattan/ENM, 2001, p. 81.

était absorbé par l'auteur du crime, dont on scrute l'enfance, l'inconscient, le milieu pathogène pour mieux le comprendre. Même quand elle commence à exister davantage, la victime demeure déroutante. Son expérience reste opaque, inénarrable. On ne se résout jamais à y voir simplement une figure de l'innocence. Sortie de l'orbite du criminel, elle apporte avec elle le scandale, la rancœur, la colère, bref toute une gamme de sentiments. Perturbatrice, imprévisible, vengeresse, qui est cette victime, si longtemps oubliée ? Une plainte solitaire en quête de compassion ? Une manière d'extérioriser un ressentiment ou une parole qui refuse de se résigner ?

Pendant longtemps, la seule victime qui compte est celle qui est utile à la collectivité : c'est la figure du martyr dont la souffrance héroïque est indispensable au récit qu'elle veut transmettre. L'histoire d'une société – à l'origine à travers la pensée religieuse – est construite autour de la mémoire des victimes glorieuses. Les autres sont purement et simplement oubliées. La victime ordinaire n'est ni visible ni reconnue. Tout le système pénal est construit historiquement sans elle et même contre elle. À la recherche policière des faits, la victime oppose son traumatisme et ses blessures ; à l'accusation, la plainte et la lamentation ; à la punition, son malheur en quête de sens. Dans un prétoire, elle impatiente le juge qui attend d'elle qu'elle chiffre sa demande, ce qui achève de la désorienter. Nulle part, elle ne semble trouver sa place. Car si cette victime gêne tant, si elle perturbe la justice, c'est qu'elle interroge le scandale du mal. Elle rappelle son existence, manifeste l'absurdité de son occurrence. N'est-elle pas celle qui s'est trouvée au mauvais endroit, au mauvais moment et en mauvaise compagnie ? Face à une interrogation sur l'irréversibilité du mal, que peut répondre la justice des hommes ? La peine n'est là que pour imposer un autre mal, un mal de rétribution, et non pour ôter la souffrance. Dans l'histoire des sensibilités collectives, ce sont probablement les témoignages sur la Shoah qui ont servi de catalyseur à la reconnaissance de la victime. Ils nous ont préparés à entendre la parole de toutes les victimes, à en comprendre le sens, à penser des perspectives de réparation. À leur suite, on a assisté au dévoilement progressif de leur visage, à une solidarité d'aide et d'accompagnement : depuis lors, elles sont à la recherche d'une reconnaissance qui ne soit ni ignorée ni récupérée.

Mais autour de cette victime de chair et d'os, la figure de la victime est aussi une ressource politique. Derrière la victime incarnée peuvent toujours surgir la victime invoquée et l'idéologie victimaire. Le cercle de la plainte s'élargit à l'infini. Les messagers bruyants de la victime invoquée, nouvelle forme du martyre, étouffent la voix de la victime singulière. Tout un discours populiste se construit sur les humiliations perpétuellement subies par un peuple de victimes. Chacun se place sur une sorte de marché où il se prévaut d'un seuil de victimisation toujours plus élevé. Nombre de dirigeants sont tentés de gouverner par l'inquiétude compassionnelle. Chaque événement malheureux amène avec lui son lot de pieux apitoiements, prélude à d'énergiques réactions. Sur la singularité du mal subi se greffent un bavardage compassionnel et des instrumentalisations multiples. Seule compte la martyrologie exaltée par la cause qu'elle incarne.

Sans doute, derrière cette clameur, se trouve une « souffrance qui crie moins vengeance que récit[1] ». Mais lequel ? Le récit pénal est programmé pour restaurer un ordre formel. Par construction, il ignore les récits individuels dont les victimes se réclament. Il se borne à punir les violations de la loi. Son parcours va de l'infraction à la sanction et non de la victime

---

1. Paul Ricœur, *Temps et récit*, III (1985), Seuil, coll. « Points », p. 342.

à la réparation. Parallèlement, il existe les dédommagements civils, l'aide sociale, les prises en charge psychologiques. Quand le mal est là, quand la victime crie sa souffrance, le doute n'est plus permis : ce n'est plus la seule loi qui est atteinte par le crime. Dans nos démocraties où le lien social est moins tenu par des valeurs partagées, la solidarité se forme sur ce type d'émotions. Quand le corps politique ne parvient plus à définir un bien commun, reste l'indignation devant le corps souffrant et son ignominieux agresseur. La victime devient notre commune mesure. L'œuvre de justice est alors dépositaire d'une nouvelle attente de récit.

Comment appréhender ce phénomène ? Faut-il restaurer l'ordre public ou donner un sens au malheur ? Accompagner un deuil en proclamant une culpabilité ? On ne sait trop comment « bien » juger, ni quel est le critère d'une « juste » peine. Dans cette belle confusion fleurissent la passion de juger, la plainte sacralisée, voire la violence justicière. Pris dans ce champ de tensions, le discours politique oscille entre « l'appel du peuple » que traduit la montée en généralité de la plainte et « l'appel au peuple » qui est son exploitation à des fins populistes [1]. Construit pour faire face à la criminalité, le discours politique est désorienté par le surgissement de la victime. Comment expliquer une mutation aussi profonde ? Et où nous conduit-elle ?

Genèse de la victime

Victime singulière, victime invoquée : ces niveaux de discours se télescopent dans nos représentations. Pour spectaculaire qu'elle soit, la place prise par la victime dans nos

---

1. J'emprunte la distinction que fait Guy Hermet à propos de l'affaire Dutroux, *Les Populismes dans le monde*, Fayard, 2001, p. 412-413.

sociétés traduit d'abord un refus du malheur, du non-sens, du silence. Les traumatismes liés aux guerres révèlent peu à peu les figures du mal radical. Ils sont le prélude à une double demande de reconnaissance et de réparation qui n'a cessé de croître. Peu de chose semble séparer, de ce point de vue, le mal radical et les maux ordinaires de nos sociétés démocratiques. À l'échelle de la seule souffrance individuelle, les atteintes aux personnes sont d'autant plus inacceptables qu'elles se révèlent irréparables. Les dépréciations identitaires exigent une aide à la hauteur du mal subi : inverser la honte par la plainte, sortir de la peur en retrouvant l'estime de soi.

L'histoire de l'infraction

L'anthropologie du droit éclaire la profondeur de cette mutation. Dans les sociétés sans État, le règlement des litiges se fait selon des rituels compensatoires : les conflits se résolvent par une relation d'échange entre groupes rivaux mais égaux. La juste vengeance, au sens d'un échange réglé de compensations, met au premier plan le couple offensé/ offenseur. Les anciens droits ne connaissent pas ce que nous appelons « crime » ou « peine », catégories posées par une instance distincte des groupes familiaux. On interprète à tort la loi du talion (« œil pour œil »), dans le droit hébraïque, comme une équivalence rétributive. Il faut y voir le moyen d'obtenir la paix par une compensation qui préserve l'équilibre en égalisant les pertes : œil *pour* œil veut dire œil *en dédommagement* d'un œil[1]... Une fois payé le prix de l'offense par une contre-offense, chaque groupe retrouve sa dignité et la paix. La dynamique « vindicatoire » renoue le

1. Voir Howard Zehr, *Changing Senses. A New Focus for Crime and Justice*, Herald Press, 1990, p. 11.

lien de parole *entre* les groupes et transforme la perte initiale en promesse de vie[1].

Ce système ne résiste pas à la croissance de l'État. Le monopole pénal naît du pacte par lequel les groupes acceptent d'être désarmés en échange de leur protection par une entité plus puissante qu'eux. L'histoire de l'infraction est celle de la « puissance de définir » de l'État qui impose ses catégories de langage. L'État se place alors en position dominante face à un auteur d'infraction isolé. Dans le procès pénal, il se substitue aux plaignants dans les rôles d'accusateur et de juge. Réinventant la *Thémis*, cette justice redoutable pour ceux qui offensent le sacré, l'État s'érige seul juge des comportements qu'il a préalablement définis. Loin de se situer d'égal à égal, il veut que son adversaire « s'aperçoive qu'il a défié en lui le sacré[2] ». Désormais, « quand un individu fait un tort à un autre, il y a toujours *a fortiori* un tort fait à la souveraineté, à la loi, au pouvoir[3] ». Le procès assure la mise en scène de cette puissance souveraine. Représenté à toutes ses étapes par ses procureurs et ses juges, le souverain « dépense » à profusion son autorité. Aucune transgression n'existe hors de l'infraction. Le pouvoir de punir est la grande fiction déployée par le Prince pour affirmer l'ordre dont il est le seul garant.

Au couple de l'offensé et de l'offenseur se substitue le couple de l'infraction et de la peine. Il n'est plus question de « racheter » la paix mais de punir l'infraction à la loi. Dans un système compensatoire, l'offensé était au centre du débat ; ici, seul compte le châtiment du coupable par une autorité

---

1. Le terme de vengeance s'entend ici au sens donné par les travaux de Raymond Verdier : non au sens courant d'une violence vindicative mais d'un « système vindicatoire » qui lie la résolution des conflits à une compensation négociée entre les offensés et les offenseurs.

2. François Tricaud, *L'Accusation*, Dalloz, 1977, p. 195.

3. Michel Foucault, « La vérité et les formes juridiques » (1973), *Dits et écrits*, II, Gallimard, 1994, p. 585.

surplombante. Le criminel doit demander pardon « à Dieu, au seigneur et à la justice » car le crime est une offense aux lois divines et humaines. À travers les victimes, c'est toujours, d'une certaine manière, le pouvoir, et lui seul, qui est atteint. Le corps politique absorbe et transcende les groupes familiaux trop fragiles pour se défendre ou au contraire ceux qui pourraient faire concurrence à l'État.

Pour autant, l'offensé ne reste pas totalement inactif. L'étatisation de la justice ne doit pas masquer le rôle sous-jacent de la *victime influente*. Celle-ci transige avec le clan des agresseurs pour obtenir un dédommagement dans les marges d'une justice peu contrôlée de fait par la puissance étatique. Elle obtient souvent gain de cause en mobilisant ses alliances. Sa dignité de victime dépend de son affiliation à un groupe familial. Isolée, livrée à elle-même, elle est laissée à l'abandon. Dans l'ancienne France, le crime d'enfant ou le rapt d'une jeune fille ne suscitent le scandale que si leurs groupes familiaux s'interposent. Réduits à des individus sans appartenance, ils deviennent la chose de tous. Seule la protection qui lie l'agression aux valeurs du groupe outragé (le sang de la virginité, par exemple) ouvre droit à réparation. Sans elle, l'enfant n'est rien et devient une proie. Ses agresseurs suscitent parfois l'indulgence. Pour les oubliés de la justice, la religion offre un manteau de consolation [1].

Pour les crimes de sang surtout, la justice s'approprie une dette qu'elle ne peut guère solder. « C'est parce que les proches des victimes savent bien que la perte est irréversible, que la vie

---

1. Au Moyen Âge, le culte de la Vierge (« La Vierge au grand manteau ») est l'ultime recours des victimes les plus isolées, car « Marie avait souffert comme [elles] et même plus qu'[elles] lorsqu'elle avait tenu sur ses genoux son fils martyrisé et exsangue » ; dès lors comment le fils de Dieu « pourrait-il s'attaquer à ceux que sa mère bien-aimée cachait à l'intérieur de son manteau ? » (Jean Delumeau, *Rassurer et protéger*, Fayard, 1989, p. 289).

de l'être ne sera jamais rendue, qu'ils attendent du coupable non pas tant qu'il soit puni mais un geste de reconnaissance radical et explicite du dommage infligé, un partage de la douleur, un mouvement de compassion par lequel le mal commis est compris et regretté comme incalculable[1]. » Autrement dit, en deçà de la peine, la question de la *réparation de l'offense* subsiste. La culpabilité pénale n'épuise que la dette de justice envers le souverain. Elle ne concerne guère celle envers la partie lésée qui ne peut que se plaindre. Elle ne répare nullement les torts provoqués par l'offense. Voilà pourquoi le mot de victime appartient longtemps au vocabulaire de la vie morale et religieuse. Le besoin de réparation creuse l'espace de *la vie spirituelle*. Face à un droit de punir placé entre les mains de l'État, les familles des victimes n'ont rien à attendre de la justice. Les rituels, les peines (amende ou emprisonnement) les ignorent superbement. Ce qui explique la permanence de l'infrajudiciaire (« pardon » tarifé, composition pécuniaire, transactions), formes mineures du pardon que l'Église encourage car elles prolongent l'idéal évangélique[2].

Le crime de Soleilland (1907)

Pour avoir eu lieu au début du siècle dernier, le meurtre-viol de la petite Marthe Erberling (11 ans) par Soleilland est très proche des crimes qui provoquent nos indignations. On retrouve ici la matrice du populisme pénal : une victime innocente, un délinquant multirécidiviste et une opinion révoltée. Les mots changent – nul ne parle à l'époque de

---

1. Marcel Henaff, « La dette de sang et l'exigence de justice », in *Violences, victimes et vengeances : comprendre pour agir*, P. Dumouchel (dir.), L'Harmattan, 2001, p. 38.
2. Voir J.-M. Carbasse, *Histoire du droit pénal et de la justice criminelle, op. cit.*, p. 18-19.

pédophilie – mais les acteurs sont les mêmes dans une société
où la presse s'organise autour d'informations à sensations.

Rien ne change car on retrouve la révolte de toute une
société face aux crimes d'enfants qui réclame via la presse « le
sang de Soleilland », exige la peine de mort contre les multirécidivistes, manifeste dans la rue son indignation (*Le Petit
Parisien* parle d'une foule de 100 000 personnes présentes à
l'enterrement de la petite Marthe). La révolte de la société
contre les institutions (« La police arrête, la justice relâche,
le gouvernement gracie ») conduite par l'opinion est un
refrain bien connu. En face, Jaurès plaidera, en vain, la piètre
efficacité de la peine de mort. Le châtiment suprême est
unanimement réclamé par les journaux – à grand renfort de
détails et d'aveux – à travers lesquels une société s'empare du
crime.

Mais cette opinion aiguillonnée par la presse vise le président de la République de l'époque, Armand Fallières, qui
veut remplacer la peine de mort par un enfermement perpétuel. Dans ce premier grand débat sur l'abolition, la figure
de la victime n'a aucune place. C'est Julienne, la femme du
criminel, qui fait l'objet d'un traitement de faveur par la
presse, attire la compassion des lecteurs : certains vont jusqu'à
lui offrir un emploi, le gîte pour elle et ses enfants et même
le mariage. L'opposition significative ne passe pas entre la
victime innocente et le criminel odieux mais entre celui-ci et
sa femme honteusement affligée d'un tel époux.

Marthe, elle, est morte et enterrée. Ses parents ne font
l'objet d'aucun reportage, d'aucune audition judiciaire si l'on
en croit le dossier publié par J.-M. Berlière. Manifestement
ce n'est pas grâce à la justice qu'ils ont fait leur travail de
deuil. On ne trouve guère de compassion sur leur malheur.
Le Petit Journal publie un grand dessin de la mère,
Mme Erberling, revêtue de grands voiles de deuil en train
de témoigner au procès d'assises de Soleilland, voilà tout.
Moment fort car, apprend-on, la victime n'aura aucun mot

de haine. Elle ne semble guère attendre qu'un procès l'aide à supporter sa douleur. Elle revêt non la posture du plaignant mais du témoin digne. Elle est l'Endeuillée au rôle rituellement assumé qui croise fugitivement les juges avant de s'éloigner. On n'imagine pas un instant qu'elle demande des dommages et intérêts ou exige une peine exemplaire. Sa grande silhouette noire surplombe les passions politiques et judiciaires. Loin d'elle, très loin d'elle, l'affaire Soleilland est l'occasion d'une joute oratoire à la Chambre sur la peine de mort entre Jaurès et Barrès. Le débat se clôt par un compromis. La peine de mort est maintenue, Soleilland gracié. Déporté en Guyane, il survivra à la « guillotine sèche » jusqu'en 1920.

Le legs de la guerre

Le mot de victime revêt un sens tout à fait nouveau à la fin du XIXe siècle et dans la période qui suit la guerre de 1870 et la Grande Guerre[1]. Longtemps les victimes de guerre, réduites à leur statut de combattant, subissent la fortune et l'infortune de leur camp. La culture de la guerre nourrie de patriotisme et d'antigermanisme ne laisse place qu'au culte des morts au front. Les victimes civiles doivent s'y plier. Quand une femme est violée par un soldat allemand, c'est la France qui est outragée. Son corps est assimilé à la patrie offensée. Son deuil est, en quelque sorte, nationalisé. Le Soldat inconnu représente l'enfant que toutes les mères endeuillées ont perdu. Mais, peu à peu, après la Première Guerre mondiale, la victime de guerre va se définir à partir du deuil qui lui est dû. Ce ne sont plus les vainqueurs que l'on acclame, c'est le deuil des disparus que

---

1. Voir B. Garnot (dir.), *Les Victimes, des oubliées de l'histoire ?,* Presses universitaires de Rennes, 2000, p. 31 et *sqq.*

l'on commémore[1]. Le déclin de l'exaltation patriotique fait
peu à peu émerger le traumatisme des vaincus. « Comment
commémorer des victimes qui ne sont pas des héros ?
Comment commémorer l'incommémorable qui s'appelle la
faim, le froid, le travail forcé, le viol, les otages, les réquisitions[2] ? » Le destin des « gueules cassées », perceptible dans
le roman de Marc Dugain *La Chambre des officiers*, révèle la
brutalisation des mœurs de guerre. Insupportable à voir et
donc cachée, la barbarie de la guerre est inscrite à jamais sur
les visages. De cette époque naissent, avec la psychanalyse,
les théories de la névrose traumatique (Sándor Ferenczi) et
de l'identification à l'ennemi (Alfred Adler). Tant il est vrai
que les combattants se voient non comme des héros mais
partageant tous la même condition boueuse. Au contact de
la honte, les sensibilités collectives muent : derrière le corps
politique qui exalte l'élan sacrificiel percent les souffrances
singulières.

Quand les corps retrouvent leur singularité, les deuils
peuvent s'individualiser. Les survivants se révèlent tels qu'ils
sont, blessés ou choqués, suspendus entre la vie et la mort. Ils
gardent la marque indélébile d'une expérience de la mort
virtuelle. Porte-parole des victimes, ils sont tous semblables à
Orphée au sens où l'entend Louis Crocq : condamnés à répéter
leur malheur, ils vivent un perpétuel retour des enfers.
« Comme lui, ils ont vécu la mort et avec le mystère de
l'effacement de la vie, l'échappée mystérieuse de l'âme dans
le chaos des enfers. Le trauma a brusquement dévoilé au sujet
le spectacle terrifiant du néant absolu, négation de l'ordre du

1. Reinhart Koselleck, « Le monument aux morts, lieu de l'identité des survivants », in *L'Expérience de l'histoire*, Gallimard-Seuil, 1997, p. 133 et *sqq.*
2. S. Audouin-Rouzeau et A. Becker, *14-18. Retrouver la guerre*, Gallimard, 2000,
p. 229.

monde et négation de l'humain[1]. » Cette mutation se situe au moment où, au milieu du XXᵉ siècle, la guerre change d'échelle. L'apparition de la guerre totale inverse les rapports entre les pertes du champ de bataille et celles des civils. Cette guerre généralisée démultiplie le nombre de victimes et de bourreaux.

Avec le temps, les cercles du deuil s'élargissent, les blessures demeurent. L'offre de justice s'adapte à un irrépressible refus d'oubli. Elle s'universalise et s'internationalise pour répondre à la demande des survivants. Sans doute faudra-t-il juger les bourreaux, mais au nom d'une mémoire blessée par un mal sur lequel le temps n'a pas de prise. Le réveil de la mémoire juive oubliée après la Seconde Guerre mondiale transforme la scène judiciaire en une célébration paradoxale de la mémoire. La peine n'en est nullement l'enjeu essentiel. Au lieu de juger un homme, voici qu'il faut rendre justice aux victimes. Portées par le devoir de mémoire des survivants, celles-ci ne se confondent plus avec la figure du martyr. Étrange attestation demandée à la justice : mettre fin à la transmission du traumatisme. La lecture à haute voix des noms de victimes transforme l'audience en une cérémonie mémorielle. Une ferveur religieuse force les portes d'une institution nullement conçue pour cela. L'enfer de la guerre laisse des victimes oubliées, des bourreaux impunis et des survivants impuissants. Avec la paix revenue, il est temps de réparer les ruptures entre les générations. Le débat judiciaire rend sensible l'humiliation faite à l'homme réduit à « la vie nue », rétablit la continuité de la transmission, rend possible une mémoire instituée et apaisée.

Un tel récit tourne le dos à la finalité même du système pénal. Celui-ci n'est-il pas construit de bout en bout pour juger les accusés, fixer leur peine et, parfois, leur accorder un

---

1. Louis Crocq, *Les Traumatismes psychiques de guerre*, Odile Jacob, 1999, p. 360.

aménagement ou une grâce ? Les droits de la défense – appelés aujourd'hui de manière significative « l'égalité des armes » – ne font qu'équilibrer ce schéma sans le transformer. Mais la demande des victimes fondée sur l'offense subie se place hors de ce schéma, en refuse la logique, le conteste du dehors. Faute d'y avoir une place suffisante à l'intérieur, elle en vient à subvertir le rituel judiciaire, à forcer les juges à l'entendre au risque de semer le désordre. Comment expliquer autrement le besoin de projeter sur les écrans du prétoire les photos des disparus et d'entendre la liste de leurs noms au début du procès[1] ? Tout se passe comme si la plainte errante trouvait enfin son port d'attache. Tel qu'en lui-même, le procès pénal ne permet guère d'être traversé par une quête de réparation. Une procédure construite pour préserver l'impartialité du juge ne peut que choquer une brûlante exigence de mémoire. Aux marges d'une loi trop étroite pour elles, les victimes se réapproprient les anciens rituels pour cicatriser leurs propres blessures. Organisée pour restaurer un ordre légal, la cérémonie judiciaire cherche ici à recoudre les liens sociaux, mémoriels, intersubjectifs. Elle donne à entendre, malgré elle, une parole plus haute.

L'inflation du mal ordinaire

L'ampleur des victimes issues d'une guerre d'extermination crée un effet de seuil. Jamais les populations civiles n'avaient été aussi massivement touchées. Aux États-Unis, où naît la victimologie dans les années 1960, nombreuses sont les initiatives menées par des personnes d'origine juive ou

---

1. Lors du procès par contumace du nazi Aloïs Brunner, Serge Klarsfeld déclare : « Ce procès et la longue instruction qui l'a précédé feront entrer ces enfants dans l'histoire. On va lire leur nom à l'audience. J'ai beaucoup d'affection pour eux, je les connais, je me suis battu pour avoir leur photo, je suis l'un d'eux en quelque sorte ; que peut-on donner aux morts sinon la fidélité ? » (*Libération,* 2 mars 2001).

ayant subi des persécutions[1]. À leur suite, nous allons penser pour elle-même la souffrance de la victime singulière. C'est ainsi que tombent à la fois le masque du martyr et le silence honteux auxquels se réduit l'histoire de la victime. Souvent avec les mêmes mots, les mouvements féministes créent une nouvelle perception du viol[2]. Leur apparition dans le débat public marque la rupture avec la condition passive des victimes. Longtemps, ces crimes étaient vécus par les femmes dans la honte et la solitude. Femmes devenues, en outre, parias dans leur groupe dont elles incarnent le déshonneur. La fracture de l'intimité et le meurtre de l'identité viennent désormais au premier plan. L'accent est mis sur l'intégrité bafouée, la névrose traumatique, « non plus le poids moral ou social du drame, non plus l'injure ou l'avilissement mais le bouleversement d'une conscience, une souffrance psychologique dont l'intensité se mesure à sa durée, voire à son irréversibilité[3] ». Certaines affaires exemplaires transforment en incriminations des indignations morales nées du scandale de la violence impunie. Le droit rend visible ce que les cultures familiales produisaient depuis la nuit des temps comme objets de honte.

Avec la parole, la victime retrouve une part de l'estime de soi perdue. Son entrée sur une scène publique rend visible son drame privé, oblige à le reconnaître. Pour elle, l'agression n'est nullement une infraction. C'est d'abord un malheur. La question sans réponse du traumatisé reste la même : « Pourquoi ? Pourquoi moi ? » La dépréciation identitaire ne peut

---

1. Comme Benjamin Mendelsohn (1900-1998), avocat juif d'origine roumaine puis réfugié en Israël après la guerre, qui a formulé pour une large part des concepts de la victimologie.

2. Micheline Barril, *L'Envers du crime* (1982), L'Harmattan, 2002, p. 24-25.

3. Georges Vigarello, *Histoire du viol, XVIᵉ-XXᵉ siècle*, Seuil, 1998, p. 246. C'est ainsi que le viol est médiatisé, défini, puis criminalisé à l'issue du procès d'Aix en 1978 (*ibid.*, p. 241 et *sqq.*).

s'oublier. Rejetées dans un territoire psychique dévasté, les victimes font l'épreuve d'une mort symbolique. Le bascule-ment dans un entre-deux-mondes, c'est-à-dire un monde situé entre les vivants et les morts, les rapproche des survi-vants d'une guerre [1]. Elles éprouvent le sentiment d'être jetées hors des frontières de l'humanité avec un corps souillé, une intimité détruite. Certaines victimes, plongées dans un état de *frozen fright*, une peur pétrifiante, continuent de voir, d'entendre, d'obéir à leur agresseur [2]. Accrochées au trauma-tisme, elles ne peuvent plus s'en détacher, se projeter dans l'avenir. D'autres, selon Dominique Dray, pour ne pas perdre leur propre humanité, humanisent leur agresseur. Elles oppo-sent à « l'agresseur en général » – l'autre indifférencié et lointain – « l'agresseur en particulier » – c'est-à-dire « le mien », « celui qui n'est pas comme les autres », et, pour cela, plus proche, moins persécutant. Elles cherchent rétrospecti-vement à fixer le vertige, à transformer un événement injustifiable en un récit contrôlable.

C'est ainsi que le harcèlement moral est un délit né de cette pathologie victimaire. Ce mal ordinaire a été décrit comme ayant des conséquences exceptionnellement graves : le harceleur agit à visage masqué et paralyse ses proies dans le silence glacé des témoins. Sans éclat, il sait où frapper pour détruire. La vic-time est réduite à une suite d'actes incohérents et privée de toute capacité d'élaboration. Le harcèlement provoque chez elle une révolte bruyante ou une issue suicidaire, ultimes preuves de sa

---

1. Dominique Dray, *Victimes en souffrance. Une ethnographie de l'agression à Aulnay-sous-Bois*, LGDJ, 1999, p. 109.
2. Une victime traumatisée par une première agression peut restée terrifiée et se prêter au jeu de son agresseur sur simple menace téléphonique. Voir G.F. Kirchhoff, « Why Do they Stay ? Why Don't they Run Away ? », *in* J. Wemmers *et al.* (dir.), *Caring for Crime Victims*, Criminal Justice Press, 1999, p. 221 et *sqq.* M. Symonds, « The second injury », *Evaluation and Change*, Special issue, 1980, p. 36.

déviance inacceptable[1]. Longtemps, ce mal sournois n'avait pas eu d'existence légale. Une fois nommé cliniquement et légalement, il devient un attentat à la vie psychique d'autrui. À lire les descriptions qu'en font ses promoteurs, le harcèlement moral n'a guère d'équivalent dans l'atteinte à l'intégrité humaine. La maladie se soigne. Un chagrin se console. La méchanceté blesse. Ce mal frappe quelqu'un d'un geste de mort. Il porte avec lui une capacité absolue de destruction. Le prédateur déclare à sa victime : « Tu n'es que poussière. » « Il détruit l'être humain dans son identité. » Il ne délivre qu'une sentence : « la peine de mort psychique[2] ». Dès lors, le mal ordinaire devient une figure du mal radical. À la limite, la cruauté mentale cesse d'être un vice pour devenir une expérience éclairée par la référence au cas Eichmann : la production de la souffrance d'autrui dans le monde du travail lancé dans une guerre économique s'apparente à l'entreprise de mort nazie[3].

Comment expliquer une sensibilité à la cruauté poussée à l'extrême par cette frénésie interprétative ? Dans des sociétés où le collectif est fort, l'individu blessé n'est touché que par l'enveloppe de son groupe qui circonscrit son identité. L'offense n'est pas un dommage personnel mais une atteinte à la vitalité du groupe. Celui-ci s'organise pour obtenir *en son nom* réparation de l'offense. Dans des sociétés démocratiques, l'individu émancipé est moins protégé par des institutions qui règlent son destin. Ce monde plus indéterminé, où le lien

1. *Le Harcèlement moral au travail*, Avis du Conseil économique et social, 11 avril 2001. La loi du 17 janvier 2002 en a fait un délit : « Le fait de harceler autrui par des agissements répétés ayant pour objet ou pour effet une dégradation des conditions de travail susceptible de porter atteinte à ses droits et à sa dignité [...] est puni d'un an d'emprisonnement et de 15 000 euros d'amende » (article 222-33-2 du Code pénal).
2. Formules empruntées à Yves Prigent, *La Cruauté ordinaire*, Desclée de Brouwer, 2003, p. 223.
3. Voir Christophe Dejours, *Souffrance en France*, Seuil, coll. « Points », 1998.

social est moins englobant, ne peut qu'accroître sa vulnérabilité. Le gain de liberté se paie d'un individualisme qui dissout les appartenances et les protections. L'homme démocratique est nu et désaffilié. Moins « tenu » socialement, il est plus libre mais aussi plus exposé. La figure englobante du collectif s'estompe dans une société fluidifiée par les liens électifs et contractuels. Voué à une perpétuelle définition de soi-même, il subit individuellement et seul les épreuves qu'il traverse.

Le statut de victime lui offre un « capital imaginaire » dans un monde où toute « enveloppe communautaire » a disparu[1]. Aux solidarités collectives (celles du monde du travail, par exemple) succède une « solidarité victimaire[2] ». De là vient la position moralement active de la justice pénale comme substitution à un soutien collectif absent. Comment pourrait-il en être autrement dans des sociétés pluralistes et fragmentées où la morale commune est absente, où domine un individualisme par défaut ? Les idéologies fondées sur la promesse d'un monde meilleur ont disparu et avec elles leur capacité de consolation. Ce déficit d'espérance contient, en creux, l'attraction du statut judiciaire de la victime. Les ressources du procès pénal (désignation d'un fautif, investigations, confrontation cathartique à l'audience) proposent une offre de sens sans concurrence. Tout se passe comme si la justice pénale pouvait seule payer la dette toujours singulière des victimes et, plus encore, écrire le récit qu'elles attendent.

Mais la justice est créditée d'attentes cognitives et réparatrices sans commune mesure avec ses capacités. Au civil, les dommages et intérêts ne sont pas négligeables mais restent

---

1. J.-M. Apostolidès, *Héroïsme et victimisation. Une histoire de la sensibilité*, Exils, 2003, p. 12.
2. Au sens où l'entend Hans Boutellier : « the victim has come to function as a new focal point for *the moral magnetism of criminal law* », *Crime and Morality. The Significance of Criminal Justice in Postmodern Culture*, Kluwer Academic Publishers, 2000, p. 17. Je souligne.

faiblement symboliques, étroitement indemnitaires et pape-rassiers, fermés à la résolution du conflit, sans prise sur les causes du mal. Les appareils répressifs ne sont guère à la hauteur de ces attentes. Personne ne se plaint seulement d'une infraction. Tous y ajoutent la « situation-problème », l'atteinte au lien social qui l'a rendue possible. L'infraction n'est qu'une abstraction juridique forgée pour des besoins d'ordre public. Sans densité sociale, elle ne ramasse que l'écume des faits. Sa fonction est de saisir les actes que le code reconnaît. Au cours d'une enquête, la victime n'intéresse que par son statut de témoin et son apport à l'élucidation policière. Bien souvent, les enquêtes se fondent sur une norme de rentabilité implicite liée à un aboutissement judiciaire prévisible. Nullement sur la recherche du problème sous-jacent, encore moins proposent-elles aide ou accompagnement.

Les figures du mal radical

À ce mal ordinaire pensé dans le registre de la victime absolue, s'ajoutent les figures omniprésentes du mal radical : c'est par le traumatisme que nous parviennent les *crimes sexuels* qui touchent les enfants (viol, inceste, pédophilie) et les *crimes de masse*. Omniprésents, tous deux bouleversent le droit, les catégories morales et le temps judiciaire. Comment ne pas être frappé par la parenté de ces deux figures de la destructivité qui sont régies par des normes dérogatoires en raison de leur gravité ? Leur noyau anthropologique est commun. La *néga-tion de l'acte* par l'auteur du crime y est structurelle car dans les deux cas, son effacement rend sa matérialité opaque. Le déni total ou partiel est la défense la plus fréquente chez certains agresseurs sexuels. Comment prouver un crime d'inceste quand la parole de l'enfant est captive, quand l'acte se noie dans des relations pseudo-affectives ? À son échelle, une organisation bureaucratique criminelle est aussi construite pour perpétrer impunément un meurtre. Comment démontrer l'existence d'un crime de masse derrière l'effacement des traces, l'épaisseur des dénégations, le caractère périssable des preuves ? Il n'y a ni intention criminelle, ni volonté délibérée de méchanceté : le pervers viole, frappe, passe à l'acte dans un flash subjuguant, devient ivre de toute-puissance mais ensuite ne comprend pas lui-même le sens de son acte. De même, où est la motivation criminelle de celui qui participe à un plan d'extermination programmé ? Il tue dans le mensonge organisé que son organisation lui offre pour prix de ses services. L'un est l'homme de l'instant pulsionnel ; l'autre est un bureaucrate effroyablement normal. Ceux qui croient à la pureté minérale du mal auraient quelque peine à l'y retrouver.

Crimes sexuels et crimes de masse se rapprochent par le rôle qu'y joue le *témoignage des victimes* ou des *survivors*, terme générique qu'on utilise aux États-Unis dans les deux cas. Par-delà le trauma, la plainte doit briser les degrés de la honte pour éviter une survie dans la mémoire. La posture active de plaignant redonne une assurance, une autorité morale comme on le voit chez les victimes de l'inceste. Bien des crimes de masse n'auraient jamais été jugés sans la volonté des familles des victimes. La démesure de l'événement, précisément parce qu'elle est masquée, place la plainte hors du monde de la preuve. À l'industrie anonyme du crime de masse doit répondre le travail de reconstruction du témoignage. De là vient, chez Primo Levi, le respect immense des « témoins intégraux » – ceux qui n'en sont pas revenus – et, dans le film de Claude Lanzmann, *Shoah*, la volonté de dire un « événement sans témoins[1] ». Ces types de crimes ne « tiennent » que

---

1. Ou plus exactement « *un événement dont le projet même est historiquement l'oblitération littérale des témoins* » qui ainsi « dissout toute *communauté de témoignage* » (Shoshana Felman, « À l'âge du témoignage, *Shoah* de Claude Lanzmann », in *Au sujet de Shoah*, Belin, 1990, p. 63).

par l'obstination du témoignage, tant le poids du non-dit les engloutit. Seul le travail du témoignage fixe le souvenir, peut résister à la puissance de la négation.

Ces figures du mal sont des *crimes généalogiques* au sens où ils détruisent l'identité narrative, ce lien qui articule le sujet à ses appartenances, qu'il s'agisse de la parenté, de la communauté politique, de la religion. À un « qui suis-je ? » riche de potentialités, ils substituent un « ça », un être démantelé, une chose inerte. Ces crimes frappent l'être humain non seulement dans son corps, mais aussi à travers le récit qui le lie aux institutions. Plus rien ne lui permet de se construire à travers le temps et se lier à l'arbre de sa filiation. Ils désarticulent la relation entre temps et récit où se noue l'identité même de la personne avec et par les autres. Les crimes contre l'humanité ne sont-ils pas appelés des crimes contre la « famille humaine » et l'inceste, un « meurtre d'identité » ? Le crime sexuel dans un crime de masse (le viol comme arme de guerre) en condense les significations : le corps de la femme violée n'est que le moyen de souiller l'identité religieuse ou ethnique de l'ennemi. Sa profanation tarit la capacité d'une communauté de se perpétuer. La relation généalogique est irréversiblement falsifiée. La personne survit physiquement mais habite hors du temps dans la vacance d'une identité sans mémoire[1].

Le terrorisme de masse peut-il être une nouvelle figure de ce mal injustifiable ? Par rapport aux deux autres figures (crimes d'enfants, crimes de masse), on ne retrouve ni la négation de l'acte ni la nécessité du témoignage. Le crime est perpétré en pleine lumière. Il cherche l'impact terrorisant de son spectacle sur le public par la multiplication des pertes

---

1. Voir la thématique de l'homme souffrant chez Jérôme Porée, *Le Mal*, Armand Colin, 2000, p. 122 et *sqq*.

humaines. Il se conçoit dans et par les canaux de la démocratie qu'il détourne à son profit. Mais, plus que tout autre, il signe la victoire de la victime invoquée sur la victime singulière. Son auteur en revendique le message sanglant et spectaculaire. Le terroriste est, dans ce schéma, la victime hypostasiée en un martyr glorieux. Ainsi les femmes kamikazes d'origine tchét-chènes ou les volontaires palestiniens du Hamas se placent dans l'idéalisation de la mort volontaire. Elle seule atteste qu'ils sont dans une posture d'offrande, de gloire, d'identifi-cation à leur communauté. Ils créent leur propre instance de justification qu'est la cause où prend sens leur sacrifice. Ils habillent leur imaginaire victimaire avec la dépouille sanglante des victimes réelles. Rarement la victime héroïque n'aura aussi totalement biffé le destin des véritables victimes.

Dans cet univers sacrificiel, celles-ci n'ont aucun visage. Elles ne vivent que dans l'appartenance emblématique à l'Ennemi. Regardées, identifiées, leur malheur déroberait l'innocence que confère l'appartenance du sacrificateur au « parti des purs ». Il est significatif que, dans *Les Justes* de Camus, seule la rencontre avec le regard des victimes a le pouvoir de briser le ressort idéologique de l'acte terroriste. Kaliayev, le porteur de bombe, lui, voit ses victimes et pour cela renonce à tuer : « Ces deux petits visages sérieux et dans ma main ce poids terrible[1]. » Une commune humanité se superpose à l'acte terroriste. Identifiée, la victime n'est plus une cible évaluée à l'écho possible de sa destruction. L'innocence lui est restituée. La fonction sacrificielle et la martyrologie qui l'accompagne s'en trouve désactivée.

Ces trois figures du mal désignent ce que Jean Nabert appelle la « sécession des consciences[2] » au sens où la mort

---

1. *Les Justes,* acte II.
2. Jean Nabert, *Essai sur le mal* (1955), Cerf, 2001 p. 111.

voulue de l'autre rompt l'unité de notre commune appartenance. « Lésion d'une relation » dans laquelle les consciences ne se reconnaissent plus sous le signe du semblable. « Causalité impure » au nom de laquelle le tueur ne reconnaît à personne le droit de nier son projet d'anéantissement de l'autre. Mal aveuglant car il déchaîne la volonté de punir, entraîne des réactions populistes qui ruinent nos valeurs démocratiques. Mal « injustifiable », au bout du compte, car il n'épuise jamais la série des « parce que » et porte le non-sens du malheur. Mal plus profond que la transgression des normes car il s'attaque aux racines de notre vie morale, ce que Myriam Revault d'Allonnes appelle aussi « l'imagination du semblable ». « Il nous faut désormais affronter des crimes impunissables autant qu'impardonnables, ceux qu'aucune motivation ne peut expliquer et qu'aucune reconnaissance du semblable ne permet de comprendre. Aussi, cette nouvelle espèce de criminel est-elle au-delà de toute identification possible [1]. »

Compatir et punir

À la faveur de cette nouvelle sensibilité au crime s'installe l'imaginaire victimaire qui trouve un terrain fertile dans nos démocraties d'opinion. Le combat au nom de la victime invoquée passe au premier plan. À la souffrance dénuée de sens de la victime singulière s'oppose une cause bien plus exaltante et mobilisatrice. La figure anthropologique du « vengeur » ou de la victime accusatrice, au sens où l'entend Gérard Courtois, vient la relayer : « Le vengeur répète en miroir l'acte initial du meurtrier dont il devient le double et cette imitation se propage de proche en proche le long des solidarités parentale et sociale risquant toujours d'aboutir à un embrasement

---

1. Myriam Revault d'Allonnes, *Ce que l'homme fait à l'homme*, Seuil, 1995, p. 57.

général du groupe[1]. » Le droit de punir en est directement affecté. Rarement dans le châtiment du coupable aura autant retenti l'écho direct du mal subi par la victime. Les sentiments moraux antithétiques – la colère et la pitié – mettent au premier plan la victime invoquée par ses porte-parole. La lumière dramaturgique de la scène pénale attire ceux que rebutent les demi-teintes des partages de responsabilité. Quand une victime émeut, la seule chose qui compte est d'être du parti de la pitié. Quand le mal survient, il s'agit avant tout de condamner la faute inacceptable, de choisir son camp pour ne pas en être complice. La rhétorique du martyr vient au soutien de la lutte contre le mal. Appel au peuple et sentiments moraux en sont les messagers. Diabolisation de l'adversaire et rhétorique morale façonnent un discours dualiste, une politique de la pitié où s'enracine le populisme pénal.

Colère et pitié dans le récit médiatique

Toute réaction au crime est marquée au sceau des passions les plus contradictoires. « Pourquoi, se demande Tarde, une paresse incurable et une criminalité innée nous indignent-elles tandis qu'une infirmité permanente et une folie homicide provoquent-elles notre compassion[2] ? » Devant un acte prémédité, l'indignation l'emporte ; mais le crime passionnel ou la folie criminelle incitent à la pitié. La sympathie pousse à compatir ; le ressentiment, à punir. Tel était le schéma proposé par Tarde, proche des empiristes anglo-saxons comme Adam Smith et Hume. Mais la compassion et la pitié ne sont pas synonymes. La compassion s'adresse à un être singulier et souffrant ; elle n'a de sens qu'entre égaux. La pitié est une

---

1. Gérard Courtois, « Vengeance », *Dictionnaire de la culture juridique*, D. Alland et S. Rials (dir.), PUF, coll. « Quadrige », 2003, p. 1507.
2. G. Tarde, *La Philosophie pénale, op. cit.*, p. 160.

tristesse qui s'éprouve de haut en bas. La compassion s'épuise dans le partage et la coprésence à la souffrance. La pitié a besoin du spectacle ; elle s'affranchit des cas singuliers sans pour autant s'en détacher totalement. Bref, elle peut être « bavarde » ou « éloquente » autant que la compassion est silencieuse comme le suggère Arendt[1].

À l'inverse d'une simple compassion, la politique de la pitié suppose une montée en généralité des sentiments éprouvés devant le malheur d'autrui. Sa réaction se nourrit du spectacle de l'innocence profanée. La souffrance imaginée et représentée envahit le discours politique, devient le moteur de son action. La « topique de la dénonciation[2] » où se fixe ce discours mobilise une stratégie de lutte contre les fauteurs du malheur. Le pivot en est l'indignation du spectateur ou encore l'« indignation sympathique », dit Adam Smith, qui bouillonne en chacun d'entre nous devant un scandale ou une injustice. Sans doute nous mettons-nous à la place de la victime pour éprouver comme elle ses sentiments. Mais l'indignation peut vite changer la pitié en accusation. La recherche d'un persécuteur transforme la pitié en véhémence justicière. Elle offre au spectateur indigné les armes de la colère, nourrit sa frénésie imprécatoire. Elle dépossède du même coup les acteurs impartiaux d'une bonne part de leur fonction : le réquisitoire du procureur ou la plaidoirie de l'avocat ne sont-ils pas des discours de colère et de pitié inséparables d'un langage rationnel ? Dans le rituel judiciaire, le ressort affectif de l'indignation est passé au crible de la raison argumentative. À l'opposé d'une « mauvaise » indignation qui reste à un stade émotionnel de son expression, il y a une « bonne » indignation qui sait dépasser ce stade pour entrer dans une démarche

---

1. H. Arendt, *Essai sur la révolution*, Gallimard, 1985, p. 82, 165.
2. Voir Luc Boltanski, *La Souffrance à distance*, Métailié, 1993, p. 73 et *sqq.*

réfléchie. Hors de tout cadre, la pure colère contre les persécuteurs ou la pure pitié pour les victimes ne mènent qu'à la
confusion. Bien des réactions y puisent leur trame narrative
instable et éphémère. Au prisme des médias, la distribution
des rôles fluctue. Au jeu des identifications, les odieux coupables peuvent être attendrissants et les victimes les plus
innocentes deviennent douteuses.

Un meurtre-viol dans l'île de Ré

Le crime se produit pendant l'été 2003 dans un lieu de
vacances familiales. En l'absence de coupable identifié, les
écrans ne cessent de montrer la photo de la jeune victime
insouciante, le village en deuil, ses parents effondrés. Le récit
des médias joue sur la dimension insulaire du drame, semble
en attendre un effet de panique. Il cherche à capter l'angoisse
flottante inhérente à la figure d'un agresseur invisible.

Un an après, le coupable est retrouvé. Il est décrit comme
un jeune homme ordinaire qui travaillait pendant les
vacances d'été dans le village. Le récit médiatique hésite.
Moins polarisé sur la victime, il se partage entre le thème de
l'innocence souillée et celui d'un coup de folie criminelle
commis par un adolescent sans histoire.

Si le récit prend appui sur la seule victime, il cristallise le
sentiment de rejet sur un coupable sans visage. La polarité
du bien et du mal fonctionne pleinement. Le triangle victime
innocente/agresseur anonyme/policiers impuissants occupe la
scène. Mais si le coupable est visualisé, il grappille un peu de
compassion, devient moins monstrueux. S'il a lui aussi le
visage d'un adolescent ordinaire, son acte appelle la compréhension. S'il laisse des parents effondrés, sa détresse devient
subitement palpable. Si ceux-ci essuient une larme devant
une caméra, il en serait presque pitoyable. La victime initiale

abandonne *ipso facto* son innocence première. La pitié a changé de camp. Pour combien de temps ? Le manichéisme affectif n'éclate que pour se recomposer indéfiniment.

Moteur du récit médiatique, la pitié l'est tout autant du discours politique. Dès qu'un fait divers a un certain retentissement, il se transforme en événement politique. Tous les acteurs entrent dans son halo, le législateur comme les autres. Souvent l'émotion se propage si vite que la réponse doit être immédiate. Aucun responsable politique ne veut paraître complice du mal frappant les victimes. Ce qui compte est de réagir : être sur les lieux, demander la plus grande fermeté à la justice, marquer sa détermination. La communion dans la réprobation fait office de lien politique. Il faut sans tarder afficher des résultats pour convaincre l'électeur de demain et l'opinion du moment. Tout se passe comme s'il fallait saisir le mal, faire comme s'il était un mauvais rêve. Nous gardons du mythe de la peine la croyance en ses effets presque magiques d'apaisement des malheurs collectifs. Comme s'il y avait toujours dans la pénalité une aptitude à éradiquer le mal. L'inflation pénale que nous connaissons, véritable exorcisme où la loi n'a qu'une valeur conjuratoire, en garde probablement la trace.

Porté par ce mouvement, une sorte de casuistique législative improvisée se développe dans une société où l'urgence façonne l'énoncé juridique. Tout gouvernement recherche la consécration rapide et visible de sa politique. La pénalisation – assortir son texte d'une sanction pénale – atteste le prix qu'il attache à l'inquiétude de l'opinion. À un événement malheureux répond un acte fort qui démontre que le gouvernement agit. Le fait divers façonne une politique pénale qui vibre au contact de l'opinion. Faute de temps pour interpréter ce qui arrive, l'acteur politique s'épuise dans une vaine réactivité à l'événement. Aux promesses trop vite tenues s'ajoute l'espérance d'un résultat rapide. Issu de ces effets de communion, le droit de punir devient le grand régulateur de tous les scandales. À travers la loi, il apporte la marque solennelle d'un engagement dans la lutte contre le mal. Souvenons-nous du vote de la loi sur la peine de perpétuité dite « réelle » en 1994 : quarante-huit heures après l'arrestation de l'assassin de la petite Karine, le ministre de la Justice annonce ce projet de loi voté et adopté peu après par le Parlement[1].

La rhétorique victimaire sur la scène judiciaire

Voulant faire payer à leur agresseur le prix de leur souffrance, les victimes d'hier peuvent devenir des persécuteurs. Faute de canaliser ses affects, le désir de vengeance devient pressant, sans limites. *Médée,* la tragédie d'Euripide tout entière tendue vers le double infanticide final, en est l'exemple extrême. « Dépêche-toi, ma pauvre main, saisis l'épée, saisis-la : Va vers le but lugubre de ta vie[2]. » La vengeance se joue dans l'imaginaire et grandit en proportion de la mutilation incommensurable qu'éprouve l'héroïne. La figure de Médée traduit l'impasse d'une vengeance qui choisit, en guise de peine, un deuil d'anéantissement : « Pour se venger de Jason, elle détruit tout ce qui faisait encore le prix de sa propre vie ; en tuant ses enfants qu'elle chérissait, elle élargit de manière suicidaire la blessure originelle dont elle affirmait vouloir se guérir[3]. » Aucun châtiment ne peut être à la mesure de la perte consécutive à l'agression subie.

Détournée de soi-même, « l'ardoise » peut aussi être présentée aux autres. La recherche de coupables a cette fois pour

---

1. Voir le récit de Catherine Ehrel, *in* O. Dormoy, *Soigner et/ou punir* (dir.), L'Harmattan, 1995, p. 139 et *sqq.*
2. *Médée,* v. 1244.
3. Gérard Courtois, « La vengeance, du désir aux institutions », *in La Vengeance,* vol. 4, Cujas, 1984, p. 13.

envers la revendication d'innocence absolue. Dans une démocratie où « chacun est la victime de tous, la quête éperdue d'une réparation pénale vaut absolution pour sa propre responsabilité [1] ». Par un retournement victimaire, la figure de l'accusation alimente une pénalisation exaspérée par l'impunité. Ainsi prospère une « démocratie de plaignants », forme dégradée de la « démocratie des individus ». La scène médiatique, dominée par l'intensité des affects, orchestre un combat du Bien contre le Mal. On découvre que la société est infiniment plus violente que la loi. Celle-ci n'incrimine que des actes. La société, elle, veut décharger sa violence, conjurer des menaces sur des figures expiatoires. La volonté de punir nourrit et masque tout à la fois son mépris du droit. Le rituel judiciaire lui permet seulement de masquer sa violence.

Une fois dans le prétoire, la revendication d'innocence n'abdique pas. Les accusés se transforment en accusateurs. Ceux qui nient les violences sexuelles (« Elle était consentante, elle m'a provoqué ! ») savent que le tribunal n'aura pas d'autre preuve que la parole de la victime. Ils cherchent à minimiser les sanctions encourues et, si possible, les éviter en pariant sur la faiblesse des preuves. En opposant un bloc de négations, ils tournent le dos au dialogue cathartique attendu par les victimes. Attente morale et calcul stratégique ne peuvent que s'ignorer ou se combattre. Devant le pire des crimes, le doute doit aussi profiter à l'accusé. Est-il mis en examen, qu'il utilise toutes les ressources du procès équitable : il ne cherche qu'à nier et son avocat à multiplier les incidents de procédure, à exploiter les moindres failles du dossier. Souvent au cours de l'instruction, sa position se rigidifie. Il trouve dans le droit les ressources d'une auto-persuasion efficace : n'est-il pas innocent ou présumé

---

1. Joël Roman, *La Démocratie des individus*, Calmann-Lévy, 1998, p. 58.

tel[1] ? Il multiplie donc les demandes de mise en liberté, sollicite des contre-expertises pour mettre au jour sa « vraie » personnalité, fait valoir l'absence de précédents, sa famille détruite, son emploi perdu, bref sa vie brisée. La victime, à ses yeux, aura toujours un comportement insidieux. Elle sera à jamais celle qui a ruiné son honneur. S'il est innocent, il lui faut faire valoir les failles de l'accusation, l'aveuglement qui l'égare. Voilà pourquoi un débat contradictoire reste une épreuve pour les victimes, dès lors qu'il peut avoir un effet reconstructif mais aussi destructif. La justice ne sera jamais qu'un piètre auxiliaire thérapeutique. Sinon, comment expliquer à la victime que son agresseur présumé peut être acquitté par un jury qui n'a pas été convaincu des preuves de sa culpabilité ?

Un pas de plus est franchi par les accusés des crimes de masse. Dans le prétoire, les génocidaires prennent la pose du patriote persécuté. Maniant la persécution identitaire, l'accusé s'affirme comme martyr pour son peuple, seul détenteur de la moralité supérieure de la victime. Par-dessus leurs juges, les bourreaux d'aujourd'hui s'adressent à un public imaginaire. L'analyse de cinq situations historiques par Yves Ternon (génocide des Juifs, des Arméniens, des Cambodgiens et des Tutsis au Rwanda ainsi que les massacres des koulaks en 1932) confirme l'usage systématique de cette rhétorique victimaire : « L'affirmation d'une culpabilité des victimes est, pour le criminel, le seul moyen de déguiser son intention, d'éluder l'accusation de préméditation et de planification du crime de génocide[2]. » Le but des négationnistes est toujours d'occuper

---

1. Voir la perception d'un juge d'instruction, Thierry Laurent, « La justice et les délinquants sexuels », in *Justice et psychiatrie*, C. Louzoun et D. Salas, Erès, 1998, p. 238-239.

2. Yves Ternon, *L'Innocence des victimes*, DDB, 2001, p. 86, qui nuance la dénonciation par Pascal Bruckner des excès de la victimisation en s'interrogeant sur ses causes et son mécanisme. Voir aussi Guy Nicolas, « De l'usage des victimes dans les stratégies politiques contemporaines », *Culture et conflits*, n° 8, 1992.

la place de la victime et ainsi de l'anéantir une bonne fois. Le cas de Milošević dénonçant au tribunal de La Haye, pour justifier la purification ethnique, le génocide dont le peuple serbe fut jadis victime de la part des Albanais en est l'exemple même. Pour ceux qui sont convaincus de crimes contre l'humanité, les places sont enviables parce que interchangeables. Le moment du procès – le débat contradictoire et public – devient une ressource politique qui joue au profit des génocidaires. Le mal frappe donc deux fois. Après avoir tué, le criminel utilise les survivants dans sa stratégie jusqu'à dérober leur malheur.

Le droit de punir capté par la morale

Au-delà de ses multiples usages, le discours sur les victimes se répercute dans les catégories du droit. Un procès pénal est fait pour mettre en récit la réponse d'une société au crime. Toutes ses phases successives – de l'arrestation à la peine – racontent la confrontation d'un homme avec la loi. L'intrigue du récit n'a qu'un enjeu : un jugement dont on attend la révélation d'une vérité (Cet homme est-il coupable ou non ? S'il l'est, quelle peine lui infliger ?). La victime, quand elle n'est pas absente de cette scène, occupe banalement la place d'un témoin ou d'un quémandeur d'indemnité. En revanche, la figure du survivant *(survivor)* transperce l'assise du rituel judiciaire. La polarité de la punition et du pardon qui fonde la peine cède devant ces crimes qu'on ne sait juger et punir avec la seule vision pénale. Faute d'une identification minimale avec leurs auteurs, ces crimes ne peuvent se payer que d'une punition irrémédiable. Un opprobre moral happe dans sa représentation hégémonique tout le procès pénal. S'ouvre alors une crise généralisée des instances modératrices du droit de punir.

Certaines incriminations semblent gravées dans le marbre tant elles sont rivées à un socle moral. C'est ainsi que le refus de l'oubli ne cesse d'être opposé à certains crimes, sexuels notamment, commis sur les enfants. L'extension de la prescription renforce le pouvoir de punir, présente l'oubli comme une défaite inacceptable. Quand il s'agit de lutter contre le mal, comment accepter qu'on cesse de poursuivre son auteur[1] ? La part de l'oubli, trop généreuse pour ce type de crime, cède devant le combat pour l'imprescriptibilité de l'inceste. Oubli que l'on espère plus « actif », mémoire que l'on suppose toujours « récupérée » afin d'éviter le scandale de l'impunité. Au final, le procès pénal tourne délibérément le dos à l'auteur. Quel sens peut avoir pour celui-ci un procès pour agression sexuelle jugée dix ou vingt ans plus tard, dès lors qu'il n'a plus rien de commun avec l'adolescent ou le jeune adulte qui l'a commise ? Comment mieux exprimer un procès pénal exclusivement construit pour répondre à l'attente des victimes ?

Un autre grand principe est affecté : celui de la *présomption d'innocence*. Le juge en est le gardien, sans doute. Mais face au mal radical, qu'en reste-t-il ? Comment comprendre – du point de vue de la victime – qu'un accusé se taise ou mente en toute légalité, qu'il soit pourvu de garanties ? Plus encore, comment accepter qu'on parle des faits au conditionnel ou qu'on s'adresse à elle comme une victime « présumée » sans l'insulter ? Cette présomption est inaudible pour

---

1. Cette évolution est irrésistible. La prescription des poursuites est en droit français de trois ans pour les délits et de dix ans pour les crimes, sauf pour les crimes contre l'humanité qui sont imprescriptibles. C'est à partir de la majorité des mineurs que cette prescription commence à courir pour une durée et des infractions sans cesse plus élargies. Les lois du 10 juillet 1989 et du 4 février 1995 limitaient cette prescription étendue (dix ans à partir de la majorité) aux crimes de type incestueux, mais la loi du 17 juin 1998 l'a élargie. La loi du 9 mars 2004 (Perben II) porte ce délai à vingt ans après avoir envisagé de le rendre imprescriptible.

elle, même si, juridiquement, une victime n'est que partie civile jusqu'à la condamnation de l'auteur. Le monde moral de la victime et le monde du droit ne se rencontrent plus[1]. Les fictions juridiques se déchirent. À l'origine, la présomption d'innocence veut modérer la violence légale pour éviter les abus de pouvoir, les injustices, voire les erreurs. Mais cet équilibre est ici pris à revers : ce qui compte est non la généralité de l'infraction mais la singularité de la victime ; non une accusation encadrée par une procédure mais un affect exacerbé par la crainte de l'impunité ; non la peine bornée par un pardon légal mais la revendication d'une punition illimitée. On passe d'un monde juridique fini à une quête morale qui envahit la sphère pénale. Attirés par la particularité souffrante, jetés hors de leur périmètre, les principes du droit sont amputés de leur fonction régulatrice.

L'*aveu* lui-même s'apprécie moins sur la scène de la culpabilité que comme une forme de réparation due aux victimes. Dans notre culture juridique, le juge est un « ministre de vérité » et concentre en lui toute la majesté du jugement. S'il recherche les preuves, il doit veiller à ce qu'elles « manifestent » la vérité. S'il prononce son jugement, médité secrètement, c'est un « arrêt » qui ne tolère aucune opinion dissidente. L'aveu d'un accusé est destiné à ratifier le travail du magistrat ou du policier au sens où il est un hommage rendu à la « vérité » qu'ils doivent rechercher. Or, la vérité des procès dominés par les victimes ne prend sens que par leur attente de récit, élargie par celle du public. Le procès est

---

1. Une association modérée comme l'APEV (Aide aux parents d'enfants victimes) ne cache pas son hostilité à la présomption d'innocence. « Dans l'expression présomption d'innocence, les victimes n'entendent qu'un mot, innocence. Ce mot est mal choisi pour désigner celui que l'on pense être l'auteur des faits. Pour la victime qui souffre encore, ce n'est pas acceptable » (*Victimes... de l'image à la réalité*, Alain Boulay [dir.], L'Harmattan, 2003, p. 17).

absorbé dans leur réception émotionnelle. L'aveu, dans ce contexte, n'a plus le sens d'une « capitulation » en forme de soumission à une puissance accusatrice [1]. Il se rapproche davantage d'une confession publique ayant valeur de premier pas dans une démarche critique à l'égard de soi-même. L'accusation espère que l'auteur se détache de son acte ; qu'il se place dans la perspective de sa propre transformation morale ; qu'il réaffirme ainsi son appartenance à une humanité commune avec la victime ; qu'il la délivre du fardeau de la culpabilité et de la honte. L'avocat de la défense rejoint ce souci dès lors qu'il ne s'estime pas lié par le déni de son client et, avec son accord, « avoue à sa place en plaidant [2] ».

La *responsabilité pénale* subit, elle aussi, la pression victimaire. Un bastion de la psychiatrie légale – l'irresponsabilité du fou criminel – cède devant le besoin d'explication des familles des victimes. Longtemps, la règle en cas de non-lieu était que le procès cesse purement et simplement. Or un mouvement de « responsabilisation » des fous réduit à une peau de chagrin leur part d'irresponsabilité [3]. Étonnant déclin du savoir psychiatrique qui a si longtemps régné dans les procès criminels : de circonstance totalement ou partiellement atténuante, la folie devient facteur d'aggravation comme si devait se payer le prix de la *privation du récit* qu'elle inflige à sa victime. Plus encore : le législateur s'est mis à l'écoute des victimes en envisageant une juridiction spécialement chargée d'expliquer lors d'un débat public le sens d'un non-lieu. Là encore, le but est de satisfaire les familles endeuillées. Mais faut-il un tribunal spécialisé pour un nombre de cas infime ?

---

1. Renaud Dulong (dir.), *L'Aveu*, PUF, 2001.
2. Jean Danet, *Défendre. Pour une défense pénale critique*, Dalloz, 2004, p. 202.
3. On est passé de 17 % de non-lieux en 1984 à 0,17 % en 1998. On évalue à 30 % le nombre de malades mentaux en prison. Voir Marc Renneville, *Crime et folie, op. cit.*, p. 430 et *sqq.*

N'y a-t-il pas d'autres lieux plus adaptés, une éthique et une pédagogie à inventer ? La psychiatrie, intériorisant sa défaite, entre dans le schéma de la « responsabilisation » et abandonne à la prison la fonction asilaire.

À la fin du procès, la *peine* est elle aussi marquée par la démesure. Sa rationalité punitive s'efface devant la réprobation morale que véhiculent certains crimes. Nous sommes portés à placer en face du mal radical une punition qui nous en débarrasserait à jamais. À des peines de détention encourues et prononcées toujours plus longues se sont ajoutés des aménagements et des peines alternatives insuffisants pour compenser la hausse de l'emprisonnement. Jusqu'où aller dans la dérive d'un pouvoir de punir pris dans l'engrenage de pénalisation et de victimisation ? Un procès est-il voué à devenir une confrontation sans tiers entre la défense et la victime ? Comment ne pas songer aux condamnations frappant les criminels sexuels qui nourrissent pour au moins un quart les longues peines [1] ? C'est ainsi que naît un véritable *état d'exception pénal* pour cette catégorie. « Le suivi socio-judiciaire, par exemple, est une "peine totale" qui permet d'adjoindre à une longue peine privative de liberté une mise à l'épreuve de longue durée – jusqu'à vingt ans pour un crime – comprenant de nombreuses obligations [...] Jamais une telle sanction n'avait comporté autant de contrôles externes et internes [2]. » La finalité dominante de cette peine est bel et bien la protection des victimes. On retrouve la résurgence du fond religieux de la peine avant même qu'elle ne soit laïcisée, rationalisée.

---

1. La durée de la réclusion criminelle pour les violeurs d'enfants est passée entre 1984 et 1993 de huit à onze ans. Les peines de prison ferme pour attentat à la pudeur sur mineurs passent de dix-sept à vingt et un mois (G. Vigarello, *op. cit.*, p. 250 et *sqq.*).
2. Un régime d'exception leur est applicable quant à la prescription, aux types de fichiers et au quantum de peine. Xavier Lameyre (« Les deux corps de la justice pénale », *Hors-série Justice*, Dalloz, mai 2001, p. 28).

Tout se passe comme si l'atteinte aux valeurs vitales pour une communauté ne pouvait être jugée par la seule raison. La peine punit un coupable mais un sacrifice expulse les peurs collectives. Sa violence perce l'écran de la rationalité punitive. Sous cette force torrentielle, elle oublie de peser les charges et les responsabilités. Seul compte le besoin d'effacer le mal par le mal. Une infraction se juge et se punit. Une transgression s'expie.

L'infini de la plainte

Le cercle de la plainte élargit à l'infini la volonté de punir. Le moment de la réaction au mal (moment politique) est hypostasié. Ni nommé ni encadré, le mal reste indéfiniment scandaleux. N'étant plus configuré par les catégories légales, sa force répressive est démesurée. Tout se passe comme si la peine prononcée était toujours dans un « pas assez » et la volonté de punir dans un « encore plus ». Le temps judiciaire, occupé à travailler le grain de l'individualité, à déterrer les vraies causalités, s'efface. Le sentiment d'un mal injustifiable est d'autant plus intense qu'il semble hors d'atteinte, incontrôlable.

Le commentaire par Judith Shklar de *L'Ingiustizia* de Giotto exprime bien cette inquiétude : « Le visage de l'Injustice peinte par Giotto est froid, cruel et aux deux extrêmes de sa bouche on aperçoit de petites dents ressemblant à des crocs. Le personnage porte une coiffe de juge ou de souverain mais tournée à l'envers ; ses mains tiennent une vilaine serpette et non un sceptre [...] En dessous de lui il nous est donné de voir la véritable figure de l'*injustice passive*. Nous assistons à un vol, à un viol et à un meurtre. Deux soldats contemplent cette scène sans rien entreprendre pas plus d'ailleurs que le gouvernant [...] Contrairement à d'autres vices peints par

Giotto, l'Injustice ne semble pas souffrir le moins du monde ; elle donne au contraire l'impression de ne strictement rien ressentir [1]. »

Le droit de punir se construit désormais à partir de l'expérience de l'injustice. À la faute pénale qui impute le mal à un auteur se superpose la *faute tragique* qui frappe injustement un innocent. Le tragique pénal exprime désormais la quête de la victime qui cherche, à travers un procès, à comprendre le malheur qui la frappe. Il n'est plus dans la transgression du mal commis mais dans l'injustice du mal subi. Il ne s'incarne plus dans le *héros persécuté* par une transcendance hostile mais dans la *victime innocente* inexplicablement frappée. En s'autorisant à témoigner, cette victime ne trouve pas pour autant le cadre imaginaire et glorieux du martyre qui donne un sens collectif à son malheur. Pour vaincre l'indifférence morale qui l'entoure et sortir de la honte, elle demande à la justice de l'aider à trouver un récit capable de donner un sens à son malheur. Au fond, cette victime peut-elle refuser l'attrait de l'idéologie victimaire qui lui offre de ne pas retomber dans l'oubli ?

La victime actuelle oscille ainsi entre la tentation de l'icône et l'épreuve solitaire du mal. L'une, la victime invoquée, est porteuse de sens collectif mais aussi d'instrumentalisations multiples. L'autre, la victime singulière, s'expose à sombrer dans l'oubli si elle refuse d'entrer dans l'espace public, et de glisser ses pas dans ceux de la première. Lourd d'un tel enjeu, le malheur des victimes a bel et bien délogé l'infraction à la loi. Le droit de punir devient le théâtre étrange d'une « lutte pour la reconnaissance » au sens qu'Axel Honneth donne à ce terme à la suite de Hegel :

---

1. Judith N. Shklar, *Visages de l'injustice*, Circé, 2002, p. 73.

« L'expérience de l'amour donne accès à la confiance en soi ; l'expérience de la reconnaissance juridique au respect de soi et l'expérience de la solidarité, enfin, accès à l'estime de soi[1]. » Envahie par un enjeu inédit, en quelque sorte forcée par lui, la justice est le point de passage obligé d'une attente de reconnaissance. Pour sortir de la honte, la victime devient un acteur social capable d'infléchir les choix politiques, de transformer son vécu traumatique en expérience collective et même, de modifier par son témoignage les cadres sociaux de la mémoire.

Mais où peut conduire cette progression qui passe par une institution tournée entièrement vers la fonction de juger ? Le mépris ou l'injustice subie ne sont guère réductibles à une infraction sanctionnée par une peine. L'infraction contient *une cause* abstraite (la violation de la loi) alors que l'injustice exprime *les conséquences* vécues (le mal fait à l'homme). Tout sépare la fonction de restauration de l'ordre légal et la réparation de l'expérience traumatisante du mépris. Ce qui est survenu dans l'ordre du mal ne peut être réparé dans l'ordre des équivalences pénales. L'État se lance alors dans une pénalisation sans fin pour combler cette béance et ne pas paraître complice ou indifférent. « Folie de la volonté face à ce qu'elle ne peut changer et qu'elle veut pourtant annuler par une sorte de magie pénale[2]. »

Au terme du premier temps de notre réflexion, une conclusion provisoire s'impose. La double généalogie de l'idée de victime et de l'État de sécurité montre que le nouveau droit de punir a des racines anthropologiques profondes. Dans un monde toujours exposé aux menaces et

---

1. Axel Honneth, *La Lutte pour la reconnaissance*, Cerf, 2000, p. 208.
2. F. Tricaud, *op. cit.*, p. 25.

aux risques, où les frontières de la répression et de la guerre sont moins nettes, peut-il en être autrement ? Peut-être sommes-nous entrés dans un « libéralisme de la peur » orienté non par la visée du bien commun mais par le partage des maux subis, comme le suggère Judith Shklar[1] ? Le spectacle de l'injustice crée un lien politique qui semble bien pauvre et négatif. Il est clair, en tout cas, que nous ne punissons plus une part importante de nos semblables ni pour améliorer leur comportement, ni pour les réintégrer dans la communauté. Nous songeons avant tout à protéger leurs victimes, réelles ou supposées. Plus encore : nous n'hésitons pas à produire des victimes imaginaires pour justifier des choix radicaux présumés plus protecteurs. Une transaction se dessine entre un État qui cherche ainsi une légitimité morale et des individus tentés par l'idéologie victimaire pour échapper au non-sens de leur malheur.

Voilà pourquoi, loin d'assister à une dérive sécuritaire, on se trouve en face d'une perversion des relations entre État et démocratie. L'État doit démontrer sa puissance en réponse aux messages d'inquiétude que lui envoie l'opinion. La démocratie ne parvient plus à contenir le « peuple » dans ses canaux d'expression et de représentation. C'est de cette rencontre entre la composante émotionnelle de la démocratie et le versant purement répressif du droit de punir que naît le populisme pénal. Le symptôme se situe au point de convergence d'une double pathologie de la représentation et de la punition. Il affecte à la fois l'équilibre de l'État de droit (entre sécurité et libertés) et la vie même de la démocratie sans cesse secouée par des paniques morales. La dissociation entre le peuple et sa représentation provoque l'appel récurrent à un pouvoir fort comme pour conjurer la peur d'une

---

1. Judith Shklar, *Les Vices ordinaires*, PUF, 1989, p. 11.

LE TEMPS DES VICTIMES

dislocation. Mais jusqu'où ira-t-on ? Comment rassurer et protéger sans basculer dans le populisme pénal, sans ruiner les bases du pacte démocratique ? À ce défi sont confrontées toutes les démocraties tant en Europe qu'aux États-Unis.

III

Le cycle répressif aux États-Unis et en Europe

> « En Europe, le criminel est un infortuné qui combat pour dérober sa tête aux agents du pouvoir ; la population assiste en quelque sorte à sa lutte. En Amérique, c'est un ennemi du genre humain et il a contre lui l'humanité tout entière. »
>
> Alexis de TOCQUEVILLE, *De la démocratie en Amérique* (I, 5).

Par quel moyen venir à bout de l'impuissance à contenir le crime ? Comment sortir de la contradiction où nous place une prison criminogène ? Telles sont les questions posées à deux magistrats, Tocqueville et Beaumont, envoyés aux États-Unis pour y rechercher des réponses[1]. Autour des années 1830, la promiscuité et la violence règnent dans les

---

1. Voir l'introduction aux *Écrits sur le système pénitentiaire en France et à l'étranger* de Tocqueville (2 vol., Gallimard, 1984) intitulée « Tocqueville méconnu », et Michelle Perrot, *Les Ombres de l'histoire. Crime et châtiment au XIXᵉ siècle*, Flammarion, 2000, pp. 155-156.

vieilles centrales napoléoniennes héritées de l'Ancien Régime. Un débat sans fin oppose la pensée philanthropique qui veut l'amélioration du « coupable égaré » et les adversaires de la récidive. Tocqueville et Beaumont assument la part proprement politique de leur mission. Tenant à distance la « fausse philanthropie » autant qu'une conception aveugle de la rétribution des infractions, ils veulent avant tout dénouer le paradoxe pénitentiaire : la peine doit protéger la société sans renforcer l'aptitude au crime. Neuf mois de séjour, plusieurs pénitenciers visités, pas moins de sept rapports débouchent sur une solution qui semble la plus satisfaisante : la cellule de nuit avec le travail en commun le jour.

Une réserve de taille tempère cette option pour la prison cellulaire : ce régime pénitentiaire suppose l'usage constant du fouet. De tels châtiments corporels habituels dans les prisons américaines ne leur semblent guère transposables en France. Confiés au seul arbitraire des gardiens, ne s'apparentent-ils pas à une domestication sans limites ? Cette peine « ignominieuse » ne va-t-elle pas à l'encontre du projet de « relèvement » dont s'honore tout projet pénitentiaire ? Il est difficile d'ignorer que dans certains États américains racistes et ségrégatifs, les prisonniers sont des esclaves à qui on retire toute humanité. On ne saurait leur signifier plus clairement qu'ils ont perdu leur place parmi les hommes. Une fois incarcérés, ils sont interminablement soumis à la dictature de leurs geôliers : « La peine de mort et les coups, voilà le code pénal des esclaves[1] : » Constat amer pour ces deux hommes issus d'une culture européenne qui a pensé le droit de punir dans l'esprit des Lumières.

Tocqueville le redira plus fortement encore dans *De la démocratie en Amérique*. Aux États-Unis, les prisons doivent

---

1. A. de Tocqueville, *Écrits sur le système pénitentiaire, op. cit.*, p. 168.

clairement – et cruellement – assumer la contre-violence dont use la société pour se défendre. Il n'y a pas, outre-Atlantique, de pitié pour ceux qui ne jouent pas le jeu dans les règles. Un peu moins de deux siècles après, nous sommes choqués par le spectacle des prisonniers talibans enchaînés et privés de tout contact dans le camp de Guantanamo. Sans forcer l'anachronisme, il semble bien que cette différence d'attitude trahisse la continuité d'une opposition culturelle. Aux États-Unis, une culture de la violence a longtemps été adoucie par un humanisme pénitentiaire à forte tonalité religieuse avant de devenir le berceau, ces vingt dernières années, du populisme pénal. Travaillés par leurs propres inquiétudes, les Européens restent attachés à un tel humanisme même si le cycle répressif que nous traversons aussi remet en question cet héritage.

La criminalisation de la société aux États-Unis

Cette différence entre Europe et États-Unis s'explique largement par les traces laissées dans les institutions par le religieux. Dans une culture américaine protestante, l'homme est seul face à lui-même. Il doit répondre de ses actes devant sa conscience morale, libre, émancipée de toute tutelle. Qu'il viole le pacte social et le voilà hors la loi. Nulle Église ne vient au secours de la brebis égarée. Nulle institution ne le rappelle paternellement à l'ordre dont il s'est écarté. Si la prison est utile, c'est dans le but de restaurer sa conscience morale. L'homme déchu plonge dans un espace de silence et d'obscurité propice au retour sur soi comme dans la prison de Walnut Street ouverte en 1790 par les Quakers[1]. Mais dans une société qui sécularise les peines, la rétribution perd sa

---

1. Voir Ioannis Papadopoulos, *Le Plaider coupable. La pratique américaine, les textes français*, PUF, 2004.

finalité spirituelle et morale. Les choix politiques qui l'ont emporté dans la deuxième partie du XX⁰ siècle font de la privation de liberté l'équivalent d'un prix à payer en dédommagement de l'infraction. Prix devenu exorbitant à mesure que toute perspective morale devient étrangère à la répression.

Paniques morales et populisme punitif

Le temps semble loin où théologiens et professionnels du monde entier célébraient à Cincinnati la « pénologie nouvelle » à la fin du XIX⁰ siècle. Lors du dimanche précédant la clôture du congrès, un prêtre choisit comme thème de sermon une phrase de l'Évangile selon saint Matthieu : « J'étais en prison et vous êtes venus vers moi[1]. » Une certitude morale surplombe les discours lyriques nourris de prières et de chants : un délinquant bien formé et repenti peut obtenir sa *parole*, c'est-à-dire retrouver sa liberté sous conditions. Entre 1870 et 1930, la dure réalité carcérale est transfigurée par cet idéal. L'éthique protestante remet en scène le thème de la rédemption symbolisé par le programme du « réformatoire » d'Almira dans l'État de New York : isolement de nuit, travail dans la journée et, surtout, lecture de la Bible. La thématique contractuelle imprègne tout le système pénal : avant le procès, avec le *plea bargaining* (« plaider coupable ») dont la généralisation est inexorable dès la fin du XIX⁰ siècle ; lors de l'application de la peine avec la *probation* qui implique une surveillance du détenu en liberté sur la base d'un contrat entre celui-ci et le juge[2].

---

1. Matthieu, XXV, 36.
2. La probation (*parole boards*) se généralise à partir de la fin du XIX⁰ siècle ; la montée en puissance du *plea bargaining* (négociation des charges et de la peine entre la défense et le procureur avant le procès) est régulière pendant la même période : dès 1960, 90 % des condamnations se font sur la base d'une culpabilité négociée. Voir Michel Van de Kerchove, *Le Droit sans peines*, Faculté Saint Louis, 1987, p. 52.

Mais peu à peu les « réhabilitationistes » vont observer une « trêve silencieuse [1] ». Cet idéal moral, comme celui de la Défense sociale nouvelle en Europe, va connaître sa plus grande crise dans la deuxième moitié du XXᵉ siècle. Sa laïcisation ouvre une brèche où d'autres réponses au crime auront leur chance. Privée de sa perspective rédemptrice, la peine n'est plus conçue pour tendre la main à celui dont on ne désespère jamais qu'il revienne un jour dans la communauté. Vide de toute attente de transformation morale, hors du rigorisme puritain, elle perd son ancrage spirituel. La prison cellulaire renvoie l'image crue d'une déchéance psychique, non d'une promesse de salut. La philosophie pénale cherche son équilibre entre le pôle de la rétribution, le juste dû (*just deserts*) qui sanctionne le démérite moral, et le pôle de l'utilitarisme dominé par la fonction de dissuasion (*deterrence*). À partir de ce moment, le nœud répressif se forme autour de la défense de la société : une nécessité sociale (dissuader pour ne pas affaiblir la société) et une obligation morale (le mal en rétribution du mal) scellent une alliance qui sera durable.

À ce changement de culture, il faut ajouter la politisation de la question pénale. L'engagement du gouvernement fédéral dans une croisade antidrogue au début des années 1970 est lourd de conséquences. Un nouveau vocabulaire remet au premier plan le discours libéral de la fin du XVIIIᵉ fondé sur le droit de punir et la responsabilité des criminels [2]. Alors qu'en France le rôle socialisant de la prison fait encore débat, aux États-Unis, il s'achève. Un livre au titre révélateur – *Doing justice : the Choice of Punishment* – marque, au moment

---

1. Pour reprendre l'expression de David Fogel, « Le débat américain sur le *sentencing* : dix années de combat », *Archives de politiques criminelles*, n° 5, Pedone, 1982, p. 230.
2. David Garland, *Punishment and Modern Society*, Oxford University Press, 1990, p. 8.

où paraît en France *Surveiller et punir*, la volonté politique d'adopter un système rétributif. Portée par un discours politique qui veut faire payer les non-méritants, la doctrine pénale se fixe durablement. Au système utilitariste qui voulait combiner l'avenir du prisonnier et la protection de la société, succède un jansénisme criminologique : faire du prisonnier un sujet responsable de ses actes et, comme tel, devant payer sa dette. Le *just deserts* triomphe : au coupable doit être imputée la stricte mesure de son démérite moral.

Une vague importante de décriminalisation au nom de la liberté individuelle renvoie cependant hors du pénal des comportements qui relèvent de la vie privée (avortement, adultère, homosexualité, etc.). Pourquoi pénaliser ce qui n'est ni moralement condamnable, ni *a fortiori* amendable ? Dans une société dominée par le pluralisme moral, la liberté est la règle. Seul le mauvais usage de cette liberté est réprimé. Ainsi, la répression sera d'autant plus sévère que le pluralisme s'accroît, qu'il individualise et fragmente la société. Le libéralisme des mœurs est compensé par une criminalisation ciblée sur une population à risques. Avec les années Reagan s'installe le thème d'une politique pénale « musclée » (*get tough*), du gros bon sens (*no-nonsense*), de la loi et l'ordre (*law and order*). Le nombre d'incarcérations – déjà un des plus élevés des pays occidentaux – quadruple en quinze ans : on passe de 240 000 détenus en 1975 à près d'un million en 1995 – chiffre qui n'a cessé de s'accroître depuis pour atteindre les deux millions aujourd'hui.

Quelle est la signification de cette nouvelle politique résolument punitive ? Le sociologue anglais David Garland juge les politiques néoconservatrices – reprises, du reste, par les libéraux – en harmonie avec un sentiment public favorable aux punitions visibles. Les politiques pénales colorent d'un « ton émotionnel » des mutations législatives continuelles. Secoué par les rythmes démocratiques, le système pénal vit en état de crise perpétuelle. Chaque décision est prise dans un climat de passion. La moindre hésitation à réagir au crime devient un scandale. « La voix dominante des politiques pénales n'est plus tant l'expert ou le praticien mais ceux qui souffrent, les gens oubliés, et spécialement les "victimes" et les membres craintifs et anxieux de la population [1]. » L'impératif de protection de la société est scandé par des slogans du type « Zéro tolérance » ou « La prison, ça marche ! » (*Prison works !*). L'élection des juges, dans les deux tiers des États, et des procureurs (*district attorneys*) en fait des personnalités politiques. L'insécurité devient un thème de campagne électorale souvent décisif. Il n'est pas de pire critique que d'accuser son adversaire politique d'être *soft on crime*. Ce qui paie est la virilité punitive, la fermeté du ton, bref, une posture d'homme d'État, défenseur des valeurs démocratiques, au premier rang desquelles figure la sécurité.

Un tel discours met au premier plan la volonté de protéger l'espace urbain des comportements à risques. Ni pathologique ni anormal, le crime est un phénomène avec lequel il faut s'habituer à vivre. Résignée à l'échec d'une transformation morale des auteurs, l'opinion s'accoutume au fait criminel (*criminal event*) dont il faut seulement se protéger. Cette « criminologie de la vie quotidienne » donne à la sécurité privée une tâche de protection des biens et de prévention des risques. Mais pour les récidivistes, s'impose une « criminologie de l'autre dangereux » : l'objectif affiché de toute politique pénale est la neutralisation des délinquants d'habitude. La loi « *three strikes and you're out* », adoptée en 1994 en Californie avant d'être généralisée, en devient le symbole [2]. Plus qu'un État de sécurité, on voit à l'œuvre

---

1. D. Garland, *The Culture of Control, op. cit.*, p. 13.
2. « Au troisième délit, vous êtes éliminé », ce qui veut dire qu'à partir de la troisième condamnation pour *offence* (un vol simple, par exemple) une incarcération de très longue durée est appliquée automatiquement en raison de la récidive (règle appliqué dans près de 25 États).

une société de sécurité – Garland évoque même une « société d'apartheid » – où l'incarcération à grande échelle et la fortification des propriétés privées se renforcent mutuellement.

Les paniques morales fédérales aux États-Unis

La construction des paniques morales (*moral panics*) est la matrice du populisme pénal. Pour le sociologue anglais Stanley Cohen, elle se décompose en trois temps : une phase préparatoire où un récit médiatique diffus (des émeutes urbaines, *a priori* anodines, par exemple) crée un terrain favorable et prépare l'opinion ; puis, une phase d'impact où des faits sont corrélés les uns aux autres pour former une série menaçante symbolisée par un groupe d'individus ; à ce stade, le récit policier peut être déterminant par sa résonance avec le grand public ; enfin, la phase de réaction de la sphère politique, qui fait intervenir ses propres choix et profite de cette « fenêtre d'opportunité » pour faire passer des lois pénales plus dures [1].

C'est le meurtre de Polly Klass, une fillette kidnappée dans sa chambre lors d'une soirée entre copines (un fait sans cesse rappelé) par un criminel multirécidiviste (R. A. Davis) en Californie, qui est à l'origine de la loi « *Three strikes and you're out* ». Le père, Mark Klass, et le grand-père, Joe Klass, ont milité activement en sa faveur. On peut encore entendre sur le site qui est dédié à la petite victime la violente altercation entre la famille Klass et le criminel, ponctuée par un retentissant « *Burn hell, Davis !* » que lui adresse le père lors du procès. La famille Klass retirera ensuite son soutien à une loi qui peut coûter la prison à vie à un simple voleur

---

1. Stanley Cohen, « On the beaches : the warning and the impact », *Folk Devils and Moral Panics*, New York, 1980, p. 144-176.

autant qu'à un meurtrier. Mais la « fenêtre d'opportunité » s'était refermée. Le texte sur la récidive était voté et venait d'être approuvé par référendum. C'est encore la mort par overdose dans le Maryland de Len Bias, une championne de basket, qui a précipité l'adoption de peines automatiques pour infraction aux lois sur les stupéfiants dans de nombreux États. Là encore la politique fédérale de « guerre contre la drogue » a opportunément bénéficié de l'émotion collective.

La figure de la victime est l'inépuisable ressort des paniques morales. Son usage est variable : simple prétexte à un durcissement des textes, instance de justification des choix politiques, mais aussi occasion de réformes utiles. Il est, du reste, impossible de l'oublier : symboliquement, les lois pénales portent toujours son nom. Ainsi, après la disparition et la mort de Amber Hagerman (9 ans) dans le Texas, une mise en réseau des polices et des médias, l'*Amber alert*, s'est généralisée entre 1996 et 2003 ; les disparitions sont signalées en temps réel sur les panneaux lumineux des autoroutes. À la suite du meurtre de Megan Kanka dans le New Jersey, une cinquantaine d'États ont voté des *Megan's law* afin d'imposer les fichiers pour délinquants sexuels et l'obligation de signaler leur présence dans leur lieu de résidence. Les autorités fédérales ont invité à généraliser dans tous les États cette loi qui porte la signature de la victime. Un cédérom à son nom diffuse sur Internet la signalétique (parfois erronée) de délinquants sexuels à « haut risque [1] ». Même tendance au populisme pénal en Grande-Bretagne à la suite du meurtre-viol de Sarah Payne, âgée de huit ans, lors de l'été 2000. Un tabloïd anglais a mené campagne au nom d'une « vérité des peines » en réclamant la prison à vie pour les pédophiles criminels. Une campagne « *Name and shame* »

---

1. Loïc Wacquant, « Moralisme et panoptisme punitif », *Sociologie et sociétés*, vol. 33, n° 1 (2001), p. 139 et *sqq.*

réclamait une *Sarah's law* sur le modèle de la *Megan's law* américaine[1].

Les usages de la victime dans une culture de guerre

Cette surpénalisation puise sa force dans la volonté de protection des victimes. Qu'un procureur veuille plaire aux commerçants ou qu'un autre désire chasser les prostituées et voilà qu'ici les contrôles de police se multiplient, tandis que là tous les petits vols sont poursuivis. Politique pénale éphémère, aussitôt contestée, du reste, en raison de ses faibles effets. Tant il est vrai que la figure de la victime qui signe les lois répressives est autant sacralisée qu'instrumentalisée. C'est en son nom que l'on durcit le régime des prisons, que l'on allonge les peines perpétuelles et que l'on proclame l'urgence de moraliser la société. Dans un ouvrage au titre significatif, *Victim Still* (« Victimes, encore ! »)[2], qui fait le bilan des politiques américaines de lutte contre le crime, le sociologue Robert Elias montre comment les victimes servent d'alibi pour promouvoir des politiques pénales de plus en plus dures.

La rhétorique victimaire répond directement à une attente de deuil dans le rituel de la peine de mort. Certains programmes permettent aux familles des victimes d'assister à l'exécution de *leur* criminel (dans treize États et au niveau du gouvernement fédéral) au nom d'un impératif que les documents fédéraux appellent *closure,* que l'on peut traduire par « clôture » ou « deuil » ou encore « savoir tourner la page ». Comment exprimer mieux, en ce moment extrême, la posture

---

1. Voir Mélanie-Angela Neuilly et Kristen M. Zgoba, « La panique pédophile en France et aux États-Unis », communication au XXXIVe congrès de l'AFC, septembre 2004. Voir aussi J. V. Roberts *et al., Penal Populism, op. cit.,* p. 51.
2. Robert Elias, *Victims Still, The Political Manipulation of Crime Victims,* Sage Publications, 1993.

de cette justice qui voile le visage de celui qu'elle frappe pour se tourner religieusement vers la victime[1] ? Le rituel de l'exécution du *domestic terrorist* Tim Mc Veight, auteur de l'attentat d'Oklahoma City qui fit 168 morts, dans le pénitencier de Terre haute dans l'Indiana, en est l'exemple même. Non seulement CNN a diffusé le détail du protocole de la mise à mort, mais une autorisation fut accordée aux familles des victimes d'assister à l'exécution par un circuit de télévision. Une caméra fixée au plafond le montre lançant un dernier défi à la demande de *closure* : « Je suis le maître de mon destin, le capitaine de mon âme. » Peu avant la mise à mort, l'avocat du criminel s'est excusé auprès des familles de n'avoir pas obtenu des regrets en ajoutant : « Tuer fait désormais partie du processus de cicatrisation[2]. »

Mais, depuis le 11 Septembre, apparaît aux États-Unis le retour d'une *culture de guerre*. D'un côté, on observe la disparition de toutes les victimes singulières dans l'événement le plus filmé de l'histoire, l'attaque contre les Twin Towers. Nul n'a vu de cadavres au moment des attentats terroristes, mais tous ont communié dans l'immense scène de la mémoire de *Ground Zero* avec ses nombreuses marches, autels et manifestations ponctuées par la lecture liturgique des noms des victimes. La mobilisation suppose une union sacrée pour triompher du mal et transforme la victime en martyr. Ainsi désingularisée, celle-ci va d'autant mieux symboliser la ferveur patriotique. Sur le tombeau des morts, la nation jure de remplir son devoir de guerre contre le terrorisme.

D'un autre côté, l'héroïsation des combattants implique l'exaltation des seules victimes choisies. La dévotion aux

---

1. Sur cette fonction « consolatrice » qui n'est pas forcément partagée par toutes les victimes, voir Peter Hodgkinson, « Les familles des victimes et le condamné », in *Peine de mort : après l'abolition*, Éditions du Conseil de l'Europe, 2004.
2. Cité par Sylvie Kauffmann, *Le Monde*, 13 juin 2001.

« victimes méritantes » aurait été, selon Noam Chomsky, au temps de l'anticommunisme militant, l'instrument principal de l'adhésion à la politique américaine[1]. Telle est encore la fonction de Jessica Lynch, soldate américaine blessée pendant la guerre d'Irak : hospitalisée dans un hôpital irakien où elle aurait été torturée, elle est libérée avec éclat par ses compagnons. Médiatisée à l'extrême, elle devient, à son corps défendant, une icône de la croisade contre le terrorisme. Peu importe – comme cela semble être le cas – qu'elle ait été vraiment soignée à la suite d'un accident et non d'un attentat, puis protégée par les médecins irakiens. Ce qui compte est la légende de la jeune patriote, sa figure d'innocente profanée, sa fonction de martyre du monde libre qui légitime la guerre[2]. Pour justifier le châtiment, il faut montrer l'horreur des profanations dont l'ennemi se rend coupable ; pour emporter l'adhésion du public, il faut en produire la preuve irréfutable. La victime est probante parce que innocente. Son utilité est ici d'assurer l'intégrité de l'armée américaine dont elle est le porte-drapeau. Dès lors que l'adversaire devient l'*ennemi de la victime*, le combat devient inexpiable.

Appuyée sur ce lien quasi religieux entre les offensés, la violence sacrificielle est pleinement justifiée. C'est ainsi qu'apparaissent des scènes d'expiation dignes de l'Inquisition, comme celles infligées aux damnés de Guantanamo, prisonniers talibans placés hors des Conventions de Genève à cause de leur statut de « combattants illégaux », ou encore les humiliations grossières que font subir, dans leurs prisons, des soldats

1. Voir l'analyse du « calvaire » du père Popielusko assassiné par des communistes polonais en 1984 massivement couvert par les médias américains à l'inverse d'autres victimes moins dignes de compassion. N. Chomsky et E. S. Herman, *La Fabrique de l'opinion publique*, Le Serpent à Plumes, 2003, p. 31 et *sqq.*
2. Sur cette culture de guerre et le cas de Jessica Lynch, voir B. Cabanes et J.-M. Pitte, *11 Septembre : la Grande Guerre des Américains*, Armand Colin, 2003, p. 112 et p. 150.

américains aux détenus irakiens. À quoi servent ces images de torture, ces scènes d'humiliation ? Loin d'être des trophées, elles sont, à l'inverse, le signe d'une victoire *du* terrorisme. À l'épreuve de la guerre, la démocratie se nie elle-même quand la répression est indéterminée et que la torture s'installe. Le nihilisme n'a plus alors de bornes. Quand la part irrationnelle du pouvoir est réveillée, l'État replonge dans une violence originaire. Les rôles de victimes et de bourreaux deviennent interchangeables. Les croisades morales et populistes rompent l'équilibre entre la force et la forme qui constitue l'État de droit.

Une justice enrôlée dans la lutte contre le crime

L'appareil judiciaire participe de cette rhétorique guerrière. Tout l'enjeu des réformes engagées ces dernières années vise à restreindre le pouvoir des juges dans la détermination de la peine (*sentencing*). Dès les années 1980, afin de livrer la guerre contre la drogue, le Congrès cherche à obtenir des condamnations efficaces et promptes en réformant le prononcé des peines[1]. Ainsi, les décisions des juges ont-elles été encadrées et liées par de nouvelles instructions détaillées. Aujourd'hui, il leur suffit de consulter les manuels (*guidelines*) pour trouver les « tarifs » pénaux applicables aux crimes commis. La commission sur le *sentencing* a explicitement écarté toute référence au modèle « réhabilitatif » (où la prise en compte de la personnalité est intégrée dans le choix de la peine) en faisant du jugement une opération purement déductive dans la ligne de l'idéologie du « juste dû » (*just deserts*).

L'extension du *plea bargaining* renforce cette tendance : à partir du moment où un accusé peut prévoir avec précision le *quantum* de sa peine, il sera enclin à plaider coupable (*plea*

---

1. *Sentencing Reform Act*, 1984.

guilty) et à accepter une négociation. Le procureur détient un pouvoir très large : « En supprimant les charges, il supprime la peine ; en choisissant les qualifications, il choisit la peine ; en négociant la culpabilité, il négocie la peine[1]. » À l'évidence, l'existence de *peines fixes* permet de trouver forcément plus douce une peine négociée. La loi bande les yeux des juges, les enrôle dans la guerre contre le crime et réduit leur jugement à un raisonnement purement déductif. Bref, « les Américains ne sont pas condamnés pour ce qu'ils ont fait mais pour ce qu'ils ont décidé de révéler au juge après négociation avec le procureur », ajoute Françoise Tulkens. La peine n'est plus une institution où peuvent se dialectiser la punition et le pardon mais un guichet où se négocient des tarifs. Difficile de ne pas songer à une économie de la punition dominée par l'imaginaire du marché ! Dès lors que la sécurité devient non un bien public mais un bien marchand, comment s'étonner qu'on en fixe le prix au vu des offres en concurrence ? Le passage en justice devient un moment où l'on paie sa dette à la société en ôtant aux protagonistes une bonne part de leur jugement. Système amoral qui assure la victoire de procureurs puissants et d'accusés parfois innocents mais toujours gagnants.

Naturellement, il y a dans le *plea bargaining* un gain de temps et une adhésion à la peine qui assure la survie d'un système pénal aux ressources limitées. Tous, y compris l'accusé, peuvent en retirer un bénéfice. Une peine acceptée pour des faits non contestés vaut mieux qu'une procédure lourde et une décision mal comprise. Mais ce système des peines, *en même temps* fixes et négociables, tend à faire disparaître tout débat judiciaire. En liant le juge à des peines fixes, il incite fortement à négocier la peine. Il conduit à un

---

1. Françoise Tulkens, « Les transformations du droit pénal aux États-Unis. Pour un autre modèle de justice », *Revue de science criminelle*, avril-juin 1993, Dalloz, p. 223.

déplacement massif du contentieux en amont de l'audience (près de 90 % des affaires pénales sont négociées). La procédure lourde, coûteuse et aléatoire du jury devient rare et lointaine[1]. Pis, l'effet de discrimination s'accroît du fait de la pauvreté des clients, de leur appartenance à des minorités raciales et de l'absence d'avocats payés.

Deux pathologies guettent cette justice : le temps se dégrade en instantanéité, les formes en formalisme. Précipité dans l'urgence, le système est hanté par le risque d'erreur judiciaire. Il paie son efficacité d'un formalisme proliférant repoussé à sa périphérie. Comment expliquer autrement les nombreuses procédures d'*habeas corpus* accordées aux condamnés – environ 3 400 en 2003 – qui attendent souvent pendant des années dans les couloirs de la mort ? Ils attendent que l'on statue sur leurs recours parce qu'ils « bénéficient » de huit niveaux d'appel. Somme toute, les garanties sont présentes. Mais elles sont éparpillées, jetées à la périphérie et, au fond, perverties ; elles se font moins dans l'intérêt de l'accusé que pour préserver la crédibilité de l'institution[2].

Le temps tourne à vide pour des requérants nullement déliés du passé. Ils ne peuvent ni inscrire leur identité dans la durée, ni témoigner de leur transformation morale. Le cas de Karla Faye Tucker est exemplaire : cette jeune femme assassine en 1983 un ancien amant dans un délire de violence et de drogue, puis est condamnée à mort ; mais en 1998, quinze ans après les faits, à la veille de son exécution, elle révèle une tout autre personnalité ; elle a pris ses distances avec son acte et s'est convertie au christianisme évangélique ; bref, elle n'a plus rien de commun avec la femme qu'elle était quinze ans

---

1. Au pénal, le jury américain statue à l'unanimité sur la culpabilité.
2. Françoise Tulkens, « Le rôle et les limites de la fonction juridictionnelle dans la justice pénale aux États-Unis », *Fonction de juger et pouvoir judiciaire*, Publications des facultés Saint Louis, 1983, p. 493 et *sqq*.

plus tôt. Malgré une campagne mondiale en faveur de sa grâce, celle-ci sera refusée par George W. Bush. Comment exprimer mieux une justice devenue indifférente à la transformation morale des condamnés ? Pour Karla Faye Tucker, l'éthique de la reconnaissance réciproque ne joue plus. Le bourdonnement de la machine procédurale rend inaudible sa voix. Les portes de la Loi se referment à jamais sur la bannie[1].

La peine neutre ou « l'habit du diable »

Tant que le crime reste une éventualité, on s'en protège par une anticipation que l'on espère dissuasive. Nulle trace de réprobation morale dans cette rationalité préventive. La vigilance de proximité (*neighbour watch*), par exemple, donne la priorité à des patrouilles et à des systèmes de surveillance. On se met à distance d'un environnement menaçant dans des « bulles de sécurité ». La délinquance est vue comme un risque dont il faut se protéger. Ce qui se dessine au fond est une *délinquance sans infraction,* gérée comme un accident, dont on accepte de payer le tarif en s'abritant dans des systèmes assurantiels. Le criminel est oublié au profit de la menace que font peser ses actes supposés sur les victimes éventuelles. L'autre n'a plus de visage sauf à l'y reconnaître dans une échelle de risque statistique, aune à laquelle une société calcule sa protection.

Mais si le crime est commis – de surcroît par un récidiviste – la prévention cède devant une volonté d'élimination. Les peines d'« incapacitation[2] » impliquent une mise hors d'état de nuire de groupes de délinquants pour une période prolongée. Mais peut-on encore parler de peine ? Ses finalités habituelles – rétributive ou disciplinaire – disparaissent devant

---

1. Sur Karla Faye Tucker, voir André Kaspi, *La Peine de mort aux États-Unis*, Plon, 2003, p. 138 et *sqq.*
2. Sur la philosophie de l'incapacitation ou *incapacitative sentencing*, voir A. Ashworth, « Sentencing », in *Oxford Handbook of Criminology*, 2002, chap. 29.

une fonction purement sécuritaire. Plus rien ne masque une volonté d'exclusion fondée sur des postulats d'incurabilité et d'appartenance à des catégories à risques. Le développement d'un véritable *marché de la punition* en est la conséquence directe. L'impact de la publicité et des technologies a peu à peu transformé le détenu en une marchandise. La démagogie politique et les médias de masse entretiennent complaisamment un climat qui se révèle un puissant stimulant pour l'expansion du système carcéral. Les métiers eux-mêmes se transforment : les contrôleurs judiciaires armés ont remplacé les travailleurs sociaux. Incarcéré, l'homme est démembré par le regard technologique qui est porté sur lui. Une publicité destinée à l'acheteur de produits et de services pénitentiaires ne montre-t-elle pas des bras noirs enserrés par des bras blancs qui tiennent des bracelets électroniques[1] ?

La détention de masse ajoute l'anonymat à la marchandisation. Le cas des États-Unis est unique au monde : tandis qu'aujourd'hui ce pays présente un des taux de détention les plus élevés de la planète, 709 détenus pour 100 000 habitants, son voisin du Nord, le Canada, connaît un taux de 129 détenus pour 100 000 habitants tandis que le taux moyen de son voisin du Sud, le Mexique, est de 110. En France, ce taux est de 85 pour 100 000 habitants. À la suite de Zygmunt Bauman[2], Nils Christie n'hésite pas à situer l'industrie pénale américaine dans la perspective proche de celle des camps de concentration nazis. On y retrouve les trois caractères de l'indifférence morale : autorisation illimitée de la violence, banalisation de ses actes et déshumanisation des cibles. L'insignifiance d'autrui est soulignée par l'absence de tout sentiment moral chez les exécutants et chez des spectateurs passifs.

---

1. Selon Nils Christie, *L'Industrie de la punition*, Autrement, 2003, p. 121.
2. Zygmunt Bauman, *Modernité et holocauste*, La Fabrique, 2002, p. 52.

Bien que discutable, ce rapprochement souligne la perspective mortifère où nous engage le choix du tout-carcéral. Une peine qui n'est pas traversée par des logiques sanitaires, éducatives ou protectrices des droits n'est qu'une violence nue. Son potentiel de déshumanisation et d'indifférence à autrui redonne toute sa vitalité à sa vieille fonction expiatoire. Simplement, celle-ci emprunte des habits nouveaux. Non plus la théologie de la pénitence mais le marché, le contrat et la responsabilité. Autant d'« habits du diable » revêtus par une bureaucratie pour mieux se passer de tout principe moral. Dans une zone où se brouillent l'homme et le signe, le détenu n'est plus que la représentation voulue par d'autres de son acte. Désincarné, il n'est plus relié à une liberté mais évalué en fonction d'un risque. Réduit à son acte, il ne peut ni le dominer ni s'en délivrer. S'il est jugé définitivement nuisible, il peut être, comme le fut jadis le criminel Charles Manson, encagé à vie : agrippé aux barreaux d'une minuscule cellule, comparable à un singe devant des gardiens indifférents et des visiteurs curieux. Tocqueville n'avait pas vu autre chose dans les prisons américaines. « Là, vous perdrez vos droits à l'humanité... »

Le visage du condamné à mort

Vision d'apocalypse ? On aimerait le croire. Hélas, la procédure de la peine de mort confirme cette tendance à l'indifférence morale. Ce rituel dans les États américains qui la pratiquent est fondé sur une « stratégie de dépersonnalisation » du condamné[1]. Il s'agit de bannir toute émotion. Le

---

1. Ioannis Papadopoulos, « Le visage à découvert : réflexions philosophiques sur la peine de mort », in *La Peine de mort. Droit, histoire, anthropologie, philosophie*, LGDJ, 2000, p. 168 et *sqq.* En 2003, il y a eu 65 exécutions dans les 38 États qui prévoient la peine de mort (sur 50) ; l'immense majorité des exécutions ont eu lieu dans les États du Sud (Texas, Oklahoma, Caroline du Nord).

rejet de toute perception de son visage est soigneusement organisé. Le système fonctionne comme une mécanique neutre et tranquillisante : à l'extérieur, l'opinion semble apaisée ; à l'intérieur, nul n'en porte la responsabilité morale. La cérémonie fait en sorte que le surgissement de l'autre singulier devient impossible. La disparition de tout espace intersubjectif autorise d'autant mieux la négation du semblable.

Chaque étape de la procédure est organisée pour préserver l'innocence de ses opérateurs. Les jurés comme le juge savent qu'après la condamnation il y aura un très grand nombre de recours, ce qui relativise leur décision. Le bourreau peut masquer le visage du condamné comme Gary Gilmore, le fusillé aux yeux bandés du roman de Norman Mailer, *Le Chant du bourreau*. Bref, tout est fait pour que nul n'ait honte de mettre à mort son semblable. Le réglage du moteur procédural fabrique une décision dont nul ne répond plus. Policiers, juges, bourreaux sont intermittents comme sujets moraux dès lors qu'ils choisissent d'être constants comme rouages. Tous ces exécutants insignifiants sont innocentés par leur appartenance au système judiciaire. Tel est le programme qui semble régi par le seul fonctionnement de l'horloge punitive.

Car ce système tout entier suppose l'« oblitération judiciaire du visage [1] ». Le semblable est devenu un « tout autre » et sans identité autre qu'un amas de chair. La conscience de son juge se perd dans la voix collective de la réprobation ou dans le ronronnement d'une bureaucratie d'exécution. Quel est le sens de cette scène ? Scène du châtiment de celui qui ose défier l'État et son pouvoir de punir ? Voyage au

---

1. *Ibid.*, p. 177.

121

LA VOLONTÉ DE PUNIR

cœur des ténèbres vers le mystère des origines de la violence de l'État ? Ou, plus probablement, offrande dédiée au deuil des familles de victimes. Scène de mort, en tout cas, qui appartient à un passé – récemment révolu, il est vrai – en Europe.

La modération des peines en Europe

Souvenons-nous de la perception contradictoire des prisonniers de l'île de Guantanamo de part et d'autre de l'Atlantique : les images de ces prisonniers en combinaison orange, isolés, menottés, agenouillés dans leur cage, en état de privation sensorielle, transportés en civière pour les interrogatoires, font scandale en Europe mais beaucoup moins aux États-Unis. Comment comprendre un tel écart ? Au-delà des expériences politiques forcément différentes, elles puisent dans des histoires culturelles. En Europe, depuis le XVIIIᵉ siècle, le châtiment s'inscrit dans un droit de punir qui lui impose des limites. Dès cette époque, tout le débat est de savoir si les « dents » des lois pénales doivent être « acérées » pour dominer une « race ingouvernée » ou, au contraire, si elles doivent se borner à opposer un « surplus modéré » au dommage. Les conceptions de la pénalité se construisent, dans la ligne de Kant et de Beccaria, autour du principe de légalité et de stricte nécessité des peines. Plus tard, l'expérience du totalitarisme va transformer profondément le droit : la société démocratique y inscrit ses plus hautes valeurs, pour qu'il assigne des limites à la puissance étatique. L'éthique punitive exprime alors une volonté de modération apte à instituer une cité juste. L'expérience des camps et de la torture sera longtemps sous-jacente aux réformes pénales de l'après-guerre jusqu'à ce que le cycle répressif actuel vienne l'infléchir.

L'héritage des droits de l'homme
et de l'antitotalitarisme

À partir du moment où, autour du XVIe siècle, le droit est perçu comme une prérogative de la personne[1] (*jus est facultas*), sa signification change de nature. La culture européenne depuis le *Bill of Right* (1689) rend les droits opposables à l'État. Ils assurent le contrôle de la délégation de pouvoir donné aux gouvernants. La modération des peines trouve sa source dans la généalogie des droits de l'homme. Les peines s'adoucissent dans des sociétés qui s'ouvrent peu à peu à l'égalité des droits. La double dimension de contrainte physique (« afflictives ») et d'opprobre moral (« infamantes ») s'atténue, se laisse porter par d'autres finalités[2]. La violence de l'État, pour être juste, ne doit pas aller au-delà, selon Beccaria, de ce qui est nécessaire à la conservation du « dépôt de la liberté publique ». Tout le renversement est là : les droits sont accordés en raison de la dignité de la personne humaine et non octroyés par la volonté du pouvoir. Le droit de punir circonscrit les incriminations, procéduralise la réaction sociale et rationalise les peines. Tempéré en amont par ses propres catégories, il est marqué en aval par le doute et la prudence. D'un côté, la culpabilité et la peine ; de l'autre, l'appel, la révision, la grâce. Dès que l'arc est trop tendu, un « ressort antagonique » freine, suspend, modère à tout le moins la violence légale[3]. Ce legs perpétuellement refondé est toujours le nôtre. Le combat antitotalitaire qu'a connu l'Europe au milieu du XXe siècle a renforcé la référence des institutions aux droits. La Cour européenne des droits de l'homme (CEDH)

---

1. Voir André-Jean Arnaud, *Pour une pensée juridique européenne*, PUF, 1992.
2. Voir Michel Van de Kerchove, *Quand dire c'est punir*, à paraître.
3. Jean Carbonnier, *Sociologie juridique*, PUF, 1994, p. 404.

rendra effective cette protection du droit jusque-là seulement déclarée. Et demain, la Cour prévue par la future Constitution européenne appliquera la Charte des droits fondamentaux de l'Union européenne.

La volonté d'abolir la peine de mort est directement issue de ce mouvement. Le mouvement abolitionniste lancé après la Seconde Guerre mondiale taraude longtemps la conscience européenne. L'abolition doit attendre quarante ans après la fin de la guerre (protocole n° 3 de 1983) et l'abolition totale (même en temps de guerre) est très récente (protocole n° 13 de 2002). Pendant la même période, à l'inverse, la Cour suprême américaine accorde un brevet de validité constitu-tionnelle à la peine de mort. Malgré le 8e amendement qui interdit les châtiments cruels et inhabituels, elle prend en compte une opinion qui lui est majoritairement favorable dans nombre d'États [1]. Depuis lors, le sillon s'est creusé entre un attachement américain à son maintien (38 États sur 50) et le refus européen, de plus en plus marqué. Après un moratoire, une série de décisions de la Cour suprême américaine auto-risent depuis 1976 l'application de la peine de mort en se fondant explicitement sur un principe de *neutralité morale*, c'est-à-dire en refusant de trancher le débat philosophique sous-jacent. Tout au plus peut-on observer récemment une décision qui restreint son champ d'application pour les malades mentaux [2].

Une affaire reste emblématique de ce débat : en 1989, la Cour européenne juge contraire aux principes de la Conven-tion l'extradition d'un condamné qui encourt la peine de mort aux États-Unis. « Eu égard à la très longue période à passer dans

---

1. Aux États Unis, l'arrêt Gregg v. Georgia du 2 juillet 1976 constitutionnalise la peine de mort alors qu'il n'y avait eu entre 1968 et 1976 aucune exécution capitale dans les cinquante États.
2. Atkins v. Virginia (20 juin 2002).

les couloirs de la mort dans des conditions aussi extrêmes avec l'angoisse omniprésente de l'exécution de la peine capitale et à la situation personnelle du requérant en particulier son âge (18 ans) et son état mental, une extradition vers les États-Unis exposerait l'intéressé à un risque réel [1]... » Arrêt ambigu dans la mesure où il ne juge pas inhumaine la peine de mort mais la longue attente dans le couloir de la mort ; mais arrêt décisif car il dessine l'esprit de la pénalité européenne face à la conception américaine ; arrêt stratégique enfin, car il lie les États européens à une éthique commune de la raison pénale. Un tel contrôle de proportionnalité qui vérifie les justifications de l'action étatique a, par ailleurs, des limites. La Cour européenne se garde bien de violer le sanctuaire de l'État de sécurité. Pour le terrorisme, la grande criminalité, le trafic de drogue, rien ne doit *a priori* gêner l'action des États. Son contrôle s'arrête devant la « marge nationale d'appréciation » ou dans l'hypothèse d'un « danger menaçant la vie de la nation ».

Deux anthropologies de la dignité

Le principe de dignité humaine est la référence sur laquelle s'appuie le droit pour faire plier la puissance étatique. Rien n'est plus éclairant que de comparer les règles qui régissent la vie carcérale en Europe avec la tonalité quelque peu sauvage de la peine américaine. Le « principe d'approximation » en Allemagne – et, à un certain degré, en France – impose une vie carcérale la moins différente possible de la vie extérieure, ce qui implique le respect du droit du travail et le droit à la santé. Aux États-Unis, aucune prison n'interdit aux surveillants d'insulter les détenus ou n'impose qu'ils se respectent entre eux [2]. Certains pénitenciers de haute sécurité

---

1. CEDH, Soering C/ Royaume-Uni, 7 juillet 1989, § 111.
2. James Whitman, *Harsh Justice*, Oxford University Press, 2003, p. 87.

édictent des règles arbitraires et des obligations de travail inin-
terrompues. La peine dégradante demeure la norme : la
popularité persistante des *boots camps* (uniformes orange à
rayures) et des châtiments corporels (coups de bâton) rappelle
que le 13ᵉ amendement n'exclut pas ce type de traitement.
Dans certains États apparaissent les potences de pénitence ou
des *chain gangs* (équipe de prisonniers travaillant les pieds
enchaînés). Bref, « faire que le prisonnier sente le prisonnier [1] »
ou l'exhiber dans sa cage devant les caméras fait partie des
stratégies punitives acceptables.

Comment expliquer cette divergence entre les deux
cultures ? James Whitman y voit la trace d'une archéologie de
la peine liée à une longue histoire politique. Dans des sociétés
européennes d'origine aristocratique, le régime des peines et les
conditions d'emprisonnement étaient différenciés selon
qu'elles s'appliquaient en haut de la société ou en bas. À côté
des châtiments corporels, il y a toujours eu des peines moins
dégradantes pour les nobles et un statut particulier pour les
détenus politiques (la détention en forteresse). En rompant avec
l'Ancien Régime, la Révolution française a rejeté cette hiérarchie et opéré un *égalitarisme par le haut* : ainsi ont disparu les
peines dégradantes. Les « marques », par exemple, sont des stig-
mates issus de la barbarie de l'Ancien Régime. À l'inverse de la
France, les États-Unis n'ont jamais eu à s'opposer au système
hiérarchisé d'une société d'ordres. Tous sont traités également
avec la même sévérité. Nul n'a le privilège d'un traitement
« miséricordieux et digne » de nature à modérer la punition.

La distinction est-elle aussi tranchée que le suggère
Whitman ? Les États-Unis jadis ont partagé les valeurs de
modération et d'individualisation de la peine qu'on trouve en

---

1. « *Make prisoners smell like prisoners* », cité par Loïc Wacquant, « L'ascension de
l'État pénal en Amérique », *Actes de la recherche en sciences sociales*, sept. 1998, p. 25.

Allemagne et en France. L'éthique religieuse a longtemps atténué la dimension violente de leur culture pénale. C'est seulement depuis une vingtaine d'années que les politiques pénales se sont véritablement durcies avec le retrait de l'idée de réhabilitation. Quant à la France, le nouvel ordre pénal de 1791 est certes marqué par une rupture avec l'Ancien Régime : soumises à la loi, les peines ne comprennent ni supplices, ni tortures et sont surtout égales pour tous. Mais la rupture fut de courte durée. Le Code napoléonien de 1810 est un « code de fer » : il renoue avec les supplices de l'Ancien Régime (flétrissure au fer rouge, poing coupé pour le parricide) et les peines perpétuelles. Ces codes impériaux marqueront durablement la France pendant deux siècles. La prison républicaine accentue vertigineusement les inégalités : peu redoutée par les vrais délinquants qui ont de l'argent et connaissent leurs droits, elle s'avère redoutable aux plus vulnérables. Son histoire au XIXᵉ siècle est celle d'une « guillotine obscure » qui fonctionne à l'inverse de ses objectifs avoués : elle tue rarement les délinquants professionnels ; son but est de faire « sentir aux mauvais pauvres la terrible douceur des peines[1] ».

Le clivage entre les deux cultures reflète leur histoire politique plus que leurs pratiques punitives. En Europe, les droits ont pour vocation de défendre une morale publique liée au respect de la dignité humaine. L'expérience du totalitarisme est inscrite dans les refondations démocratiques de l'après-guerre. À la fin de la Seconde Guerre mondiale, l'urgence est de cicatriser ce traumatisme et de limiter la puissance dévastatrice de l'État. L'Europe voudra armer la démocratie contre cette oppression et rétablir la confiance

---

1. Jacques-Guy Petit, *Ces peines obscures. La prison pénale en France 1780-1875*, Fayard, 1990, p. 549.

dans les institutions politiques[1]. Les cours constitutionnelles, les systèmes judiciaires indépendants et la Cour européenne des droits de l'homme garantissent cette promesse. La dignité n'est plus seulement celle des « citoyens », comme dans la déclaration de 1789, mais celle des « êtres humains », ou encore des membres de la « famille humaine ». À l'inverse, la culture juridique américaine est repliée sur son espace national et son histoire. On reproche beaucoup aux États-Unis de ne pas avoir ratifié le traité de Rome sur la Cour pénale internationale en 1999. Mais ils n'ont pas davantage ratifié la Convention interaméricaine des droits de l'homme. Les pactes de l'ONU de 1966 ne l'ont été qu'en 1992, avec des réserves importantes concernant la peine de mort et la torture, ce qui leur permet de conserver la peine capitale y compris pour les mineurs, les aliénés et les handicapés mentaux (sauf, disent les réserves, les femmes enceintes) et aussi la torture dans les limites du 14e et du 8e amendements[2]. Le périmètre des droits de l'homme est transnational en Europe, alors qu'il est lié à un récit très national, inlassablement raconté par les juges de la Cour suprême aux États-Unis. L'identité proposée par cette communauté interprétative n'est en rien comparable avec l'aspiration à un droit commun des peuples européens.

Le rôle pondérateur des cours suprêmes

Au cours de son histoire, toute démocratie libérale est partagée entre les temporalités longues de son récit fondateur

---

1. « Aux lendemains de la victoire remportée par les peuples libres sur les régimes qui ont tenté d'asservir et de dégrader la personne humaine... (Préambule de 1946) : la Charte des Nations unies déclare sa « foi dans les droits fondamentaux de l'homme, dans la dignité et la valeur de la personne humaine ». « La dignité de l'être humain est intangible. Tous les pouvoirs publics sont tenus de la respecter et de la protéger » (art. 1er de la Constitution allemande).

2. M. Delmas-Marty, *Trois Défis pour un droit mondial*, Seuil, 1998, p. 42.

et les temporalités brèves propres à l'action politique. Les décisions des cours suprêmes sont des guides précieux pour comprendre cette articulation. Une haute juridiction est liée à une *représentation des valeurs* produite, en un temps fondateur, par une majorité constitutionnelle. Sa fonction est de veiller à ce que les majorités législatives ne s'écartent pas de la séparation tracée à l'origine entre « Nous le peuple » et « Nous les politiques »[1].

Au cours de son histoire, la Cour suprême américaine s'est souvent trouvée en adéquation avec l'état de la société dans un sens libéral ou conservateur. Ses décisions auréolées d'une « force mystique » deviennent une norme générale alors même qu'elles n'ont ni force, ni volonté, *neither force, nor will*[2]. Sa puissance d'orientation de la vie collective est allée dans le sens d'une interprétation souple du 8e amendement (interdiction des « peines cruelles et inhabituelles »). À partir de ce texte, elle a engagé avec les juges fédéraux un vaste mouvement de restauration des droits des détenus. Ce qui a permis d'atténuer la dureté des conditions de détention en fonction d'un seuil constitutionnel[3]. Mais en même temps, le même amendement ne fait nullement obstacle aux lois sur la récidive au nom d'une argumentation plus criminologique que juridique. Le vol de deux clubs de golf (400 dollars), comme celui de cinq cassettes vidéo (70 dollars), peut être valablement puni de vingt-cinq ans d'emprisonnement (peine incompressible) ! L'incarcération de très longue durée pour une récidive est sans doute sévère mais, selon la Cour suprême,

---

1. Bruce Ackerman, *Au nom du peuple. Les fondements de la démocratie américaine*, Calmann-Lévy, 1998, p. 37.
2. Alexander Bickel, *The Least Dangerous Branch. The Supreme Court at the Bar of Politics*, Yale University Press, 1962, p. 199.
3. O. De Schutter, « Le rôle du juge dans la révolution pénitentiaire aux États-Unis », in *L'Institution du droit pénitentiaire*, LGDJ, 2002, p. 213-247.

proportionnée à l'accumulation d'infractions et à l'efficacité de sa prévention[1].

De la même manière, la Cour européenne des droits de l'homme cherche souvent à cristalliser dans ses décisions un consensus normatif latent dans les pays européens. Quand les conditions d'adhésion à ses décisions ne sont pas remplies, elle fait jouer la « marge nationale d'appréciation », sans imposer une norme peu applicable malgré sa force obligatoire. Bien souvent elle n'accepte le recours à une loi pénale qu'en cas de violation grave des droits fondamentaux. La sagesse consiste à défendre une certaine subsidiarité du droit de punir et, surtout, de préserver sa fonction de limite à l'égard du pouvoir étatique. La position de la Cour européenne à propos des peines indéterminées et perpétuelles prononcées dans un climat de populisme pénal va dans ce sens. Elle affirme la nécessité de conserver une certaine proportionnalité à la peine comme meilleur moyen de garantir sa finalité de réhabilitation. La condamnation du Royaume-Uni dans l'affaire du petit James Bugler reste emblématique de cette position.

Affaire T. et V. contre Royaume-Uni, (Cour européenne des droits de l'homme, 16 décembre 1999)

Enlevé dans un centre commercial de Liverpool, le petit James Bulger (2 ans) est emmené trois kilomètres plus loin, battu à mort et abandonné sur une voie ferrée par Robert V.

---

1. Arrêts Ewing v. Californie et Lockyer v. Andrade (5 mars 2003), voir « Les nouvelles lois américaines sur la récidive sont-elles constitutionnelles ? », E. Servidio-Delabre, *Revue de science criminelle*, juillet-septembre 2003, p. 537-542.

et John T., âgés de dix ans. Les faits se passent en 1993. Les accusés sont aussitôt arrêtés, incarcérés. Une image floue de caméra de surveillance fait le tour du monde : on les voit donner la main au petit « Jamie », figure même de l'innocence marchant vers la mort en toute confiance. Leur procès un an après en *Crown court* de Preston se fait dans un tel climat de lynchage médiatique qu'il suscite un recours devant la Cour européenne des droits de l'homme pour la violation des droits fondamentaux. Trois arguments sont plaidés : y a-t-il eu traitements inhumains et dégradants, absence de procès équitable, détention illégale ?

Dès avant le procès dont la date et le lieu avaient été rendus publics, une violente campagne de presse réclamait le respect de la loi, des peines exemplaires et le retour de la discipline au sein des familles. On annonce le procès des « deux diaboliques », selon l'évêque de Worcester, des auteurs d'une « barbarie sans précédent », de véritables « incarnations du mal » selon le *Daily Star*. Accueillis au tribunal par une foule hostile qui attaque leur fourgon, ils sont conduits dans une salle d'audience bondée et placés devant une horde de photographes. Ils passent leur temps, terrorisés, assis sur un banc spécialement surélevé au centre de la salle. Face aux juges et avocats et aux douze jurés, ils restent exposés publiquement trois longues semaines. Leurs noms et leurs photographies, divulgués par le juge, passent dans tous les journaux. Comment peut-on faire supporter le poids d'une telle « cérémonie de dégradation » à des enfants, certes criminels, mais âgés de onze ans ? Les accusés en état de choc et en proie à un stress continuel ne sont guère en capacité ni de comprendre les débats ni de se défendre. Sans aller jusqu'à y voir un traitement inhumain et dégradant, la Cour juge qu'il y a une grave violation des normes du procès équitable.

Mais, plus encore, la double peine qui leur est infligée est sévèrement jugée. La durée de leur détention (« détention

LA VOLONTÉ DE PUNIR

pour la durée qu'il plaira à Sa Majesté ») est laissée à la totale appréciation du ministre de l'Intérieur. À cette peine s'ajoute une « période punitive » (*tariff*), c'est-à-dire le temps pendant lequel aucun aménagement (libération conditionnelle, par exemple) n'est autorisé en raison de la dangerosité des condamnés. Fixée initialement à dix ans, cette période est portée à quinze ans par le ministre à la suite d'une pétition de 300 000 personnes, soutenue par la famille de la victime, qui exige le maintien en détention. Une campagne de presse du *Sun* milite au même moment pour une période punitive perpétuelle pour les deux enfants. Ces durées seront vécues comme de véritables peines d'anéantissement par les accusés, selon leurs psychiatres. « Ils avaient dix ans ; ils en ont dix-sept et ils ne savent toujours pas quelle est la durée de la partie de leur peine qu'ils auront à purger pour répondre aux impératifs de répression et de dissuasion. » La Cour tranche : « Tout requérant doit pouvoir faire examiner périodiquement sa détention, le seul motif de celle-ci étant la dangerosité, facteur susceptible d'évoluer dans le temps [1]. »

Une finalité « longue » est donc reconnue à la peine. La voici placée dans un horizon de réintégration une fois passé le moment de la punition collective. Remis en liberté en 2001, John et Robert auront une autre identité, un nouveau visage et peut-être une nouvelle patrie. Rendus à jamais à leur anonymat, nul ne connaîtra leur destin.

La Cour européenne est très réservée sur la notion de *peine indéterminée*. Elle estime qu'elle doit relever non de l'exécutif mais d'une décision judiciaire dans sa phase punitive (peine à temps), mais aussi dans sa phase préventive (période de sûreté). Ce qui redonne aux juges et aux commissions de

---

1. § 119.

libération conditionnelle un pouvoir que l'exécutif leur avait retiré[1]. À l'opposé de la théorie de l'*incapacitation* américaine, la *finalité réhabilitative* de la peine reste présente : un condamné à perpétuité, qui a bénéficié d'une libération conditionnelle et qui est réincarcéré ensuite, doit garder une possibilité de recours[2]. Cette position est commune aux pays où les peines perpétuelles n'existent pas (Norvège, Espagne et Portugal où les peines plafonnent à 20-25 ans) et à ceux où, bien qu'elles existent, les cours suprêmes ont marqué leur attachement à la réhabilitation : notre Conseil constitutionnel à propos de la peine de perpétuité réelle mais aussi les Cours constitutionnelles fédérales allemande et italienne[3].

Une philosophie pénale se dégage de cette jurisprudence. Pour rejeter la théorie de l'incapacitation, la Cour fonde son analyse sur les *temporalités successives* de la peine : elle admet que pour des crimes graves, une dimension rétributive forte soit affirmée par la peine d'emprisonnement ; mais celle-ci n'est pas absorbée par la « période de sûreté » pendant laquelle aucun aménagement n'est possible. Avec le temps, la peine doit s'ouvrir à des *réexamens contradictoires*. La temporalité fait évoluer les fonctions de la peine : au temps de la rétribution peut succéder une perspective de réhabilitation. Qu'un homme soit condamné pour un acte, soit ; qu'il soit détenu pendant une période de sûreté en raison de sa dangerosité, soit encore. Mais après l'expiration de cette période, une autre perspective que la protection de la société doit être prise en

---

1. Décision relative au droit de veto du ministre dans les décisions d'aménagement des longues peines par la commission de libération conditionnelle. CEDH Stafford c/ R-U, 28 mai 2002.
2. CEDH Weeks c/R-U, 2 mars 1987.
3. La première a validé la peine perpétuelle en invitant le législateur à introduire la libération conditionnelle ; la seconde veut lui garder sa finalité de traitement. Voir J. Pradel et H. Bosly (dir.), « Sûreté, pénalité et altérité », *Travaux de l'Institut de sciences criminelles de Poitiers,* Cujas, 1999, p. 12 et *sqq.*

compte. La mesure de la culpabilité et de la dangerosité n'est pas le tout de la peine. Elle perd sa justification si sa finalité ne s'inverse pas avec le temps. La perspective du pardon doit garder son pouvoir de réorientation de la peine. Sans elle, elle s'apparente à une élimination pure[1].

Sous l'emprise d'une menace globale

Naturellement ces différences entre les États-Unis et l'Europe méritent d'être profondément nuancées. Outre-Atlantique, certains États renoncent à leurs politiques pénales les plus dures en raison de leurs faibles résultats ou de leurs erreurs. Des voix s'élèvent pour dénoncer des politiques sécuritaires sévères, injustes et coûteuses. Est-ce le début d'un cycle de tolérance comme le pense le sociologue Michael Tonry[2] ? Il est indéniable que l'infléchissement du thème de la guerre contre la drogue s'amorce dès les années 1990. On voit apparaître des tribunaux spécialisés, des programmes de traitement et des référendums en faveur de la légalisation des drogues douces. Ce n'est pas un hasard si huit États américains optent pour la légalisation du cannabis, alors que d'autres proposent des traitements de substitution pour les toxicomanes[3]. Les positions de la Cour suprême sont un autre signe d'une inversion de tendance : à la suite de la non-conformité au 18e amendement, au nom des « standards évolutifs de décence », de la condamnation à mort des handicapés mentaux, dix-huit États ont renoncé à ce genre d'exécution. Au total, une majorité d'États sont abolitionnistes, au moins dans ce cas.

---

1. Ce qui ressort des arrêts Hussain et Singh du 21 février 1996. Voir Florence Massias, « Légalité, dangerosité, perpétuité ; le contrôle de la CEDH sur les peines perpétuelles » *in* « La sanction du droit », *Mélanges Couvrat*, PUF, 2001, p. 279 et *sqq.*

2. Michael Tonry, *Thinking About Crime, Sense and Sensibility in American Penal Culture*, Oxford University Press, 2004, p. 63 et ss.

3. *Ibid.*, p. 16.

En Europe, l'esprit de modération pénale n'empêche pas la hausse continue du nombre de prisonniers à l'échelle de ce continent. Entre 1975 et 1994 (sauf en Allemagne et en Finlande), celle-ci est régulière partout en Europe. Cette croissance – surtout pour les longues peines – exprime, comme aux États-Unis, la défaite de la réhabilitation. Sans doute les taux d'incarcération restent contrastés : l'Allemagne, la Belgique et la France (85/100 000) sont assez loin du trio de tête en Europe composé du Portugal (145/100 000), de la Grande-Bretagne (125/100 000) et de l'Espagne (110/100 000)[1]. Mais la surpopulation carcérale cache partout les mêmes tensions : « On tente de contrecarrer [la surpopulation carcérale] par des mesures de délestage systématique (non-exécution des peines, grâces, amnistie) faisant courir plusieurs risques : un renforcement de la demande de sévérité de la part du public ; une utilisation de la détention provisoire comme substitut d'une peine incertaine ; un allongement de la peine de prison ferme pour tenir compte d'hypothétiques allégements[2]. » Bref, les durées d'incarcération s'accroissent et dérivent au gré des émotions d'une société inquiète. En France, il est clair que le taux de détention provisoire réagit à la hausse ou à la baisse selon les émotions du moment. Au fond des prisons, la société enterre ses peurs et croit neutraliser ses risques.

Mais c'est l'existence d'une guerre universelle déclarée au terrorisme qui radicalise le besoin de sécurité en Europe comme aux États-Unis. Dans l'univers de l'après-guerre froide

---

1. Naturellement nous sommes loin des taux américains. Depuis les années 1980, si le nombre des entrées en prison augmente peu, il n'en est pas de même des durées de détention qui passent en moyenne de 4,6 à 7,6 par mois. Voir Nils Christie, *op. cit.* p. 30 et *sqq.* et André Kuhn, *Détenus : combien ? Pourquoi ? Que faire ?*, Haupt, 2000.

2. Hilde Tubex et Sonja Snacken, « L'évolution des longues peines de prison : sélectivité et dualisation », *in* Claude Faugeron *et al.*, *Approches de la prison*, De Boeck 1996, p. 243.

et, plus encore après le 11 Septembre, la guerre sous de nouvelles formes n'est plus invraisemblable, la paix jamais certaine. Le niveau de stress qui pèse sur les sociétés durcit leurs réflexes de défense. L'Union européenne, conçue au départ comme un projet de paix et d'échange, ne cesse de renforcer son espace de sécurité. Fort heureusement, l'adoption d'outils répressifs comme le mandat d'arrêt européen qui instaure une coopération entre les juges d'Europe s'accompagne aussi d'une réflexion sur les libertés. Certains pays – l'Allemagne, notamment – ne se résignent pas à reconnaître les décisions d'autres États comportant des garanties plus faibles que les leurs. À côté de la sécurité, point de départ de cette coopération, les droits de la personne sont réévalués à l'initiative des démocrates soucieux de maintenir un haut niveau d'exigence. On peut y voir une manière d'équilibrer l'efficacité répressive et les garanties juridiques malgré les défis imposés par une criminalité transnationale toujours plus insaisissable. Le débat se pose dans les mêmes termes à propos d'un éventuel casier judiciaire européen. On mesure ici ce qui sépare un modèle européen, soucieux d'équilibrer le droit de punir, du modèle américain dominé par l'unilatéralisme de la volonté de punir.

Reste que, face au terrorisme et à sa violence aveugle, certains États n'hésitent plus à s'écarter des acquis européens. Tony Blair ne cache pas les mérites de la théorie américaine de l'incapacitation : « Il faut introduire des peines plus lourdes pour les coupables d'actes de violence et d'agressions sexuelles dont la libération ne pourra intervenir que lorsqu'ils ne représenteront plus de risques pour le public... Nous veillerons à ce que les gens paient pour leurs crimes[1]. » Avec l'*Antiterrorism, Crime and Security Act* en 2001, une limite est franchie. Ce

[1]. Tony Blair, « Pour une société forte et équitable », *Le Monde,* 14 novembre 2002.

texte prévoit la détention illimitée et sans comparution de tout étranger soupçonné de terrorisme. La volonté de déroger à la Convention européenne est clairement assumée au nom de la lutte contre ce fléau[1]. Les plus durement frappés par ces mesures sont les étrangers et les minorités ethniques, en particulier de confession musulmane. On a pourtant du mal à imaginer en quoi la détention illimitée de suspects sera plus efficace que la surveillance de leur activité ? Au nom d'une efficacité espérée, cet arbitraire oublie les fondements mêmes de l'État de droit chers aux peuples européens : « La rétention demande une condamnation, la condamnation un procès et le procès une présentation de preuve. Si nous excluons quelqu'un de la sphère des droits, nous courons le risque de nous en exclure aussi[2]. » Appel que semble avoir entendu la Chambre des lords qui vient de déclarer illégale la détention des suspects au nom d'une législation antiterroriste pourtant validée par la cour d'appel de Londres[3].

Les tensions sont fortes entre les tenants d'un libéralisme politique et les réalistes qui suivent les experts en stratégie. Que nous disent ces experts si ce n'est que la riposte qui a commencé fin septembre 2001 innove dans l'histoire des conflits en se présentant comme une « guerre sans limites » : sans limites de temps (le conflit étant appelé à durer), sans limites territoriales (du fait de la globalisation) et sans limites

---

1. En l'occurrence à l'article 5 de la Convention européenne des droits de l'homme (le droit à la liberté et à la sûreté).

2. Rapport annuel 2002 du commissaire des droits de l'homme, Alvaro Gil-Robles, disponible sur le site du Conseil de l'Europe.

3. « Rien n'est plus contraire aux instincts et aux traditions du peuple du Royaume-Uni. Il est question en fait de la survie même d'une ancienne liberté dont ce pays a toujours été fier, celle de ne pas être victime d'arrestation et de détention arbitraire », déclare Lord L. Hoffmann. Voir l'arrêt A. and others v. Secretary of State for the Home department, 16 décembre 2004 (site de la Chambre des lords).

d'adversaires (les réseaux terroristes internationaux se recomposent sans cesse) [1].

Nous devons donc nous tenir en état de préparation permanente, bref nous habituer à vivre avec le risque de guerre et intégrer les impératifs d'une gestion de la menace : imaginer l'inimaginable, anticiper l'imprévisible et, au quotidien, accumuler des renseignements. Ce schéma reconstruit l'acte politique par la seule décision souveraine en pliant le droit à ses exigences guerrières. Il contient en germe un état d'exception, une confusion des normes et des pouvoirs : loin de la tutelle du juge, la police est vouée à la recherche, sous l'autorité du pouvoir exécutif, d'un ennemi sans cesse redéfini.

Faute de pouvoir agir sur les facteurs lourds de l'insécurité (démographie différentielle, flux migratoires, écarts de développement, ouverture des frontières), la coopération policière est sur tous les fronts. Partout en Europe, les étrangers non communautaires sont visés et le droit d'asile limité. Cette criminologie de l'autre dangereux place la responsabilité pénale hors de tout cadre. Responsabilité « flottante » au sens, selon Fauconnet, d'une pure décharge de l'énergie passionnelle consécutive à une agression réelle ou anticipée [2]. Faute de cerner la menace, la riposte vise cet autre, l'étranger qui pourra le mieux incarner la cible qui se dérobe. Nouvelle preuve, s'il en était besoin, d'un droit de punir indifférent au sujet responsable, tant il est partie prenante d'une gestion de la menace. Telle est la nouvelle raison pénale. Portée par les médias de masse et dans un climat populiste, elle devient l'enjeu des compétitions politiques en Europe, aux États-Unis et désormais en France.

---

1. François Heisbourg, *Hyperterrorisme. La nouvelle guerre*, Odile Jacob-Poches, 2003, p. 97.
2. Paul Fauconnet, *La Responsabilité, étude de sociologie*, Alcan, 1928, p. 252.

IV

La tentation du populisme pénal en France

> « Le monde de la finance planétaire n'attribue
> aux autorités de l'État guère plus qu'un rôle de
> commissaire de police démesuré... Si bien que le
> chemin le plus court pour amener le pays à la
> prospérité et, espère-t-on, l'électeur à la satisfac-
> tion, passe par l'étalage public du savoir-faire et
> des prouesses de l'État en matière de maintien de
> l'ordre. »
>
> Zygmunt BAUMAN, *Le Coût humain de la mondialisation*, 1998.

La situation française semble fort éloignée du modèle
américain. Nos quartiers dits « sensibles » ne sont pas des
ghettos. Les mineurs délinquants et leur famille, s'ils sont
davantage stigmatisés aujourd'hui, relèvent toujours d'une aide
éducative. Le taux moyen d'incarcération est sans commune
mesure avec le « tout-carcéral » américain. Cette diversification
des réponses suffit à écarter une assimilation trop hâtive avec
un univers lui-même très contrasté du fait de sa structure

fédérale. Pourtant, en France comme aux États-Unis, la question pénale connaît une période d'intense politisation. Prises dans le circuit court des démocraties d'opinion, les réformes pénales se succèdent à un rythme accéléré. Pas moins de 65 lois pénales, 11 ordonnances et 77 décrets se succèdent entre 2000 et 2003 avant même les réformes de 2004. Sous la demande de sécurité, le discours politique répète invariablement que tout acte appelle une sanction, tout scandale un apaisement. Chez nous aussi la violence et l'accalmie, la bienveillance et la punition, le besoin de sécurité et la peur coexistent. Face à un fait divers médiatisé – pour peu qu'il intervienne en période électorale –, il est impossible de ne pas coller à l'opinion du moment. À l'inverse, d'autres déviances moins visibles disparaissent totalement. Depuis l'abolition de la peine de mort, on chercherait en vain une réforme de même ampleur, certes minoritaire dans l'opinion, mais voulue politiquement.

Le poids de l'opinion accroît d'autant la pression pénale. Sans doute, la France n'est-elle ni expansionniste (à l'image des États-Unis), ni réductionniste (comme la Finlande), si l'on prend l'exemple du taux d'incarcération. Sa politique pénale tend plutôt vers une dualité des fins et des moyens : d'un côté, il faut répondre à la petite et moyenne délinquance et, de l'autre, combattre le crime organisé. La réponse judiciaire est conçue dans l'efficacité et le pragmatisme. Le système s'adapte à cette stratégie par une redistribution des moyens et de ses acteurs. À ces deux niveaux, la montée en puissance d'un modèle de contrôle de la criminalité (*crime control*) au détriment du modèle du respect des droits (*due process*) devient une réalité[1]. Le tout opère dans un climat de populisme pénal,

---

1. Sur cette distinction, voir Herbert L. Packer, *The Limits of the Criminal Sanction*, Université de Stanford, 1968, et les citations de Jean-Paul Brodeur, in *Les Cahiers de l'IHESI*, 51, 2003, p. 205 et *sqq*.

sans doute plus doux que les mœurs punitives américaines, mais où l'idéologie victimaire est tout aussi active.

La fabrique délinquante

Que recouvre le mot de « délinquance » répété à satiété ? Ce n'est pas un fait brut qu'il suffirait de mesurer périodiquement. La criminologie, depuis Durkheim et Tarde, y voit les actes antisociaux aux multiples composantes qui appellent réprobation. S'ils existent comme tels, ils sont aussi façonnés par un système d'institutions et de représentations. Fait social inintelligible et parfois sidérant, le crime déclenche nécessairement un flot d'interprétations. Sa définition est un enjeu politique mouvant, indéfiniment repris par de multiples acteurs.

Définir des infractions

Pour un regard attentif à la vie d'une société, la délinquance n'est que le point culminant d'une dégradation des relations sociales et économiques. Elle varie en proportion du taux de chômage, du niveau des revenus et des quartiers dans lesquels elle se situe. L'activité du système pénal s'analyse comme le reflet d'une insécurité sociale. Mais, sous le regard du policier, seuls comptent les actes qualifiés comme infractions, le chiffre de la délinquance constatée, bref, l'insécurité civile. Les moyens mobilisés par la police pour l'identifier font largement varier leur objet : telle délinquance peut devenir statistiquement visible ; telle autre disparaître sans pour autant cesser d'exister.

De leur côté, les médias de masse – la télévision surtout – accroissent la part d'imaginaire de nos perceptions collectives. En présence d'ingrédients narratifs – une histoire à raconter et des images disponibles –, ils composent leur propre récit.

141

La vision périodique de véhicules incendiés dans les mêmes quartiers est une véritable icône visuelle de la délinquance. Elle possède sa géographie urbaine, ses rituels barbares et son lot de victimes accablées par le sort. Accompagnée de chiffres – souvent « incrustés » sur les écrans pour produire un effet de vérité –, elle donne aussi l'image d'une impuissance politique. Elle installe une banalité de la violence avec laquelle on se résigne à vivre et dont on cherche à se protéger. Les médias ne livrent donc pas une simple information sur l'événement. En accréditant ou non certains récits, ils déterminent l'agenda politique. Ils font et défont notre perception, orientent la construction politique des problèmes, configurent les réponses souhaitables. Leurs récits sont des miroirs sans doute équivoques, mais aux codes narratifs puissants et autonomes.

Comment échapper à des interprétations qui s'imposent avec une telle évidence ? Quel outil permet de clarifier le jeu d'intérêts qui s'affrontent dans la réalité et de construire une catégorie stable ? Le concept d'*illégalisme* rend compte de la pluralité de grilles de lecture qui composent cet objet insaisissable qu'est la délinquance. Aux « illégalismes des biens », qui seraient le fait des classes populaires, s'opposent les « illégalismes de droit » qui impliquent pour la classe dirigeante « la possibilité de tourner ses propres règlements et ses propres lois [...] par un jeu qui se déploie dans les marges de la législation, les marges prévues par ses silences ou libérées par une tolérance de fait[1] ». Même si on peut discuter le manichéisme d'une telle affirmation, il est important de constater que Foucault cerne le mode de construction d'un objet (la délinquance) qui, précisément parce qu'il est à la fois *complexe* dans ses causes (invisibles) et *spectaculaire* par ses effets (hypervisibles) autorise toutes les interprétations. Aux illégalismes

---

1. M. Foucault, *Surveiller et punir*, Gallimard, 1975, p. 89.

qui façonnent *la* délinquance, il faut ajouter les institutions pénales qui construisent aussi *le* délinquant. Le « chèque en gris[1] » de la police, le pouvoir d'opportunité du parquet et, bien sûr, le choix de la peine par le tribunal confèrent le « statut » de délinquant. Naturellement la délinquance existe comme fait, indépendamment de ses modes de construction – les victimes sont là pour en témoigner – mais sa perception ne se dissocie pas de choix qui lui sont extérieurs.

Reste que le système légal – et le discours politique qui le façonne – joue un rôle de pivot dans cette configuration. Dans une stimulante controverse, Daniel Patrick Moynihan et Charles Krautammer ont montré la double face de la déviance selon qu'elle pénalise ou dépénalise. Pour Moynihan, la dépénalisation de la déviance – comme la maladie mentale ou l'homosexualité – fait sortir de l'illégalisme les comportements moralement normalisés. Son but est d'adapter le seuil de la déviance tolérable à l'évolution des mœurs. Mais, en même temps, répond Krautammer, les Américains ont tendance à définir comme déviant ce qu'ils considéraient jusque-là comme normal. Le champ de la déviance repart à la hausse dans les relations sociales, sexuelles, familiales que l'on pensait être régies par la civilité ou la morale : propos à connotation raciale, maltraitance infantile, harcèlement sexuel, viol du rendez-vous (*date rape*)... Recouverte par ce mouvement de flux et de reflux pénal, la déviance est tantôt dilatée, tantôt restreinte. Ce qui aboutit à une forme d'« équivalence morale » entre les normes : « Les véritables déviants

---

1. Selon Jean-Paul Brodeur, le chèque en gris est une « stratégie de caution mutuelle » où « la signature et les montants consentis sont assez imprécis pour fournir au ministre qui l'émet le motif ultérieur d'une dénégation plausible de ce qui a été autorisé ; ils sont toutefois suffisamment lisibles pour assurer au policier qui reçoit ce chèque une marge de manœuvre » (*Les Visages de la police*, Presses de l'université de Montréal, 2003, p. 40).

sont ceux qui portent le masque de la santé, ces membres de la classe moyenne qui vivent dans de douillettes rues de banlieues, abusant de leurs enfants, violant leurs femmes et abritant au plus profond d'eux-mêmes les pensées les plus impies [1]. »

Il n'est pas certain qu'il faille se résigner à ce relativisme moral, ni aux cycles de tolérance et d'intolérance qu'il entraîne dans son sillage. Dès lors qu'un consensus moral existe, de nouveaux espaces de tolérance peuvent s'ouvrir. Si aucune réprobation d'un comportement ne se manifeste, le droit de punir est désactivé. Il peut être utilement relayé par d'autres régulations sociales, sanitaires ou éducatives. Ainsi des crimes sans victimes (*victimless crimes*) qui ne blessent ni ne choquent personne (usage de cannabis, par exemple, dépénalisé *de facto*). Mais si une victime rompt le consensus, si un mouvement s'organise autour d'elle et fait monter sa plainte en généralité, la délinquance redevient visible (songeons au statut incertain des incivilités). La figure de la victime fixe la réaction collective. L'appel à punir vient du corps social lui-même en quelque sorte incarné par elle. L'infraction alors doit afficher le prix de l'offense. Le choix d'une autre réponse serait inconcevable. Voilà pourquoi notre société est à la fois moins tolérante et plus tolérante. Tantôt elle criminalise pour renforcer sa cohérence, tantôt elle décriminalise et s'ouvre à la tolérance. C'est comme si, à travers le droit, la société poursuivait un dialogue avec elle-même, délibérait sans cesse des valeurs qu'elle se donne et des interdits qui la protègent. Au droit privé qui organise un espace de droits subjectifs toujours plus composite répond le droit pénal qui tisse le consensus moral. Absente, la figure de la victime fait osciller à la baisse le seuil pénal. Présente, le seuil

---

1. Charles Krautammer, « La déviance à la hausse ». Réponse à Daniel Patrick Moynihan, in *Le Débat*, n° 81.

d'intolérance s'élève au risque de basculer dans le moralisme punitif. Le pouvoir de punir intervient sur le versant moral de cette tension. Sur son versant libéral peut s'ouvrir un espace de tolérance comme dans le cas de l'euthanasie.

L'euthanasie, un crime sans victime ni auteur ?

Il n'est pas certain que l'euthanasie reste à jamais un crime. La controverse est ancienne. Pour les uns, il faut préserver la vie humaine qui ne peut être laissée à la libre disposition de chacun. La demande du malade est toujours sensible à son entourage et aux soins palliatifs. Le maintien de l'interdit est indispensable : homicide volontaire (euthanasie active) ou non-assistance à personne en danger (euthanasie passive). Pour d'autres, comme Diane Pretty, requérante devant la Cour européenne des droits de l'homme, la maladie grave et irréversible entraîne un manque de dignité inacceptable. Elle doit pouvoir mourir par sa propre volonté. L'aide qui lui est accordée n'est pas un crime mais un geste d'amour. À défaut d'une dépénalisation complète, elle demandera en vain une abstention des poursuites contre celui qui l'aidera à mourir[1].

Force reste donc à la loi. Certes, pour un patient en état de mort imminente, une réduction des traitements dans un cadre déontologique est toujours possible. Mais, infligée à toute autre personne, l'euthanasie demeure un crime puni de la réclusion criminelle à perpétuité. Que cet interdit écrasant s'applique pourtant avec retenue ! La justice se retient de trop punir. Elle se résout mal à juger. Elle offre un cadre de réflexion qui n'interrompt qu'avec regret le temps du doute. Les poursuites sont longuement réfléchies. Le non-lieu

---

1. Pretty c/ Royaume-Uni, Cour européenne des droits de l'homme, 29 avril 2002.

jamais écarté. La peine est substantiellement atténuée par les jurés quand les circonstances le justifient : c'est le cas d'un époux puni d'une peine avec sursis pour avoir abrégé les jours de sa compagne, gravement malade, ce que le tribunal appelle un « homicide par compassion », comme pour exprimer l'inquiétude morale qui gît au cœur de cette infraction. C'est ainsi que, dans une affaire récente, un procureur demande trois ans d'emprisonnement (la part de la loi) mais laisse à la cour d'assises le soin de l'assortir du sursis (la part de la compassion).

Même vertu régulatrice de la prudence du côté de l'éthique médicale. Sans se résoudre à abolir le crime, celle-ci invente tous les moyens d'en minimiser la rigueur. L'« exception d'euthanasie » permettrait un classement de l'affaire ou un non-lieu après examen de la situation par une commission d'experts. La scène pénale se transforme en débat éthique destiné à éviter la peine au regard des mobiles de l'euthanasie : « souci d'abréger des souffrances, respect d'une demande formulée par le patient, compassion face à l'inéluctable [1] ».

L'absence du couple victime/agresseur bien campé rend la grille pénale très fragile, son application malaisée et le débat sur la dépénalisation toujours ouvert. Mais quand le crime d'euthanasie est volontaire, quand la victime n'est pas consentante (surtout si c'est un enfant), les rôles d'infracteurs et de victimes réapparaissent. Le droit de punir reprend toute sa place. Ainsi, dans l'arrêt Latimer, rendu au Canada en 2001, où un père est lourdement condamné pour avoir mis fin volontairement à la vie de sa fille de onze ans gravement handicapée. Quand le consensus moral est fort, le droit pénal tend à s'autolimiter. Quand le consensus moral est faible, l'interdit pénal retrouve sa rigueur inflexible.

---

1. Avis du Comité national consultatif d'éthique, 27 janvier 2000.

La visibilité des violences urbaines

L'objet « délinquance » varie donc au gré des cycles de la sensibilité collective. Il est tantôt à la hausse, tantôt à la baisse selon l'état de l'opinion. Dans les années 1980, « le malaise des banlieues » était pensé dans le registre d'une question sociale (aides à l'emploi, mixité urbaine, logements sociaux...) et des politiques de prévention. On cherchait à recoudre le tissu social, à rénover la ville, à améliorer son équipement. La déviance était à la baisse. Même si l'insécurité devient perceptible avec les premières émeutes urbaines, les politiques publiques maintiennent ce cap. On demeure convaincu qu'il n'y a d'action sociale que locale, ciblée, ajustée à des problèmes concrets étayés sur des diagnostics partagés par les acteurs. Avec la « politique de la ville », les « dispositifs » se multiplient sur des territoires et reformulent l'action de l'État sans toujours convaincre. Nul ne mesure que la montée de l'exclusion demande une politique d'une autre ampleur. Malgré (ou à cause de) un partenariat proliférant, les appareils administratifs restent loin des quartiers. On commence à se demander s'il faut « reconstruire les villes » ou en « chasser les pauvres [1] ».

Le discours politique s'infléchit à la fin des années 1990. La tendance est à traiter les faits comme tels, sans s'encombrer d'interprétations sociologiques ou psychologiques. « Plus d'actes sans réponses » devient le maître mot du discours politique. La résolution du « problème des banlieues » passe par la « responsabilisation » des jeunes et de leurs parents. La volonté populiste de faire payer les parents des délinquants (au moyen de la suppression des allocations familiales) gagne du terrain. Peu importe que son efficacité soit douteuse, voire contre-

---

1. Christian Bachmann, Nicole Le Guennec, *Violences urbaines*, Hachette Littératures, coll. « Pluriel », 2002, p. 475.

productive, ce que savent depuis longtemps tous les professionnels. Nul ne les entend. Toute démarche d'assistance éducative est suspectée d'indulgence et de déresponsabilisation. Si les parents sont responsables de leurs enfants et donc de leurs actes, pourquoi la société se sentirait concernée ? Il devient inconvenant de voir dans un délit la forme extrême d'un processus de vulnérabilité. Crise du logement, chômage d'exclusion, intégration défaillante des migrants : la banlieue devient le « négatif » de la ville. Les signes d'une *altérité menaçante* se multiplient : les « émeutes » urbaines déclenchées par des individus aux visages « floutés » sont filmées avec complaisance ; le vocabulaire qui reproduit la figure de l'autre (« voyous », « barbares »...) corrompt le langage (« tournantes », « baston »...) ; et les analyses policières présentent une violence comme visant avant tout la police, principale victime[1]. Bref, tout converge pour que ces conflits n'aient pas d'autre solution que répressive. La déviance est passée à la hausse.

Les mots eux-mêmes n'ont plus le même sens en face d'un paysage aussi mouvant. Le mot *prévention* n'exprime plus une intervention individualisée. Devenue « situationnelle », elle désigne des techniques de sécurisation des biens. Bien loin d'un geste fraternel en direction d'un individu, elle voit en lui un autre menaçant qu'il faut mettre à distance par des bulles de sécurité. De quel « autre » pourrait-il s'agir du reste ? Face à un porteur d'actes anonyme et dangereux, il n'y a de place que pour un geste d'autodéfense. Seul compte de calculer sa riposte, non de nouer un dialogue. Naturellement, la propriété a toujours eu besoin de clés, de serrures et de bornage. Mais un imaginaire de la violence légitime est toujours prêt

---

1. L'échelle comporte huit niveaux de gravité qui vont de la violence en bande à la guérilla. Elle mesure les seules tensions entre les agresseurs et les forces de d'ordre. Voir Lucienne Bui-Trong, « Les violences urbaines à l'échelle des RG », *Les Cahiers de l'IHESI*, 1998, n° 33, p. 217.

à renaître face à la peur. On prévient *un* jeune de sa propre déviance en le sermonnant au besoin. On sécurise ses biens face à *des* agresseurs virtuels. L'anonymat accroît le potentiel d'inquiétudes et le risque de victimisation.

Parallèlement, la représentation de la délinquance des mineurs issue de l'après-guerre change radicalement. L'ordonnance du 2 février 1945 avait brisé un siècle d'éducation pénitentiaire et d'enfermement, sombrement magnifié par Jean Genet dans *Le Miracle de la rose*. L'identification de l'adolescence comme âge de transition assurait la prééminence de l'éducatif. Une réponse pénale et éducative graduée selon l'âge s'est peu à peu imposée. Nullement exclue pour les plus de treize ans, la prison est mesurée dans ses effets et toujours tempérée par l'éducatif.

Or, de nouvelles formes de délinquance plus massives, territorialisées, chronicisées, enracinées dans la précarité, remettent en cause les schémas et l'esprit de l'héritage de 1945. Aux enfants victimes qui méritent toute notre attention s'oppose l'acte intolérable du jeune délinquant. Cette opposition structure le champ de nos émotions (la pitié pour l'innocence enfantine, l'indignation pour la violence adolescente) mais aussi des stratégies institutionnelles (au département, les victimes, à l'État, les délinquants). Nous pensons la punition et la protection pour des populations différentes alors que le droit des mineurs s'est construit sur leur articulation. En témoigne le glissement vers les mineurs des outils répressifs utilisés pour les majeurs (contrôle judiciaire, sursis avec mise à l'épreuve, fichiers...). Peu importe que 80 % des mineurs incarcérés ne possèdent aucun diplôme, que plus du tiers d'entre eux ne sachent pas lire. Nul ne *veut* voir les carences éducatives derrière l'acte délinquant. Nul ne prend le temps d'y lire le symptôme d'une insécurité subjective. La dualité du regard abolit l'unité de la personne clivée en deux images

149

opposées. Seul un regard attentif et informé pourrait en rétablir l'intégrité. Nullement ce regard morcelé en représentations antagoniques, où l'emporte l'acte démesurément visible, le risque souterrainement présent.

Les éducateurs ont du mal à reconnaître leur public dans ce schéma : ne s'agit-il pas des mêmes jeunes saisis à des moments différents de leurs parcours ? Les « durs à cuire » qu'ils côtoient ont derrière eux un lourd passé de dislocation familiale et d'échec scolaire et n'ont, devant eux, aucune perspective d'insertion valorisante. Notre tolérance à la déviance se fondait sur l'acceptation d'un apprentissage des règles auxquelles il faut se confronter. Où est l'autonomie de ces sujets désaccordés qui vivent au jour le jour, incapables de se projeter dans l'avenir, ballottés entre les alternatives du « tout ou rien » et du « tout, tout de suite » ? Si les « cas lourds » sont une réalité, ils étaient vus sous le signe de la « chance » éducative. Placés sous le regard d'une société de victimes, ils deviennent un stock de nuisances qu'il suffirait d'évacuer. La délinquance des mineurs, souvent peu structurée, faite d'occasions et d'impulsions, se déplace et se recompose au gré des hasards. Prise individuellement, elle offre un tout autre visage. L'adolescent qui « roule les mécaniques » peut aussitôt après fondre en larmes. Hors du groupe de pairs ou de la domination territoriale, sa provocation se dégonfle. La jouissance de la puissance va de pair avec le désarroi de l'impuissance.

Tout se passe comme si nous ne savions plus voir dans le même jeune, à des moments différents de son parcours, la violence donnée et reçue. Mais qu'adviendra-t-il de ce déni ? Face à des adultes brandissant des interdits, l'adolescent va jusqu'au bout de sa révolte. Orphelin d'une loi accueillante, il sollicite la loi répressive. Regardé comme un risque, il devient le risque. Stigmatisé, il revendique le stigmate. Face à une société qui ne lui donne pas d'identité autre que délinquante, qu'aurait-il à perdre ? À moins que l'islamisme radical ne présente une alternative parmi d'autres à ces rebelles en quête de cause. Le communautarisme de quartier leur offre la seule protection qui vaille quand l'État cesse d'être perçu comme un bien commun.

L'invisibilité de la délinquance des élites

Ce parcours contraste avec celui de la délinquance des élites qui suit une trajectoire inverse. Sur la scène de l'apparence, la violence urbaine permet à l'État de montrer ses armes, d'afficher sa présence, de manifester sa force. Inversement, nul pouvoir politique ne se hâte de déterrer une délinquance invisible et gênante pour lui. Dans la décennie 1990, la lutte contre la corruption accompagnait l'avancée des juges vers une moralisation de la démocratie fort peu assumée par les partis politiques. La cause de l'émancipation judiciaire semblait acquise. Traquée par des juges courageux, la déviance des élites était indiscutablement à la hausse en passant de l'illégal toléré à l'illégal intolérable.

Aujourd'hui d'évidents signes d'épuisement de ce récit apparaissent. Sa quasi-disparition dévoile une autre réalité, ouvre la voie à de nouvelles représentations. Dans un secteur où les données manquent – que sait-on vraiment de la corruption en France ? –, tout repose sur l'investigation policière, judiciaire ou journalistique. Que celles-ci se dérobent et la corruption retourne à son invisibilité première. Un scénario inverse peut apparaître : après la phase de l'émancipation des juges, viendrait celle du déclin. Le diagnostic est sans concession : rien ne justifie l'écart entre les sanctions *annoncées* par les mises en examen médiatisées et les sanctions réellement *prononcées*. Alors qu'ils étaient les principaux alliés des juges, les médias n'offrent plus un appui sans faille. Ils ne sont donc plus, pour des juges indépendants, une sorte de juridiction d'appel pour faire échec aux interventions partisanes. Ils créent un autre récit : à *la* cause de l'émancipation judiciaire se substituent *des* verdicts contestables, peu crédibles et parfois suspects. Le bilan, faible par rapport à ce qui était annoncé, traduit l'échec de la morale républicaine que les juges appellent de leurs vœux. Le chiffre de la seule délinquance économique et financière est maigre : en vingt ans (de 1980 à 2000), les condamnations sont restées proportionnellement faibles. Les procédures sont longues et complexes. Peu d'affaires aboutissent à des jugements significatifs[1]. Où est la moralisation de la vie politique attendue des « affaires » ? Abandonné de l'opinion, le juge se retrouve bien seul. On lui avait édifié une statue, voici qu'elle est déboulonnée.

Voilà donc une justice qui semblait forte à l'époque où elle partait, avec l'aide des médias, à l'assaut des citadelles d'impunité. Son objectif était plus policier que judiciaire (il fallait *oser* arrêter, inculper, perquisitionner...). Le gain de territoire semblait décisif. Son parfum de transgression donnait l'ivresse de vivre une nouvelle ère démocratique. À une loi sélectivement appliquée se substituait un droit égal pour tous. Mais, ce gain, pour spectaculaire qu'il soit, était à court terme. Il est aisé de perquisitionner, beaucoup moins d'obtenir une condamnation avec des preuves convaincantes. On découvre rétrospectivement que l'image conquérante de la justice était celle d'actes préparatoires démesurément grossis par la presse. Un effet d'optique dû à l'intervention de la presse et à la notoriété des accusés donnait le sentiment d'une opération « mains propres » à la française. L'alliance pouvait fonctionner tant que

---

1. On compte environ 30 000 condamnations par an. La durée des procédures est de quatre ans en moyenne et un tiers des affaires de blanchiment et de corruption vont en appel. Voir Thierry Godefroy, « Les criminalités économiques et financières, évolution et tendances », *in* P. Ponsarers et V. Ruggero, *La Criminalité économique et financière en Europe*, L'Harmattan, 2002, p. 52.

les médias se sentaient les interprètes éclairés de l'opinion. À partir du moment où l'électorat semble pardonner certaines fautes, où les corrompus d'hier sont réélus, ce récit est de fait invalidé. La vie politique n'est-elle pas affrontement, compétition, prise de risques ? La thèse d'une sphère politique autonome dans la définition de ses normes n'en est que plus crédible. Son domaine est « la partialité tragique de l'action », c'est-à-dire une éthique de la responsabilité qui implique des choix entre la hiérarchie des fins et l'urgence de l'action. Pourquoi ne pas l'admettre une fois pour toutes [1] ?

La délinquance en col blanc retourne à sa pesante invisibilité. Invisible, elle l'est d'abord par construction. Délinquance sans plaignants, elle est rarement dénoncée dans les délais de la prescription. Comment pourrait-il en être autrement dès lors qu'elle est construite pour être *opaque*, cachée dans des circuits légaux et donc hors d'atteinte de la preuve ? Beaucoup y voient le mal nécessaire d'une expansion économique globalement positive. Alors que la production et la consommation de drogue sont une cible facile, le blanchiment des capitaux illicites est souvent indétectable et donc impuni. Cette délinquance prend forme dans de longues enquêtes où il s'agit d'établir des faits en quelque sorte sans réalité. Forgée par la seule action des juges et policiers, elle disparaît sans eux. La difficulté est accrue par la concurrence sur les marchés, la complicité de certains États qui servent de plate-forme pour le blanchiment et la frilosité de ceux où les sphères politiques, administratives et économiques s'interpénètrent. Sans doute est-il plus facile de punir les signes ostensibles de désordre que d'éradiquer ses causes profondes [2].

---

1. M. Revault d'Allonnes, *Doit-on moraliser la politique ?*, Bayard, 2002, p. 63.
2. Voir l'entretien de Bernard Gravet, in *Les Cahiers de l'IHESI*, n° 52, 2003, p. 141.

Invisible, elle l'est surtout dès lors qu'elle subit l'atténuation des illégalismes de droit : ainsi, en cinq ans, les contours de l'abus de biens sociaux ont été déplacés au moins à quatre reprises ; une des rares lois récentes de modération pénale touche le domaine de la délinquance non intentionnelle qui concerne la responsabilité des décideurs publics, notamment les élus[1]. L'illégalisme varie selon le niveau où on se place. En haut, les élites disposent de moyens humains (avocats, experts du « risque pénal »), de stratégies de défense médiatique (fondé sur des réseaux d'amitié) et des ressources de la procédure pénale, ce qui place des boucliers procéduraux entre les juges et les puissants prévenus ; en bas, pour les délinquants ordinaires, il n'y a ni procédure (sauf d'urgence), ni avocats (faute de moyens financiers), ni médias (sauf pour attiser le sentiment d'insécurité). Que va penser en bas celui qui subit des contrôles policiers et expérimente l'inégalité flagrante de la justice ? Quel degré de confiance peut-il avoir en un État qui protège ses élites en minimisant leurs fautes ?

Prise dans cet illégalisme, cette délinquance ne semble émerger que pour retourner au silence d'où elle vient. L'opinion lui préfère des déviances plus aptes à entrer dans son champ de vision et des récits familiers aux personnages bien campés. Faute de lui fournir ces ingrédients, le travail de la justice dans ce domaine devient plus silencieux. Son rôle d'acteur politique s'efface. Son silence incite l'opinion à s'emparer de nouveaux objets. Le combat contre le crime organisé et le terrorisme, par exemple, rend la poursuite de la délinquance financière moins urgente. Plus l'une disparaît du champ, plus l'autre s'affirme. La gestion de la menace terroriste situe clai-

---

1. Sur l'abus de biens sociaux, voir Pierre Lascoumes, *La Corruption*, Presses de Sciences Po, 1999, p. 151. Sur la loi du 10 juillet 2000 qui limite la délinquance non intentionnelle à une « imprudence caractérisée », voir en dernier lieu Pierre Fauchon, « Tous responsables ? », *Le Figaro*, 19 novembre 2004.

rement la délinquance à l'extérieur des classes dirigeantes. Nullement à l'intérieur où elle nuirait à la cohérence du front commun contre la criminalité. Spirale du silence pour l'une et montée en visibilité pour l'autre vont de pair.

Les deux fronts de la justice pénale

À ces nouveaux objectifs, la justice doit adapter des ressources limitées. Face à la petite et moyenne délinquance et à la grande criminalité, il faut livrer bataille sur un large front. Cela implique de diversifier les circuits procéduraux que l'on espère rendre ainsi plus efficaces. Selon un schéma classique, l'appareil judiciaire est agencé comme une « chaîne de montage » (*assembly line*) [1] qui suppose deux niveaux pour fonctionner : le « contrôle du crime » (*crime control*) piloté par la police et le parquet et « le respect de la règle de droit » (*due process*) qui privilégie la qualité du procès sous l'autorité du juge. L'un est une chaîne programmée pour transformer un suspect en condamné. L'autre s'apparente à un parcours d'obstacles qui fait de la protection de l'accusé une valeur centrale.

Le premier système, le contrôle du crime, tend à l'emporter nettement aujourd'hui. Le réarmement de l'État auquel nous assistons est conçu pour faire face à une délinquance à la fois proche et lointaine. L'introduction simultanée dans la loi du 9 mars 2004 (Perben II) du « plaider coupable » à la française et d'une procédure pénale d'exception en marge du droit commun place le système entier sous le paradigme de l'efficacité. À la faveur de ce choix, on a d'un côté un dispositif pragmatique, sous l'égide du parquet, conçu pour agir sur la délinquance petite et moyenne ; de l'autre, une procédure d'exception destinée à la grande criminalité. Peine

---

1. H. L. Packer, *op. cit.*, p. 163.

négociée et droit dérogatoire renforcent le pôle « contrôle du crime ». Cette rationalité à double détente est conçue pour agir efficacement sur les deux registres *à la fois*.

« *Répondre* » *à la petite et moyenne délinquance*

Au contact direct de la société, l'institution judiciaire intériorise la demande du public et la prolonge dans son fonctionnement. À partir du moment où le destinataire de la peine (au sens large) n'est plus l'individu mais le *public,* celui-ci en devient le critère et la justification. Dépositaire des inquiétudes collectives, la justice se décrit de plus en plus comme un média qui doit envoyer des « messages clairs, limpides et non équivoques » à son public sur des sujets d'actualité où « être clair » signifie « frapper fort »[1]. La nécessité d'une « réponse pénale » place le système tout entier sous la contrainte du message à envoyer. Cette « réponse » – le mot est omniprésent dans les textes officiels – se définit par rapport à une attente collective largement façonnée par la presse, les faits divers médiatisés ou les porte-parole des victimes. On comprend qu'elle soit frappée d'une instabilité permanente compte tenu de son mode d'alimentation. Agencé pour différer les réactions au crime, voici que le droit de punir joue un rôle d'accélérateur. Réduite à sa seule réactivité, la « réponse » devient proportionnelle non aux faits qualifiés, aux prudentes évaluations, mais aux indignations morales les plus contradictoires.

Dans l'institution judiciaire, une révolution silencieuse s'est produite ces dernières années : la montée en puissance des procureurs de la République (ou, plus généralement, du parquet) qui dirigent la police judiciaire, orientent les procédures, défendent les intérêts de la société à l'audience. Poste

---

1. Alvaro P. Pires, *op. cit.*, 2001, p. 198.

avancé de la justice, eux seuls peuvent avoir une lecture globale des contentieux. Le juge, tenu par ses dossiers, mesure mal l'environnement institutionnel, social et économique de ses interventions. Il est lié par une norme formelle qu'il doit appliquer à la singularité du cas sous la contrainte de la procédure. Plus libre, le parquet dispose du pouvoir d'opportunité des poursuites et d'interprétation des seuils de qualification. Par son intermédiaire, la justice n'est plus au bout d'une succession de filtres dont elle subit l'hégémonie. Elle décide d'intervenir en amont afin d'analyser les flux, d'interroger ceux qui l'approvisionnent et, par là même, se met en mesure de maîtriser ses choix. Cette inflexion du fonctionnement judiciaire n'est sans doute pas un hasard dans des sociétés animées par la volonté de répondre à la délinquance plus que par souci du délinquant.

Par sa position et son rôle d'impulsion, le parquet répond ainsi à l'attente collective de sécurité. Il en assure la représentation dans une justice dont l'unité de mesure reste individuelle, singulière, circonstanciée. La réactivité de l'institution en est accrue. La demande de présence judiciaire place la police et les parquets en première ligne. Le redéploiement de la conduite des affaires pénales, réformes après réformes, vers le parquet, en est la conséquence directe. Les tensions n'en sont que plus vives entre procureurs attirés par une éthique de la performance (en réponse au public) et les juges attachés à une éthique du débat individualisé (en réponse au justiciable).

La *territorialisation* des politiques pénales est l'aspect le plus novateur de ce gain d'influence. Traditionnellement, un parquet reçoit des procès-verbaux dont il oriente le traitement judiciaire. Il subit la dépendance de ceux (police, administrations diverses) qui lui envoient des dossiers liés à une délinquance faite de prédations fugitives, d'atteintes aux biens. Comment peut-il sortir du cas par cas afin d'élaborer une politique pénale ? Le choix d'une approche concertée vise avant tout à briser les lectures induites par les appareils administratifs. Ceux-ci traitent les informations qui leur parviennent selon leur code propre sans souci des autres institutions. Les partenariats apportent des grilles de lecture plus opérationnelles, transversales, nouées à une scène commune. Le tissage de la confiance en est le maître mot : aucune position hiérarchique n'est pertinente pour dresser un diagnostic ; c'est dans l'aptitude à élargir ses compétences, à réfléchir une décision dans son environnement que la bonne réponse vient. La sécurité est bel et bien conçue comme un bien commun résultant d'une analyse partagée et soumis à une distribution équitable.

Mais dans le *pilotage de l'action policière* cette réorganisation se fait sous le signe de l'urgence. Celle-ci est devenue une catégorie autonome de l'action dans des sphères de plus en plus large avec son langage, ses normes et ses institutions propres. De moment de l'action qu'elle était, la voici promue au rang de norme de l'action. D'épisodique, elle devient systématique et envahit tout le système de décision. Les choix de procédure, souvent irréversibles, s'effectuent sur la base du seul récit policier recueilli au téléphone. Une étude sur le tribunal de Bobigny montre que l'urgence se dote d'un langage propre (c'est le « TTR » ou traitement en temps réel), des vocables managériaux (on parle de « stocks vifs » ou de « stocks statiques »), d'un lieu propre (une « salle de commande ») où les magistrats prennent en moyenne une décision toutes les trois à quatre minutes) [1]. Ainsi se développe une compétence spécifique (décider vite) très éloignée des fonctions classiques du magistrat : le doute méthodique et l'analyse prudente des faits.

---

1. Dominique Dray, *Une nouvelle figure de la pénalité : la décision correctionnelle en temps réel*, Mission de recherche droit et justice, 1999.

Car ici, le type d'organisation traite l'information. La norme du système est construite pour réagir à une impulsion. La part évaluative du jugement est simplifiée à l'extrême. Ce qui compte est d'être en phase avec le travail policier et sa demande implicite. Ce que le parquet gagne en efficacité, il le perd en capacité d'analyse. Il passe, en somme, de « fonction critique de la procédure à celle de soutien de la procédure[1] ». Voulant « répondre » avant tout, ce discours managérial semble happé par son souci d'accroître ses performances et d'étendre son territoire. Sa dépendance à l'égard des attentes policières ne peut que grandir dès lors que les décisions sont réactives et ponctuelles. Parvenues au stade du tribunal, les imprudences procédurales hâtivement concédées s'effritent vite face aux avocats pénalistes.

S'il s'agit de répondre à la délinquance, les formes brèves s'imposent. Alors qu'au XIXe siècle la moitié des affaires passaient par une instruction, elles ne sont plus que 5 % actuellement. Pour la seule année 2002, la comparution immédiate (jugement immédiat et sans instruction) a augmenté de 20 %. L'urgence règne sur la réponse : univoque, elle devient la négation du temps. Le morcellement de la décision dans des appareils complexes ajouté à l'urgence fait perdre de vue la structure hétérogène des temps policier et judiciaire.

Cette gestion des flux génère un sentiment de lassitude, de disqualification, ou même de perte d'identité. Chacun, pour sauvegarder son rôle, doit accepter que sa décision soit programmée par des effets de système. Pour ne pas paraître incompétent face à ses collègues et sa hiérarchie, il faut paraître performant, s'inscrire dans cette culture managériale. Ainsi,

---

1. Laurent Davenas, *in* L. Cadiet et L. Richet (dir.), *Réforme de la justice, réforme de l'État*, PUF, 2003, p. 174.

pour continuer à rendre justice « en son âme et conscience », le magistrat doit accepter d'être « précipité dans une épreuve morale[1] ». Peut-être tirerait-il quelque profit à relire l'éloge libéral de la garantie judiciaire par Benjamin Constant : « Il y a dans les formes quelque chose d'imposant et de précis qui force les juges à se respecter et à suivre une marche équitable et régulière[2]. » Menacé dans son identité, il y retrouverait le fil d'un dialogue perdu avec lui-même.

Une nouvelle économie pénale

Mais comment faire face *à la fois* à la demande de « réponse » judiciaire de proximité et à la surcriminalisation (*overcriminalisation*) induite par la grande criminalité ? Dans tous les cas, la demande croît alors que les moyens restent constants. À une demande infinie de sécurité répond une offre nécessairement limitée. Le choix de la justice négociée est le seul compromis économiquement viable. Au stade de la poursuite apparaît « la troisième voie » entre le classement et le jugement, qui déleste la justice d'une part de sa charge contentieuse. En se diversifiant, le système fait une économie substantielle mais obtient aussi un effet de modération.

Cette économie pénale favorise la croissance des *alternatives aux poursuites ou au procès*. Souvent présentée comme un moyen de réguler les flux, la qualité de cette justice négociée demeure incertaine, son application peu évaluée. Peu transparente, elle échappe au contrôle des avocats et de l'opinion publique. Déléguée par les parquets plus que supervisée par eux, elle s'éparpille dans de nombreux dispositifs, souvent confiés à des délégués du procureur : classement sous condition, rappel à la loi, médiation, régularisations, composition pénale,

---

1. Dominique Dray, *op. cit.,* p. 276.
2. Benjamin Constant, *Écrits politiques* (*Principes de politique,* 1815), Gallimard, « Folio-essais », 1997, p. 499.

injonction thérapeutique pour les toxicomanes[1]. On comprend que les inégalités entre les types de réponse se creusent : à côté d'une « basse » justice qui éponge les litiges sans coût excessif pour la collectivité, on trouve une « haute » justice munie d'avocats et aux ressources incomparables. On peut craindre qu'à l'instar des États-Unis l'usage de la justice négociée soit réservé aux accusés les plus défavorisés, dans le seul but de dégager les moyens nécessaires à la lutte contre la grande criminalité. Suivons là encore Françoise Tulkens : « Le risque existe que les procédures négociées ne soient guère autre chose, à l'ère de la dérégulation et du néolibéralisme, que l'introduction de l'économie de marché dans l'administration de la justice[2]. »

Cette crainte n'est certes pas infondée. Un procès pénal abrégé peut se vider de toute perspective éthique en offrant aux prévenus de négocier leurs fautes et leurs droits. Pour autant, l'entrée dans notre droit du *plaider coupable* ne sera pas, comme en *common law*, une négociation totale des peines entre avocats et procureurs[3]. Il s'agit plutôt d'une offre de peine faite à un prévenu à l'initiative du procureur et dans un cadre limité. L'avocat y joue un rôle de conseil plus que de défense. Le juge se borne à valider l'offre en audience

---

1. Les alternatives aux poursuites (classement sous condition, rappel à la loi, médiation, composition pénale) représentent, en 2001, 269 996 affaires, ce qui correspond à plus d'*un tiers* de la « réponse » pénale effective (20 % par rapport à 47 % de poursuites et 33 % de classement). *Les Chiffres Clés de la justice*, ministère de la Justice, octobre 2002. Les « délégués du procureur » (environ 700) sont des personnes habilitées (souvent anciens policiers ou gendarmes, plus rarement membres d'une association) qui mettent en œuvre les alternatives par délégation du procureur de la République.
2. Françoise Tulkens, « La justice négociée », in *Procédure pénale d'Europe*, M. Delmas-Marty (dir.), PUF, 1995, p. 581.
3. Il s'agit de la « comparution sur reconnaissance préalable de culpabilité » ou « plaider coupable » créée par la loi du 9 mars 1994 (art. 495-7 du CPP) : pour certains délits, le procureur peut, si la personne reconnaît les faits et l'accepte, lui proposer une peine qui ne peut excéder un an d'emprisonnement, proposition qui devra être validée par un juge en audience publique, comme l'a jugé le Conseil constitutionnel (décision du 2 mars 2004).

publique. Les avantages d'une justice plus abrégée que négociée ne sont pas minces : gain de temps, fin des audiences « à l'abattage », adhésion à la décision. Cette individualisation procédurale rend la décision moins sujette à des effets de système qui conduisent mécaniquement à la prison : le choc de l'arrestation, le passage en garde à vue, puis la première incarcération ont des effets irréparables, on ne le sait que trop. Les alternatives au procès pénal ouvrent des espaces qui ont disparu depuis longtemps de nos audiences correctionnelles. « Combien de magistrats aux yeux rougis terminent les audiences tard dans la nuit en bafouillant les noms des prévenus ? Combien d'avocats épuisés qui abdiquent face à un combat perdu d'avance [1] ? » Et, faut-il ajouter, combien d'erreurs lors de ces procès furtifs et un peu honteux ? À l'opposé de cette justice d'abattage, les alternatives apportent une forme d'individualisation procédurale pour les primo-délinquants. Une application prudente devrait éviter les dangers inhérents à la privation de liberté importante qui est encourue à la suite d'un plaider coupable (un an d'emprisonnement). Si tel n'était pas le cas, la réforme serait un recul sur le double plan de l'individualisation des peines et des attentes des victimes.

Le bouclier des *alternatives à l'incarcération* joue à première vue le même rôle. Il n'est pas aisé de penser une peine sans référence à la prison quand on mesure son omniprésence dans les lois elles-mêmes [2]. Pour avoir leur chance, les alternatives doivent être ajustées à des situations précises, indivi-

---

1. Dominique Simonnot, *Justice en France, une loterie nationale*, La Martinière, 2003, p. XVI.

2. Une étude portant sur les lois récentes montre que l'emprisonnement est *encouru* à 98,5 % pour les atteintes à la personne humaine et à 91 % pour les atteintes aux biens. En revanche, 65 % des peines *prononcées* en 1999 ont été des peines d'emprisonnement avec ou sans sursis ou des peines alternatives (travail d'intérêt général). Direction des affaires criminelles (ministère de la Justice, 2001).

dualisées et surtout suivies au long de leur déroulement. Certaines peines (le travail d'intérêt général, par exemple) supposent une prescription réfléchie pour éviter l'échec. D'autres (bracelet électronique, contestable par ailleurs) sont adaptées à des prisonniers qui ont un logement, un emploi, un entourage pour les accueillir. Tout cela n'est pas négligeable[1]. Pourtant, entre 1998 et 2002, on constate une baisse de 25 % du recours au travail d'intérêt général et une diminution de moitié de la dispense de peine (dans le cas où le prévenu est réinséré et a dédommagé la victime). Parallèlement, l'allongement des durées d'incarcération, pour une fraction importante de détenus, révèle l'échec de la réhabilitation. C'est toute l'ambiguïté des politiques de « dualisation » qui ont su développer en même temps des alternatives à l'incarcération et des peines aggravées pour les crimes, notamment depuis l'abolition de la peine de mort[2]. L'effet systémique de la bifurcation n'est pas négligeable : certes, l'extension du filet pénal limite peut-être l'emprisonnement, mais filtre plus efficacement une « clientèle » formée de récidivistes durablement marqués par la prison[3].

Quel bilan tirer de ce double niveau d'alternatives ? À l'inverse des États-Unis, nous avons su promouvoir, à la fois avant le jugement et après le jugement, une palette d'alternatives qui nous évite d'entrer sur la voie de l'incarcération incapacitante qui domine aux États-Unis. La volonté de dialectiser la punition et la réhabilitation subsiste, du moins à ce

---

1. En 2003, il y avait 49 900 peines alternatives (8749 TIG) sur un nombre total de 477 935 peines. *Les Chiffres clés de la justice*, octobre 2004.

2. Hilde Tubex et Sonja Snacken, « L'évolution des peines : sélectivité et dualisation », in *Approche de la prison*, De Boeck, p. 223 et ss.

3. Deux critères (passé pénal et désinsertion) sont déterminants dans le choix de la détention provisoire et de la peine. Bruno Aubusson de Carvalay, « Filière pénale et choix de la peine », in *Crime et sécurité. L'état des savoirs*, La Découverte, 2002, p. 354.

stade. Derrière l'aggravation continuelle des peines depuis la fin des années 1970, une culture pénale issue de 1945 s'est maintenue pour des motifs qui ne sont pas que gestionnaires. Les études sur les jugements prononcés montrent que moins les faits sont graves, plus les facteurs individuels interviennent et inversement. Il n'y a peine de neutralisation que lorsque, au-delà des faits, le danger est perçu comme dirimant pour la société [1]. Bien que nous connaissions mal la culture décisionnelle des juges français, il semble que ceux-ci réservent la prison à des atteintes graves aux personnes. Rien à voir, donc, avec les peines démesurées en cas de simple récidive que doivent appliquer les juges américains. Une éthique d'individualisation continue d'habiter notre culture pénale.

La « guerre » contre le terrorisme et le crime organisé

Mais s'il s'agit de la grande criminalité, le discours politique a une tonalité infiniment plus punitive. Peu après les attentats du 11 Septembre, le thème de la guerre contre le crime devient récurrent. Les mots – « mobilisation générale », « rétablissement de l'autorité de l'État » – et les discours – « nous allons continuer dans cette voie [...] quand la peur aura changé de camp [2] » – illustrent cet appel au réarmement pénal. Dans les sociétés ouvertes de l'après-guerre froide, la menace ne vient plus de l'idéologie du camp adverse mais d'un triangle formé par l'immigration clandestine, le crime organisé et le terrorisme. À cette menace permanente répond une intense coopération policière qui implique une forte dimension « proactive » : il ne s'agit pas de cerner et d'imputer une

---

1. F. Vanhamme et K. Beyens, « Regard sur les juges », in *Le Système pénal. Bilan critique des connaissances*, Bruylant, 2002, p. 148-192.
2. Rapport sur les orientations de la politique de sécurité intérieure. Annexe I de la loi du 29 août 2002 d'orientation et de programmation pour la sécurité intérieure, in *Aux sources de la loi. La sécurité intérieure*, Éditions des JO, 2003, p. 439.

infraction déjà commise mais de traquer une organisation criminelle, ses moyens et ses structures. Les cibles ne sont pas les délits constitués (démarche « réactive ») mais des organisations qu'il faut détruire. Un droit pénal d'exception sera l'instrument de cette bataille. La métaphore guerrière en résume la substance : conçu comme un pur instrument, le droit est une « épée » brandie vers l'ennemi ou un « bouclier », cette fois pour refouler les indésirables.

Partout s'installe un droit d'exception qui creuse le fossé entre contrôle de la criminalité et respect de la procédure (*crime control* et *due process*). La dernière loi française sur le crime organisé donne à la police (et au parquet) un pouvoir discrétionnaire d'investigation : gardes à vue allongées (92 heures), pouvoirs de perquisition élargis, « sonorisation » de lieux privés, rémunération des indicateurs, protection des repentis [1]... Lié à une simple liste d'infractions et non à une définition précise, le pouvoir d'opportunité de la police est d'autant plus ouvert. Les principes de légalité et de responsabilité deviennent flous. Les garanties judiciaires sont souvent ajoutées *a posteriori* : la réforme du plaider coupable, par exemple, n'a introduit l'avocat qu'au stade des débats parlementaires et l'audience publique n'a été imposée *in fine* que grâce au Conseil constitutionnel. Autant de signes qui inscrivent les réformes pénales dans un pragmatisme délibéré et non dans une référence aux droits individuels [2].

Le droit de punir est, ici plus que partout ailleurs, absorbé par la volonté de punir. La poursuite d'une organisation collective puissante ne vise plus à imputer une faute à un individu et à mesurer une peine à une responsabilité. À ce stade,

---

1. Loi du 9 mars 2004 (dite Perben II) précitée.
2. Voir Jean Danet, « Le droit pénal et la procédure pénale sous le paradigme de l'insécurité », *Archives de politique criminelle*, n° 25, 2003, p. 37 et *sqq*.

seule compte « non la dissuasion de l'individu ou sa réinsertion sociale mais la destruction des bases économiques d'une organisation criminelle [1] ». N'est-ce pas un but de guerre ouvertement affiché ? L'incrimination est pensée comme une arme performante capable de vaincre un ennemi. La responsabilité et la peine perdent leur point d'appui individuel et moral. Nul besoin de scruter l'intention ou la motivation des auteurs. Le temps fort de la justice pénale n'est ni l'imputation des fautes, ni le choix d'une peine, mais la traque policière de la cible. Seuls deux moments comptent : l'arrestation et l'incarcération. Évolution sans doute adaptée à la structure de cette criminalité mais qui occulte, par construction, toute autre fonction de la peine, toute utilité à la procédure.

La notion de bande organisée est à l'arrière-plan de cette conception purement défensive. Ces dernières années, elle n'a cessé d'être juridiquement liée à de nombreuses infractions comme circonstance aggravante. Nombre de délits comme le vol (1981), les dégradations (1983), l'escroquerie et le recel (1994), le blanchiment (1996), l'aide au séjour irrégulier (1996) ou encore l'aide au dopage des sportifs (1999) passent sous un régime d'exception dès lors qu'ils sont le fait d'une bande organisée [2]. La pénalisation n'incrimine pas l'autre dangereux par sa violence potentielle. Elle ne cherche pas seulement à nettoyer la rue des pauvres menaçants par une pénalité hygiénique confiée à la police. Elle punit une entité hybride qui emprunte à la petite et à la grande délinquance. Que ne cessent de dire ces lois nouvelles qui incriminent le racolage actif ou passif, la mendicité agressive, les occupations de

---

1. Thomas Weigend, « Les systèmes pénaux à l'épreuve du crime organisé », rapport général, *Revue internationale de droit pénal*, 1998, p. 491.
2. Par exemple, un vol simple est puni de cinq ans d'emprisonnement, alors qu'un vol en bande organisée « vaut » quinze ans.

parties d'immeubles, l'outrage au drapeau français[1] ? Punissons le racolage et la mendicité pour mieux frapper les réseaux mafieux. Verbalisons les petits mendiants pour lutter contre l'immigration clandestine. Optimisons les investigations contre la criminalité internationale par la performance de nos fichiers. Le crime s'apparente à une chaîne où chaque maillon tient l'autre : tenir l'usager de drogue, c'est atteindre le fournisseur ; contrôler les enfants errants, c'est remonter les filières de trafic d'êtres humains ; pénaliser le racolage, c'est priver de ressources les réseaux. La pénalisation de cette délinquance en miettes est connectée à la représentation d'une grande délinquance transnationale dont elle n'est que l'ultime maillon. La répression de la « délinquance de basse intensité » conditionne l'efficacité du combat contre le crime organisé.

Telle est la représentation de la délinquance qui domine. On considère que l'accumulation des petits délits conduit, par un effet multiplicateur, à l'effondrement de la vie sociale[2]. Les désordres mineurs – vitres brisées, voitures abandonnées – provoquent une « spirale du déclin » et l'expansion irrésistible de la criminalité. Sans intervention policière, un quartier peut passer très vite du simple désordre au pillage. Si la petite délinquance est le germe de la grande, il faut la harceler, s'attaquer au moindre acte d'incivisme afin de tuer dans l'œuf les risques d'explosion de la criminalité qui feront de la ville une jungle terrifiante. Schéma qui s'inscrit dans la lignée de l'utilitarisme d'un Beccaria pour qui rien ne devait rester impuni – même pas les petits délits – pour ne pas affaiblir la certitude de la punition qui, plus que sa sévérité, exprime son effet dissuasif.

---

1. Loi du 18 mars 2003 sur la sécurité intérieure précitée.
2. La théorie de la vitre cassée est formulée une première fois par Wilson et Kelling, « Broken the window. The police and neighboor safety », *The Atlantic Monthly*, 1982, trad. fr. *Les Cahiers de l'IHESI*, « Connaître la police », Hors-série 2003, p. 233.

Cette conception de la tolérance zéro peut ne pas être purement répressive. Il peut s'agir de restaurer un ordre public entre « proches » : le retour de l'ordre ne passe pas forcément par la chasse aux délinquants mais aussi par des patrouilles pédestres. La protection des communautés locales implique la vigilance des policiers et des citoyens. Aux États-Unis, cette « police de communauté » (*community policing*) a pour but de résoudre les problèmes de la vie quotidienne plus que de punir les fauteurs de troubles. En France, au contraire, après une brève expérience, on a choisi de mettre fin à la police de proximité et d'étendre le champ des infractions. Cette préférence pénale française s'apparente à un nouvel hygiénisme. Appuyée sur de vagues incriminations, elle veut éradiquer une délinquance visible, à mi-chemin entre les délits et les simples incivilités. La visée purement pénale désigne en même temps le problème et le remède : qu'est-ce que la « mendicité agressive » si ce n'est la cristallisation d'un sentiment d'agression potentielle ? Verra-t-on dans tout « attroupement de jeunes » le signe d'une bande organisée ? Faute d'une définition précise, comment caractériser ce délit ? Et comment prouver l'intention délictuelle propre à tout acte volontaire ? Deux pivots du droit de punir – l'incrimination légale et la responsabilité individuelle – se dérobent.

Les effets de cette inflation répressive ne se font pas attendre : en 1997, lors d'un sommet des chefs d'État à Amsterdam, la police néerlandaise utilise un texte sur le crime organisé pour arrêter des manifestants et des journalistes[1]. Les mêmes scènes se reproduisent lors du sommet de Gênes

---

1. Christine Van den Wyngaert, « Les transformations du droit pénal en réponse au défi de la criminalité organisée », *Revue internationale de droit pénal*, vol. 70, 1998, p. 43.

(2002). Beaucoup craignent, à juste titre, la transformation des citoyens contestataires en ennemis dès lors qu'ils internationalisent leur action. Un filet pénal trop large assimile à des terroristes les immigrés extra-communautaires, les jeunes les plus menaçants des zones sensibles, les contestataires radicaux des sommets de l'Union européenne et du G8. Ainsi espère-t-on, à travers des cibles plus visibles et à portée d'intervention, atteindre des phénomènes insaisissables comme le terrorisme et le crime organisé. Bref, « le risque est grand de voir se développer une criminalité organisée par une criminalisation primaire [1] ». Confrontée à un nouvel ennemi – la délinquance comme menace transnationale –, la violence étatique peut devenir dangereusement élastique. Elle peut réprimer de la même manière tout acte en croyant tenir un bout de la chaîne du crime.

L'autre front de cette nouvelle guerre concerne la lutte contre l'immigration clandestine. Elle est conduite par des administrations plus que par la justice. Celle-ci se borne à valider le maintien en zone d'attente ou à confirmer la rétention d'individus en attente d'expulsion [2]. Sa situation à la marge du système réduit l'impact de sa procédure orale et publique. Pour l'État, le délit n'a pas d'autre victime que

---

1. S. Smeets et C. Strebelle, « Terrorisme, crime organisé et violence urbaine », in *La Lutte contre le terrorisme et droits fondamentaux*, Bruylant, 2002, p. 211.

2. L'étranger, arrivé irrégulièrement en France, peut être placé en *zone d'attente* pendant un délai de 48 heures renouvelable une fois, soit quatre jours et après avoir informé le parquet. Au-delà, seul un magistrat (le juge de la liberté et de la détention) peut prolonger le placement pour une durée exceptionnelle de huit jours renouvelable une fois. La rétention en zone d'attente peut durer au total vingt jours. Par ailleurs, les étrangers soumis à un arrêté de reconduite à la frontière, d'expulsion ou d'interdiction du territoire vont être placés en *rétention administrative*. Au bout de 48 heures, l'administration doit saisir le juge délégué qui peut décider soit le maintien en rétention pour cinq nouveaux jours, soit une assignation à résidence si l'étranger justifie de garantie de représentation et d'un passeport. Voir Philippe Bernard, *Immigration, le défi mondial*, Gallimard, « Folio actuel », 2002, p. 285 et *sqq.*

lui-même. Il délivre un message : nul ne doit enfreindre les règles de séjour sur son territoire. Le fait de multiplier les recours est moins une garantie que l'alibi formel du dispositif de sécurité. Derrière les grands principes, la réalité est désolante : temps dévoré par l'urgence, audiences saturées, confrontation à la misère du monde, faible capacité de peser sur le cours des choses... La scène juridictionnelle est le lieu de compromis douloureux entre une aspiration au droit et la triste gestion des flux. Elle est traversée par des tensions entre la singularité des cas et les pesanteurs d'appareil, les moments d'équité et les décisions anonymes.

L'accusateur principal étant l'administration, la confrontation avec les clandestins est brutale, presque physique. Nul ne s'efforce de donner aux individus un visage, une identité. Nul n'a le temps de restituer leur parcours. Le plus souvent, ce qui domine est bien cet « effacement du singulier [1] » par le numéro du dossier, les catégories administratives. Les normes abstraites cachent mal les corps mis à nu. Cohorte de sans-parole que l'on va détenir, transporter comme des paquets. Corps des sans-papiers et des grévistes de la faim que l'on sangle dans les avions du refoulement. On expulse les corps faute de vouloir comprendre les récits, de donner un sens aux situations. C'est le reflet d'un monde fractionné entre la liberté reconnue aux élites et la surveillance infligée aux autres, les plus pauvres ; celui d'un monde partagé entre des populations lourdement contrôlées et des individus nomades, circulant librement dans un monde fluide.

La machine judiciaire gère les flux à marche forcée, avec une concession minimale aux garanties juridiques. L'abrègement du temps signifie la disparition des capacités de récit et des médiations nécessaires au dialogue. On y retrouve le huis

---

1. C. Hamel et D. Lemoine, *Rendez-vous au 35 bis*, L'Aube, 2000.

clos entre la loi et son transgresseur, le passage du désordre menaçant à l'ordre retrouvé. On connaissait le maquis de textes et de compétences, toujours en proie à des remaniements, dont le juriste est l'ouvrier malmené. On découvre une machine qui, pressée d'en finir, se hâte dans le fonctionnement routinier de ses procédures. La brièveté procédurale fait tourner la « machine à confirmation perpétuelle[1] » qui occulte le doute, programme la décision, en assure le bouclage. La marge du juge est faible car son intervention n'est qu'une concession tardive aux droits individuels. À sa marginalité fonctionnelle correspond le seul effet attendu de lui : la légitimation du système.

Que veut dire la liberté pour un étranger sans papiers ni réel projet ? La liberté est un mot sans réalité. Le devoir d'hospitalité n'a aucun sens. « Je tiens une audience de reconduite à la frontière : "la reconduite" est une jeune fille algérienne titulaire d'un visa expiré qui préfère la vie française à être dans son douar d'origine, vendue, mariée, excisée, engrossée... Toute mon éthique me demande de l'accueillir parmi nous. Mais elle a été dénoncée. Que faire ? Refuser d'appliquer la loi ? Cette fois mon éthique me l'interdit tant que je suis magistrat ; démissionner ? Mais justement j'ai moi aussi des filles pour lesquelles j'ai des devoirs. J'ai choisi un métier. Et je l'assumerai dans tous ces aspects tant qu'il ne m'imposera pas l'Inacceptable[2]. » Une telle justice, comme le montre bien ce témoignage, est source de malaise identitaire. On mesure le conflit entre une éthique de la sollicitude et la froide gestion des flux. Le sentiment de contribuer, par une décision, au naufrage d'individus de l'autre rive est anxiogène. Pour

---

1. C'est la définition de la justice de Casamayor. Voir D. Salas et E. Verleyn, « Casamayor l'insoumis », *Esprit*, octobre 2002.
2. Témoignage à la suite d'un questionnaire sur l'éthique des juges. Voir *Les Cahiers de l'IHEJ*, décembre 1993.

beaucoup (mineurs, jeunes filles...), les réseaux de prostitution sont un réel danger. La liberté, pour nombre de clandestins, n'est qu'une modalité de l'asservissement. Proie facile pour les mafias en tout genre, que peuvent-ils espérer quand leur corps est souvent une monnaie d'échange ? Mais l'incarcération (en attendant l'expulsion), ordonnée dans l'indifférence, est une violence tout aussi forte. Le juge oscille entre une liberté potentiellement dangereuse et une incarcération sans perspective.

La banalisation d'un droit d'exception

Sur la scène d'une guerre contre le crime, ce type de doute n'est pas de mise. Au contraire, la menace étant omniprésente, il faut être prêt à agir, y compris de manière arbitraire. L'urgence parfois le commande. Faut-il alors déplorer ou admettre l'inscription d'un tel pouvoir dans la loi ? On peut voir dans les délits flous, les primes aux « collaborateurs » de la justice et les nombreux fichiers, le cheval de Troie de l'état d'exception dans le droit de punir. Danger que souligne Agamben quand il évoque l'indistinction de la règle et de l'exception à propos de la réaction des démocraties libérales au 11 Septembre. Le danger est *l'exception institutionnalisée* comme l'est l'*USA Patriot Act* : face au mal radical, nous retrouvons l'état d'exception au sens d'une fusion entre droit et violence, démocratie et absolutisme [1]. Au fond, libérée des contre-pouvoirs libéraux qui neutralisent sa puissance, l'action politique retrouve une souveraineté sans partage. Sous le masque de l'exception, resurgit la strate théologique de l'État : le théâtre de la guerre contre le terrorisme devient celui de la lutte du Bien contre le Mal.

---

1. Voir Giorgio Agamben, *État d'exception*, Seuil, 2003, p. 64.

La réintroduction de l'exception dans la norme est-elle source de danger ou de fascination ? Agamben semble y voir la manifestation d'une « vie » du politique enfouie sous la croûte du droit et des institutions. Carl Schmitt y trouve une manifestation de la « pure » politique qui situe la décision au cœur de la souveraineté. Absorbée dans le décisionnisme politique que reste-t-il de la démocratie libérale ? Le monde de la guerre plie le droit à ses règles. Au contraire, le monde de la justice et de la paix accepte un droit qui lui est extérieur. Comme le dit Schmitt lui-même, « la procédure judiciaire, en tant que telle, modifie à elle seule la matière de son objet en la faisant passer à un *autre état*[1] ». Elle ne traite pas d'un fait (politique) mais d'un méfait (juridiquement qualifié). Elle n'a pas en face d'elle un ennemi qu'il faut abattre mais des individus à qui elle impute des faits prouvés. Un criminel ne peut être à la fois un ennemi politique et un sujet responsable. Un droit de punir démocratiquement conçu ne peut que se briser sur cette contradiction.

Si l'on peut critiquer certains aspects d'une loi sur le crime organisé, il n'en est pas moins souhaitable que les exceptions soient inscrites formellement dans le droit. On n'y trouve nullement la corruption de la norme qu'y voit Agamben mais au contraire la marque d'une garantie libérale. On évite surtout, par cette antériorité – l'action dans le droit – le vrai danger qu'est la *fusion* dangereuse du droit dans l'action. Le droit reste la grammaire plus ou moins contraignante qui continue de régir l'action politique. La raison d'État doit être comprise comme une expérience possible et transitoire de la démocratie libérale. Elle confère à l'État un mode de gouvernement extraordinaire imposé par les circonstances. Elle signifie non une crise de la démocratie mais une

---

1. Carl Schmitt, *La Notion de politique*, Flammarion, coll. « Champs », p. 47.

crise *dans* la démocratie. Ce qui suppose un énoncé qui rende toujours lisible l'articulation entre le droit et la puissance. Toute dissociation entre ces deux pôles doit rester temporaire, exceptionnelle, expliquée publiquement et justifiable au cas par cas. Il y va de la continuité des institutions démocratiques.

L'avancée de l'idéologie victimaire

Face aux défis de la criminalité, la volonté de punir, toutefois, tend à s'affranchir de toute limite. Sollicitant largement les incriminations, encourageant l'urgence procédurale, mesurant chichement les droits de la défense, elle semble surtout ne vouloir réparer que le mal fait aux victimes. À côté de ce réaménagement du droit de punir, les équilibres démocratiques eux-mêmes sont perturbés. Quand les menaces sont là, la défense des libertés devient secondaire et l'axe qui lie la police à l'exécutif passe au premier plan. L'âme inquisitoriale du système pénal vit à travers le pouvoir policier. Outre qu'elle sait aller vite, la police est à la fois immergée dans la société et proche du politique. Alors que cet « inquisitoire policier » est toujours plus investi, réformes après réformes, la justice incarne plutôt un frein. L'une (la police) réduit le temps entre l'ordre étatique et son exécution, l'autre (la justice) est une médiation entre l'État et les droits de la personne. On mesure les tensions que vit celle-ci : elle qui doit peser les arguments en présence et tenir à égale distance les protagonistes, qui travaille inlassablement les conflits d'une société démocratique, voici qu'elle doit choisir son camp. Sous l'empire d'un droit de punir radicalisé, elle arbitre moins un débat qu'elle doit mettre en scène un combat.

Cette conjoncture survient en France au moment où l'avancée politique de la justice, au regard d'un passé de soumission à la loi, l'expose davantage. La démocratie d'opinion dévoile une personnalisation de la justice inédite dans une culture juridique habituée à la figure du juge automate. Nul n'ignore plus sa créativité jurisprudentielle, son autonomie décisionnelle, sa fonction de contre-pouvoir. Son pouvoir normatif s'exerce à découvert. Les juges, ces serviteurs anonymes de l'État, sont identifiés nominativement, publiquement critiqués, parfois attaqués. La portée de leurs décisions, dans une procédure largement secrète, leur impose d'être compris d'un bout à l'autre de l'espace public. Le travail judiciaire devient une activité à risques. Faute de pouvoir nouer un dialogue confiant avec le public, la défiance explose en violence quand des épisodes de populisme pénal surgissent.

L'accusation éthique et le devoir de dénonciation

Comment s'en étonner ? Placé à l'épicentre de la démocratie entre les représentés et les représentants, entre les citoyens et la loi, le juge fait jouer l'arbitrage du droit dans leurs conflits. Sa fonction de pacification sociale tourne le dos à l'esprit guerrier, aux croisades morales. Lors de l'enquête contre Marc Dutroux, le dessaisissement d'un juge d'instruction efficace a provoqué un tel scandale que, peu après, 300 000 personnes défilaient dans les rues de Bruxelles lors de la fameuse « marche blanche ». Que lui reprochait-on si ce n'est d'avoir compromis son impartialité en dînant avec les familles des victimes, en acceptant un modeste cadeau ? Au moment du procès, le public ne se divisait-il pas encore entre « croyants » et « incroyants » selon ceux qui croyaient à un réseau pédophile et ceux qui n'y croyaient pas ? Quand la passion grandit, l'indépendance et l'impartialité sont un insupportable désaveu pour tous ceux qui adhèrent aux attentes des victimes.

Les deux faces du populisme pénal

Le populisme pénal exprime dans l'opinion deux excès symétriquement opposés : le scandale de l'impunité d'un côté ; celui de la punition injuste de l'autre. La conjoncture liée au 11 Septembre 2001 et aux élections présidentielles d'avril 2002 symbolise le premier excès. Qu'on se souvienne de l'affaire Bonnal : voici un homme au lourd passé judiciaire libéré sous contrôle judiciaire en octobre 2001 car la durée de l'instruction est jugée excessive par la Chambre d'instruction. Il est alors soupçonné d'être l'auteur du meurtre de deux gardiens de la paix lors d'une fusillade. À l'approche de l'élection présidentielle, jamais la justice ne fut accusée avec une telle violence par l'opinion. Un « observatoire des mises en liberté » créé par un syndicat de policiers parle d'une « loi pour les voyous » pour qualifier la loi du 15 juin 2000 sur la présomption d'innocence. Il apporte aux médias chaque jour les preuves de nouvelles « bavures » judiciaires. Une course aux déclarations politiques s'engage. Le président de la République parle des « dysfonctionnements graves et répétés » de la justice. Le président de l'Assemblée nationale évoque « six personnes tuées par l'irresponsabilité de trois magistrats ». Le Premier ministre parle d'une « dramatique erreur d'appréciation » et bloque la carrière du juge fautif. L'affaire Bonnal marque un virage : elle est suivie d'une hausse brutale du nombre des détentions provisoires (9 % entre 2001 et 2002) et de l'adoption par le Parlement d'une modification de la loi du 15 juin 2000. Plus encore, elle révèle l'extrême sensibilité de l'institution judiciaire tout entière aux inquiétudes de l'opinion : on a évalué qu'entre octobre 2001 et juillet 2002, la population pénale passe de 46 000 à 58 000 détenus soit une hausse de 12 000 détenus en neuf mois. Deux ans plus tard, en juin 2004, dans un silence total, le même homme sera acquitté en appel par la cour d'assises de Seine-Saint-Denis dans l'affaire pour laquelle il avait été si scandaleusement mis en liberté.

Le procès d'Outreau est le double inversé de l'affaire Bonnal : cette fois, la colère de l'opinion porte non sur une carence mais sur un excès de punition, en l'occurrence, des incarcérations injustifiées. Dans cette affaire, dix-sept personnes, dont treize clament leur innocence, sont accusées par les enfants abusés et leurs parents (eux-mêmes incestueux). Le déroulement de l'affaire prend la forme d'une panique morale. Lorsqu'il commence fin 2001, le récit médiatique y voit une affaire Dutroux à la française. Unanime, la presse décrit un « cercle de notables » pédophiles, évoque l'existence supposée de charniers, étale le nom des accusés sur la place publique. Bref, entre janvier et février 2002, l'affaire d'Outreau est bouclée par les médias [1]. Dans les rues de Boulogne, les présumés coupables sont insultés, la foule poursuit le fourgon cellulaire en criant « À mort les violeurs d'enfants ! ». L'enquête est menée dans un climat d'émotion extrême quelques mois avant l'élection présidentielle de 2002. La thèse du réseau pédophile est confortée par les enfants, dont les témoignages sont crédibilisés par les experts. L'instruction la verrouillera : les détentions ont été systématiquement confirmées par la cour d'appel. Les confrontations (victimes/auteurs présumés) sont jugées outrageantes pour les victimes. Les demandes de mises en liberté refusées.

À l'audience de la cour d'assises de Douai en juin 2004, dans un tout autre contexte, le débat contradictoire et public donne une nouvelle chance à la vérité. La fragilité des témoignages apparaît en pleine lumière. Les principaux accusateurs reviennent sur leurs aveux. Les experts se montrent moins définitifs. Au moment où l'audience se détache

---

1. Voir Gilles Balbastre, « Les faits divers ou le tribunal de l'opinion », *Le Monde diplomatique*, décembre 2004.

progressivement du travail de l'instruction, le récit médiatique rompt brusquement avec lui. Les médias avec le même élan unanime se lancent dans une campagne « dreyfusarde » au nom de l'innocence injustement bafouée. Sans doute n'ont-ils pas tort devant tant de détentions abusives. Ainsi retrouvent-ils leur rôle d'instance d'appel des décisions de justice inauguré par le fameux « J'accuse » de Zola, mythe fondateur de la presse française. Mais comment comprendre qu'après avoir nommément accusé ces hommes et ces femmes d'être des monstres ils les métamorphosent en innocents pathétiques ? Pis, que, sans aucune autocritique, ils formulent un verdict d'innocence pour tous les accusés après avoir plaidé unanimement en sens inverse ? Quand la justice répare enfin ses graves erreurs, les acquittements ne seront ni adéquats, ni convaincants ; les peines seront trop lourdes, les motifs incompréhensibles et surtout la faute de l'institution judiciaire ne sera jamais assez reconnue. Derrière les victimes de l'erreur judiciaire, les victimes du crime – les enfants abusés – sont aspirées par une spirale du silence. Les sept personnes acquittées seront immédiatement indemnisées et reçues par le garde des Sceaux. Qu'en conclure ? Peut-être notre société est-elle vouée à tempérer ses propres ardeurs punitives par le remords d'avoir trop puni ?

Dans ces deux études de cas, la différence est nette par rapport aux paniques morales étudiées aux États-Unis : loin d'être un arbitre quelque peu lointain, le juge dans notre pays est un décideur qui doit se justifier, ce qui l'expose à la critique. Au plus près des faits, il travaille à « manifester » la vérité, à mener lui-même les investigations avant de trancher souverainement. Sa responsabilité est à la mesure de ses pouvoirs dans la production du récit judiciaire tant à l'instruction qu'à l'audience.

Mais s'il fournit la scène et les acteurs, il ne maîtrise guère le récit d'un événement projeté dans l'espace public. La puissance du populisme pénal le balaye aisément dès lors qu'il est happé dans son champ de tension. Le récit judiciaire est toujours singulier, en partie opaque, habite une structure narrative fermée ; le récit médiatique, au contraire, est largement ouvert, libre de ses choix narratifs, spontanément porté par l'indignation. L'opinion est un « juge » infiniment plus puissant car elle représente directement la société. Elle s'autorise de ses avis et de ses indignations pour mettre en accusation les autres institutions, au premier rang desquelles la justice. Que l'erreur judiciaire provienne d'une chaîne d'acteurs, où chacun prépare – et confirme le plus souvent – le travail de l'autre, importe peu. La dénonciation nominative l'emporte sur l'investigation journalistique ou, à tout le moins, le recoupement des informations.

Portée par cette folie de l'accusation, l'idéologie victimaire peut entrer sur une scène totalement imaginaire. Qu'une jeune fille prétende avoir été victime d'une agression antisémite dans un train et voilà que la presse et le monde politique lancent un appel à punir les « nazis de banlieue » et les « juges laxistes [1] ». Le récit médiatique y trouve l'horrible détail – les trois croix gammées taguées sur le ventre – qui rend sa sphère de résonance vraie, proche, scandaleuse. Bien que la victime singulière se révèle bientôt mythomane et affabulatrice, la victime invoquée dans le discours politique et le récit médiatique est devenue martyre de la lutte contre le racisme. Une justice qui néglige de punir les actes antisémites incarne l'infamie du silence. Confondue avec l'indignation des médias, la réaction politique se résume à un devoir de dénonciation. La solidarité éphémère autour du malheur individuel est le symptôme d'une impuissance collective à traiter les maux comme la pédophilie et l'antisémitisme. On mesure ici

---

1. Georges Suffert, « Il faut punir plus », *Le Figaro*, 12 juillet 2004.

combien le populisme pénal affaiblit l'action politique réduite à une incantation punitive, tandis que l'opinion est envahie par un élan de compassion pour une fausse victime[1].

Le droit au deuil et le devoir de châtiment

Peu importe que la démocratie bégaie, perde le fil de son récit. La volonté de punir doit s'afficher. Chaque communauté atteinte dans ses œuvres vives exige une poursuite immédiate, une peine exemplaire. Son efficacité espérée s'adresse aux victimes potentielles autant que réelles. Lisons une loi récente : pour assurer notre sécurité, elle veut protéger « les plus démunis » et les victimes des « réseaux » que sont les prostituées et les mineurs[2]. Cette « victime » a une double efficacité : matrice d'une rhétorique de justification mais aussi cible dans le registre de l'efficacité policière. Le petit squatter sera une prise plus facile que le financier corrompu. « Victime » exploitée des réseaux de trafiquants (dans le discours politique), il est aussi un maillon dans la chaîne du crime (dans la pratique policière). L'obsession de la victime nourrit un activisme policier.

La victime est bien la figure sous-jacente de cette recomposition du droit de punir. Présente au stade des poursuites au point qu'on évoque un parquet « bis », partie civile pouvant être dédommagée, elle fait une entrée remarquée dans le serment des jurés[3]. Mais surtout son intervention dans l'appli-

---

1. Sur l'affaire Marie L., voir le dossier présenté par Cécile Prieur, *Le Monde*, 22-23 août 2004.

2. Cette phrase par exemple : « Lorsqu'on indique que les faits constatés ont augmenté globalement de 13,92 % entre 1998 et 2001, cela signifie qu'il y a eu 487 267 victimes supplémentaires soit plus de la moitié de la ville de Lyon » (*Aux sources de la loi, la sécurité intérieure, op. cit.*, p. 8).

3. Les jurés prêtent serment « de ne trahir ni les intérêts de l'accusé, ni ceux de la société qui accuse, ni ceux de la victime » (article 304 du code de procédure pénale issu de la loi du 15 juin 2000) à un moment où celle-ci n'est que partie civile.

cation de la peine – ce sanctuaire de l'humanisme pénitentiaire – ne cesse de s'accélérer ces dernières années : au sein
des juridictions de libération conditionnelle, les associations
de victimes sont désormais présentes[1]. Mais quelle en est la
signification ? Des associations d'aide aux victimes peuvent-
elles participer sereinement à la réinsertion des détenus ? Dès
lors qu'une peine peut être infléchie au nom des droits des
victimes, comment celles-ci peuvent oublier, tourner la page,
se projeter dans l'avenir ? La contradiction entre les deux finalités – juger un individu et satisfaire ses victimes – n'en devient
que plus aiguë. Faute d'une prise en charge psychologique et
sociale plus douloureuse, mais plus adéquate, cette « compétence » nouvelle a fait office de compensation. Mais à quel
prix ?

Franchissant un pas de plus, le sens de la peine intègre
désormais le respect des droits des victimes à côté de la
protection de la société et de la réinsertion. Trois réformes
viennent confirmer cette tendance : premièrement, des
enquêtes peuvent être faites sur les conséquences des mesures
d'individualisation des peines au regard de la situation de la
victime ; deuxièmement, celle-ci doit être informée de la possibilité de déposer des observations écrites avant toute décision du juge de l'application des peines ; troisièmement, la
victime doit désormais être informée avant toute mise en
liberté « lorsqu'il existe un *risque* que le condamné puisse se
trouver en [sa] présence[2] ». Cette information préserve un
pouvoir d'appréciation au juge, par exemple si la victime ne
le souhaite pas.

---

1. Ces deux réformes datent de la loi du 15 juin 2000. Voir Robert Cario, « Qui
a peur des victimes ? », *Actualité juridique pénale*, décembre 2004 et Anne d'Hauteville,
« Réflexions sur la remise en cause de la sanction pénale », *Revue de science criminelle*,
avril-juin, 2002, p. 402-407.
2. Nouveaux articles 712-16 et 720 du CPP (loi du 9 mars 2004). Je souligne.

Cette montée en puissance est nette dans les pays où la victime, comme partie civile, est présente lors du procès. Mais dans les cultures de *common law* où elle n'est que témoin, la victime réapparaît après le jugement. Peut-être un jour appliquerons-nous les dispositifs nord-américains de libération conditionnelle, où la victime peut être entendue à l'occasion d'un débat sur un aménagement de peine[1] ? Sa demande, à ce stade, est triple : « confronter l'auteur du délit au mal qu'il a causé, s'opposer à sa libération et représenter ceux et celles qui ne sont plus là ». « Les victimes sont conscientes qu'un jour ou l'autre il pourra retrouver sa liberté mais elles veulent *avoir leur mot à dire*. Elles estiment que la sentence est *trop courte* compte tenu de la gravité du crime et jugent que le délinquant n'a pas assez payé pour ce qu'il a fait. Elles ne croient pas qu'il ait pu *changer en si peu de temps*. Elles veulent donc *ralentir le processus*, lui *mettre des bâtons dans les roues*, démontrer qu'il n'est *pas digne de confiance* [...] J'ai du *caractère*, je suis un *fighter*, je ne me *mets pas la tête dans le sable*, je suis *déterminé* : c'est en ces termes qu'elles se décrivent[2]. »

Que nous dit ce discours ? Que le danger demeure toujours là ; qu'un homme capable de « ça » ne change pas ; que le nuage de violence d'un jour continue d'assombrir les vies brisées. Figés par le traumatisme, les rôles d'agresseurs et de victime sont toujours en scène comme au jour fatal. Le combat pathétique du survivant abolit toute mise à distance par le temps. Au contraire, la force de l'accusation

---

1. Une loi canadienne de 1992 permet aux victimes d'être informées des programmes de remise en liberté, de connaître des critères de la décision, de produire un écrit sur l'impact du crime et leurs craintes. Depuis 2001, elles peuvent lire à la fin des débats une déclaration orale ou présenter une cassette vidéo. Voir l'enquête d'Arlène Gaudreault, *Parcours des victimes de crime dans le système correctionnel canadien*, document dactylographié, 2003.
2. *Ibid.*, p. 9-10. C'est l'auteure qui souligne.

éthique n'en est que plus stimulée. La perspective de réintégration du condamné est moralement impossible tant la
proximité avec la victime est étouffante. Sous l'empire du
traumatisme, la justice ne fait plus tiers entre les hommes.
Captée par cette souffrance, la sentence ne symbolise plus la
transformation du mal en mémoire. Elle accapare le tiers de
justice qui ne peut être l'opérateur symbolique de cette
transformation. Ce qui compte, comme le disent les tenants
d'une justice réparatrice radicale, est d'obtenir des sentences
qui renforcent la maîtrise souveraine de soi (*dominion*) des
victimes tout en ne réduisant pas celle du condamné[1]. Mais
en récusant toute proportionnalité de la peine (refus du *just
deserts*), en exigeant que les peines servent directement à des
perspectives réparatrices, ces pratiques (et les théories qui les
justifient) ne mettent plus de borne à la sévérité des peines.
Une chose est certaine : tant que la peine ne lui permettra
pas de recouvrer l'estime de soi, la victime sera insatisfaite.

On peut craindre que le conflit ouvert entre la *dette
de réparation* (de la victime) et la *dette de réhabilitation* (du
condamné) ne prépare une étape nouvelle du désengagement
de notre société à l'égard de l'individualisation de la peine. La
première dette englobe et postule la négation de l'autre. Plus
encore : elle vole son énergie à l'autre. Le souci des victimes
agit comme un effaceur de la dette de réhabilitation qui est,
de fait, désactivée. Tout se passe comme si la dette de réparation paralysait les autres fonctions de la peine. La souffrance
ajoutée de la peine devient lourde de la souffrance imméritée
de la victime. Fasciné par ce devoir moral, le droit de punir
sombre dans la seule réparation des victimes.

Une attente morale, thérapeutique et cognitive surplombe la scène pénale : paradoxe étonnant d'une justice

---

1. John Braithwaite et Philip Petit, *Not Just Deserts*, Clarendon Press, 1990.

ayant si longtemps œuvrer pour la réhabilitation des auteurs qui cherche maintenant à « restaurer » les victimes. Tout autre sens de la peine serait une insulte à leur attente de récit. En somme, une fois le mal commis, la peine ne suffit plus. La dette subsiste et cherche son dû. Comment survivre, revivre, sortir du trauma, bref, traverser le deuil ? L'État qui sait punir ne sait pas répondre à une dette inconnue de lui. La victime ne cesse de chercher une réparation, de forcer une offre qui se dérobe. Sa quête demeure infinie, son objet insaisissable. Autour d'elle, la cohorte des moralistes invisibles veille à dénoncer les atteintes à sa figure sacrée. Comment mieux voir l'hégémonie de la culture victimaire et le déclin corrélatif de l'idée de réhabilitation qui donnait son orientation à la peine ?

V

Évaluer des risques ou juger une personne ?

« On les enfonçait dans l'eau car en cherchant à les sauver on eût fait chavirer la barque. »

André Gide, *Souvenirs de la cour d'assises.*

« La paix ne peut se fonder que sur l'idée que les rapports entre les hommes sont des rapports entre semblables. »

Claude LEFORT, *Écrire à l'épreuve du politique.*

Dans un monde fluide où les frontières se brouillent, les relations des hommes entre eux sont hautement instables. Les murs qui séparent le « prochain » du « lointain » se désagrègent. C'est de l'intérieur de la société que surgit le terrorisme, c'est dans les familles ordinaires que se cachent l'inceste ou les violences sexuelles, dans les communautés éducatives que l'on découvre des pédophiles. Le danger venant de

185

l'extérieur était visible, le danger du dedans est invisible et imprévisible. Ce qui rapproche le pédophile du terroriste est qu'ils sont tous deux des ennemis du genre humain d'une extrême banalité. Aucun signe ne permet de détecter leur projet monstrueux. Ils ont le profil lisse et sans histoires des criminels qui demeurent dans des réseaux « dormants » jusqu'à leur soudain passage à l'acte.

Pour nous en protéger, la loi pénale doit sans cesse tracer cette frontière entre « nous » et « eux ». Au fil de ses réécritures, elle sépare inlassablement les délinquants et les honnêtes gens, les bonnes et les mauvaises victimes. Les stratégies de mises à distance sont d'autant plus intenses que la proximité est vécue comme contaminante. Ces ennemis de l'intérieur, images inversées de nous-mêmes, alimentent une attention vigilante à de multiples signes, une quête incessante de renseignements, la constitution de nombreux fichiers. Leur contrôle est d'autant plus illimité que par nature, ils tendent à se dérober.

La tension qui traverse l'acte de punir n'en est que plus vive. La loi incarne le moment politique de la peine, où la société proclame sa volonté de punir, en édictant des incriminations générales pour un individu abstrait. Au contraire, le jugement réalise la rencontre asymétrique avec un individu singulier, met en scène un débat individualisé. Il se joue dans l'entre-deux du « proche » et du « lointain », entre la proximité d'un être semblable et la différence d'un acte réprouvé. Tout se passe comme si cette rencontre était marquée par une « incomplétude », une zone indéterminée, entre l'abstraction de la loi et la vie de la société[1]. Le moment de la décision exprime un *acte* au moyen d'une *règle*. La règle est

---

1. Voir Paolo Napoli, *Naissance de la police moderne. Pouvoir, normes, société*, La Découverte, 2003, p. 299.

sans vie si elle ne s'applique à aucun acte. L'acte doit rencontrer la bonne mesure de la règle pour ne pas céder à sa propre violence.

Le sens de l'acte de punir oscille entre l'incompréhension qui accuse et la compréhension qui explique. Tantôt le regard sur l'auteur de l'infraction est porté par une indignation collective à l'égard du mal que le populisme pénal amène à l'incandescence. La passion de punir l'emporte alors sur tout autre sentiment. Tantôt le regard proche rétablit une relation singulière qui est liée à des rôles différenciés. Cette tension habite les acteurs de la violence étatique – policiers, juges ou surveillants – lorsqu'ils sont face à leur semblable.

« Eux » et « nous » : punir un autre

S'il est vrai que la figure de l'autre dangereux domine la nouvelle économie pénale, sachons en tirer toutes les conséquences : la responsabilité perd son point d'appui individuel et disparaît derrière le risque délinquant. Plus la distance qui nous en sépare se creuse, plus nous cherchons en vain à la combler. La rupture n'en est que plus nette avec les grands modèles qui ont permis de penser la peine (dissuasion, rétribution et réhabilitation) dans une référence à l'homme coupable.

L'effacement de la pénalité individuelle

Figure du sacré à l'origine, la peine est issue d'une anthropologie de l'équivalence : le mal infligé doit supprimer le mal subi. Punir, c'est affliger les coupables d'un châtiment et ainsi purifier la communauté de la souillure du crime. Issue d'un univers religieux, l'expiation tend à effacer la violation de l'interdit. La société restaure ainsi un ordre déréglé par la violence. La responsabilité individuelle n'y a aucune place. La fonction de la peine est de « maintenir intacte la cohésion sociale en maintenant toute sa vitalité à la conscience commune[1] ». La tragédie *Les Eumédides* d'Eschyle met en scène cette antique loi du sang incarnée par les Érinyes : on y voit la violence sans visage de la divinité se fixer sur une « victime » pour apaiser le vengeur. Nous gardons peut-être de cette époque mythique la croyance aux effets d'apaisement des malheurs collectifs. En son tréfonds, la peine reste un « ressort bandé qui plane au-dessus de tous », afin d'éliminer le mal en sacrifiant une victime[2].

À partir du moment où la communauté politique trouve en elle-même la source de sa légitimité, le rapport au divin s'efface. Le sacré se déplace vers cette autre figure transcendante qu'est l'État. Désormais, c'est lui qui monopolise le pouvoir de punir. Au faîte de sa puissance, le souverain fait savoir que le crime est une offense envers lui seul. Le procès pénal est construit comme un face-à-face écrasant pour celui qui ose le défier. Celui qui désobéit à la loi encourt un châtiment rigoureux, mais peut aussi être gracié. À l'éclat des supplices correspond la grâce miséricordieuse. Manifestation de la toute-puissance du souverain d'un côté, cette dialectique de la punition et de la clémence introduit une imputation individualisée du mal commis.

Sous l'influence des Lumières, le droit de punir s'auto-limite : peu à peu, il renonce, concède, transige. Il se résout à une violence légale, rationnelle, ouverte aux droits de la personne. La peine est une rétribution qui frappe celui qui viole les règles sociales ou ne respecte pas le contrat. Kant et Hegel donnent à cette doctrine rétributive, plus tard reprise avec le juste dû (*Just deserts*), le sens d'une rétribution morale. Punir, c'est considérer le criminel comme libre et responsable

1. Émile Durkheim, *De la division du travail social* (1930), PUF, p. 76.
2. Paul Fauconnet, *op. cit.*, p. 245.

de ses actes ; c'est honorer la part de lui-même à laquelle il a
été infidèle. Locke et Bentham opposent à cette « valeur
réelle » de la peine (rétribuer), une « valeur apparente » (dissuader) tournée vers les effets socialement utiles : la peine est
un sacrifice indispensable au bien commun. Le pacte social
doit être défendu avant tout : s'il faut punir, c'est pour
défendre la propriété contre les tricheurs. On sait ce que Marx,
dans *La Sainte Famille*, dira de cet appareil punitif : un habil-
lage grossier des rapports de classe, une oppression à peine
voilée, une mise sous tutelle des dominés par les dominants.
Au moment de la Révolution pourtant, et bien longtemps
après, cet esprit utilitariste reste dominant : les peines étaient
alors fixes et les juges devaient les appliquer. Seul le jury, en
acquittant les accusés (scandaleusement, disait-on), pouvait
leur éviter la mort ou le bagne [1].

Qu'on cherche à le dissuader ou à le moraliser, le sujet
responsable n'est jamais perdu de vue. Le versant « réhabilitatif » de ces modèles (« tu vaux mieux que tes actes ») appro-
fondit cette voix. Les valeurs du christianisme et du pardon
évangélique poussent au bout le souci d'individualisation.
« L'homme pécheur », susceptible de pardon, sera longtemps
au centre de la réforme pénitentiaire. « L'homme symptôme »,
susceptible de traitement par les sciences humaines, lui succé-
dera. Guéri ou pardonné, diagnostiqué ou traité, l'individu
occupe une place essentielle. Car s'il a violé le pacte social, il est
aussi un être moral à corriger, une pathologie qu'il faut traiter.
L'État a le devoir de socialiser les individus en usant de réponses
préventives, éducatives, curatives. Mais le diagnostic clinique

---

1. Sur cette généalogie, voir Frédéric Gros « Les quatre foyers de sens de la peine »,
in A. Garapon, F. Gros et T. Pech, *Et ce sera justice. Punir en démocratie*, Odile Jacob,
2001, p. 35 et ss. et Alvaro P. Pires, « La formation de la rationalité pénale moderne
au XVIII⁰ siècle », p. 6-216, in C. Debuyst, F. Digneffe, J.-M. Labadie, A. Pires, *Histoire
des savoirs sur le crime et la peine*, t. II, De Boeck Université, 1998.

(milieu, personnalité, héritage génétique...) qui permet d'adapter la peine et de prévenir une éventuelle « dangerosité » est parfois aussi porteur d'indices de prédiction.

Que deviennent aujourd'hui ces modèles de la peine qui, même s'ils n'ont pas la même finalité, sont tous centrés sur l'individu ? Ce centre de gravité s'est incontestablement déplacé. Le débat actuel est moins de savoir quels sont les facteurs de risques *de* l'individu que quel est le degré de risques acceptable *pour* la société. Il ne cherche plus à inspirer à cet individu la crainte d'une sanction mais à éviter à la société ce risque qu'il représente. Le crime n'est plus pensé à l'intérieur d'un savoir mesuré par rapport à un individu. Il n'est plus configuré dans un diagnostic sur les bons et les mauvais penchants de l'âme criminelle. Totalement détaché de son auteur, le crime tend à être vu comme un aléa de l'insécurité, qu'il s'agisse des figures du toxicomane à risques, du délinquant sexuel ou du mineur multirécidiviste.

Alors que l'individu devient périphérique, le souci de sécurité occupe une place centrale. On songe moins à réprimer un acte (la rétribution), ou à corriger des attitudes (la réhabilitation), qu'à évaluer des risques. On ne mise plus sur la crainte de la sanction pour dissuader un individu, mais on évalue le coût qu'il représente pour la société. Que devient la responsabilité au sens d'un travail sur les aptitudes d'une liberté ? Elle semble se limiter à l'identification du profil d'un auteur que l'on pourra désigner, arrêter, neutraliser. À sa faute, affectée d'un coefficient de multiplication presque infini, répond la « bonne » peine qui va stopper sa propagation. Le danger ne se réfère plus à l'imputabilité mais à une causalité menaçante [1].

---

1. Voir, par exemple, le dossier sur l'analyse criminelle sur le site du ministère de la Justice (www.justice.gouv.fr). Le thème du profilage s'appuie sur des logiciels de données psychologiques et comportementales.

Fait significatif, les grandes figures du traitement psychiatrique issues de la culture pénale de 1945 sont devenues des emblèmes de « l'autre » dangereux : mineurs délinquants (incontrôlables et réitérants) et malades mentaux (pervers et porteurs de risques). Les professionnels sont crédités d'attentes proportionnelles aux craintes que leur objet inspire. Travailleurs sociaux et psychiatres sont invités à répondre à une demande de « tolérance zéro » présumée plus protectrice. Il est demandé aux juges de prononcer des condamnations proportionnelles au degré de risque encouru. Pour l'y inciter, la loi cherche avant tout à « épargner les vies » des victimes éventuelles comme le souligne le débat actuel sur le bracelet électronique mobile. Celui-ci relève clairement, dans l'esprit de son concepteur, d'une technique de contrôle du comportement et davantage que d'un aménagement individualisé de la peine[1]. Bref, l'évaluation des risques entre dans la rationalité pénale.

L'affaire Heywood et le partage des risques
(Cour suprême du Canada, 24 novembre 1994)

À chaque étape de son élaboration, le droit de punir est habité par le souci du risque. Au stade de la conception de la loi, la tendance est d'obtenir un partage du risque au moindre coût pour la collectivité. Il suffit de prévoir des incriminations ouvertes, larges, sans contraintes. Telle est la

---

1. Projet en discussion à l'Assemblée nationale au moment où j'écris ces lignes selon lequel un délinquant sexuel peut être placé sous une surveillance électronique mobile (PSEM) capable de le détecter à deux mètres près durant vingt ans (pour l'auteur d'un délit) et trente ans (pour un crime) après une peine d'emprisonnement. Voir les débats parlementaires sur le projet de loi sur « le traitement de la récidive des infractions pénales » sur le site www.assemblée-nationale.fr discuté les 14 et 16 décembre 2004.

loi canadienne qui prévoit de soumettre une personne condamnée pour un crime sexuel à une interdiction à vie de flâner dans un parc. Deux justifications sont données : d'une part, la protection des enfants, victimes potentielles, et, d'autre part, l'impossible prédiction « en l'état actuel de nos connaissances » de ce type de crime. Le risque en termes d'atteinte aux libertés publiques (liberté d'aller et de venir, présomption d'innocence, principe de légalité...) passe au second plan. La seule éventualité qu'il faut prévoir est la récidive. Avec un filet pénal conçu comme la couverture d'un risque, le fléau de la criminalité sexuelle est présumé moins menaçant.

La Cour suprême du Canada dans l'affaire Heywood critique cette loi au nom d'une autre distribution des risques : selon elle, cette loi comporte une restriction disproportionnée des droits fondamentaux par rapport au risque encouru. Trop large dans sa portée géographique (flâner dans un parc) et sa durée (toute la vie du condamné), elle a une portée excessive car tout auteur d'infraction sexuelle y est astreint sans égard pour sa dangerosité réelle. Les contours d'une incrimination doivent être proportionnels à *tous* les risques, y compris aux atteintes à la liberté individuelle dont le juge est le garant. Le législateur doit trouver le bon équilibre entre le risque pour la démocratie (l'atteinte aux droits fondamentaux) et le risque pour la société (la récidive).

Le juge doit donc « vider le texte de son venin » au moyen d'une évaluation globale du coût de l'incertitude. Ainsi opère le Conseil constitutionnel à propos de la loi française sur le crime organisé en exigeant du juge et du procureur qu'ils vérifient au cas par cas la qualification de bande organisée, le degré de gravité des faits et la préméditation criminelle. Le risque d'atteinte aux droits fondamentaux est pris en compte. À l'inverse, un fichier des délinquants sexuels ne porte pas, selon le Conseil, une « atteinte excessive » aux droits fondamentaux en raison de leur dangerosité. Le risque encouru par la société, cette fois, l'emporte. Le contour des incriminations au sens d'une mesure du risque représente bien un enjeu de politique pénale[1].

L'évaluation des risques devient omniprésente dans une institution judiciaire ouverte à la critique publique. Au stade de la poursuite d'abord, où se joue la criminalisation (ou pas) de faits, dont l'auteur est déferré. Puis lors des décisions de privation (ou de restriction) de liberté. La notion de « trouble à l'ordre public », qui conditionne pour une large part la détention provisoire, contient en elle-même une échelle d'évaluation des risques. La même évaluation se retrouve au moment des aménagements de peine quand il s'agit, par exemple, de décider d'une libération conditionnelle. C'est moins à cette décision juste à laquelle le juge est convié qu'à un choix strictement conséquentialiste, un pari sur le futur. Si la loi par sa sévérité a fait un partage des risques orienté par la protection de la société, le juge n'est guère légitime à lui substituer sa propre évaluation. Surtout si le populisme pénal en fait *in fine* le responsable moral des crimes que ses décisions ont rendus possibles.

Au partage des risques s'ajoute leur nécessaire anticipation. À la responsabilité s'oppose la traçabilité. Toute responsabilité suppose de déterminer les actes dont on doit répondre. Punir un semblable, c'est postuler que la liberté d'autrui n'est jamais perdue de vue. À l'horizon de toute peine, quelqu'un doit « répondre » de ses actes. À l'opposé de ce schéma, la traçabilité place ces actes dans un réseau d'informations où plus personne ne *répond* plus de rien. Un sujet à risques est défini par une batterie de réponses à un questionnaire, une accumulation de renseignements et de traces soigneusement stockées. À aucun moment, sa responsabilité n'est

---

1. Décision du 2 mars 2004 précitée.

réintroduite sauf, s'il y a lieu, au moment d'un jugement. Ni libre, ni déterminée, sa déviance est inscrite en lui à son insu. Comment identifier une responsabilité dans une série d'indices dépourvus d'origine, de visibilité, de centre[1] ?

À cette désindividualisation de la responsabilité s'ajoute le démembrement de la personne. Stigmatisée par des signes, elle se réduit à un objet de savoirs : molécules d'ADN, logiciels de profilage, objet de surveillance par satellite (GPS)... On cherche à créer des *identifiants* permettant d'anticiper le risque : photos, portraits-robots des délinquants sexuels, traçabilité des toxicomanes (test d'urine). Le stigmate est non une simple information mais la trace d'un lien tissé avec ses contrôleurs comme les « types », les « profils », les « signes particuliers » sur des avis de recherche. Tout un système scientifique d'investigation se met en place pour démultiplier la capacité de contrôle. Ce qui compte est moins la marque infamante que la trace qui conduit à l'auteur. On en vient même à douter de l'humanité de ce « prédateur », tant il est déjà hors de sa communauté, tel l'*homo sacer* du droit romain archaïque, cet homme chassé de la cité que l'on pouvait tuer impunément.

La rationalité pénale se déplace : le contrôle de la traçabilité occulte l'appel à la responsabilité. Procureurs et policiers trouvent leurs nouvelles normes de référence dans les performances prédictives. Un taux de récidive croissant sera moins un facteur d'inquiétude qu'une mesure de l'efficacité de sa détection ; et, s'il est anticipé, un taux élevé de criminalité peut devenir un succès. La gestion prévisionnelle des aléas efface le souci d'imputation individuelle. Ce qui compte est d'établir des critères de « profils » à risques et de surveiller les

---

1. Voir Philippe Pedrot (dir.), *Traçabilité et responsabilité*, Economica, 2003, p. IX.

groupes d'individus qui y correspondent. Le crime n'est plus justiciable d'un jugement mais d'un diagnostic de réitération.

Un nouveau modèle : le risque et la précaution

Un nouveau paradigme de la peine devient hégémonique : la *dialectique du risque et de la précaution*. Dans un monde voué à la globalisation, le risque délinquant est diffus, omniprésent, peu localisable. Comment se défendre face à des menaces globales transnationales et déterritorialisées ? À notre insu, nous sommes exposés au danger dans l'air que l'on respire, les aliments que l'on mange ou les échanges sexuels : nul ne peut en connaître les fautes, ni situer les responsables. Les risques modernes se diffusent partout et investissent toutes les hiérarchies sociales. Nous vivons cette « ère spéculative » dont parle Ulrich Beck, où le danger invisible qui nous environne crée une « communauté de la peur », dominée par la souffrance des victimes qui ont « des voix, des yeux et des larmes » et à laquelle répond un « totalitarisme légitime de la prévention »[1]. Cette spirale de la peur incite à reconstruire en permanence les frontières entre « nous » et « eux ». La société est invitée à assurer son autodéfense, à devenir un auxiliaire de la police. Le partage de la sécurité fait office de lien social.

La *dangerosité* laisse subsister un face-à-face clinique, une coprésence entre soignant et soigné ; elle donne une place, même si elle est mince, au projet, au mieux-être, à la curabilité. Le *risque*, au contraire, met à distance l'individu, lui applique un modèle statistique, une échelle d'intensité, une catégorie comportementale. « Prévenir, dit Robert Castel, c'est d'abord surveiller, c'est-à-dire se mettre en position d'anticiper l'émer-

---

1. U. Beck, *op. cit.*, p. 111 et p. 145.

gence d'événements indésirables au sein de populations statistiques signalées comme porteuses de risques[1]. » Au bout de ce transfert de savoir, la précaution l'emporte sur le projet circonstancié et l'évitement du pire sur la recherche du mieux.

Ainsi la criminalité devient-elle le *produit* de ces nouveaux savoirs. À quoi nous invitent les caméras de surveillance, les contrôles électroniques, les systèmes d'alarme, si ce n'est à nous penser comme des victimes potentielles[2] ? Nous ne sommes plus face à la dangerosité d'un individu cliniquement constatée mais à la violence imprévisible de son profil. On peut alors s'engager dans une recherche folle de la causalité du mal. Steven Spielberg, dans son film *Minority Report*, a poussé jusqu'au bout le fantasme de la toute-puissance de l'investigation policière en quête d'un futur totalement transparent : le policier peut intervenir avant même que les crimes soient commis grâce à des « precog » (précognitifs) qui peuvent les anticiper. Pure fiction ? Pas autant qu'on pourrait le penser. Certains programmes américains financent des équipes de supervision des *sex offenders* remis en liberté sous contrôle afin d'étudier leurs fantasmes déviants et d'anticiper les possibles passages à l'acte. Ainsi naissent les logiciels de prédiction des comportements à partir de bases de données que les « profileurs » utilisent dans leurs enquêtes.

On mesure la rupture qui traverse la rationalité pénale. Dans les modèles individualisés, on punit un coupable tantôt pour ce qu'il a fait (rétribution), tantôt pour qu'il ne recommence pas (dissuasion), tantôt pour l'aider à ne pas recommencer (réhabilitation). Avec le modèle de la précaution, l'identité criminelle n'est plus vue du côté des individus mais

---

1. Robert Castel, *La Gestion des risques*, Minuit, 1981, p. 145.
2. Michalis Lianos, *Le Nouveau Contrôle social*, L'Harmattan, 2001, p. 139 et *sqq.*

dans la *catégorie* à risques qu'ils incarnent. Nous ne partageons plus *avec eux* des significations communes mais *contre eux* des risques anticipés. Il n'y a plus d'infraction mais des menaces, plus de délinquant mais des groupes cibles et des territoires à risques. Dans le modèle de la *new penology*, on sort du jugement clinique au profit d'une évaluation actuarielle qui ouvre une « ère post-correctionnelle[1] ». Ce qui compte est l'adéquation des mesures prises avec le risque statistique selon qu'il est réduit, moyen ou élevé. À l'imperfection du diagnostic clinique, on peut opposer une évaluation prévisionnelle, quantifiée, apparemment plus fiable. Pour « gérer » un parcours, on neutralise son « support » pulsionnel et on en « désactive » la nocivité. On raisonne là encore sur l'hypothèse de prédations qu'il faut anticiper, non sur des actes qui appellent une peine. La sécurité ne se conçoit plus ni avec l'autre jugé responsable de ses actes, ni contre l'autre, mais, de fait, sans l'autre.

Cette attitude de précaution se nourrit de tout un système d'alertes et d'approfondissements des connaissances. La prolifération des fichiers en est le symbole. Plus le fichage s'accroît, plus la liste de ces suspects du « dehors » grandit. Une fois de plus, le crime est pensé du point de vue de la victime potentielle (prévention, sécurisation des lieux, assurance), à laquelle nous ajustons le droit (peines accrues contre les « cibles endurcies[2] »). Le spectre du fichier des empreintes génétiques, dernier en date, est élargi : des délinquants condamnés pour infractions sexuelles jusqu'aux simples sus-

---

1. Voir D. Garland, *The Culture of Crime, op. cit.*, Z. Bauman, *Le Coût humain de la mondialisation*, Hachette Littératures, coll. « Pluriel », 1998, et M. Feeley, J. Simon, « Actuarial justice: the merging new criminal law », *in* David Nelken (ed.), *The Future of Criminology*, Sage Publications, Londres, 1994, p. 173-201.

2. Voir Hilde Tubex, « Politique pénale en Belgique. Répression sélective : sexe, drogue et violence », *in* Délinquance et insécurité en Europe, op. cit., p. 143 et ss.

pects[1]. Sans nier les aspects positifs des fichiers (la preuve en dépend souvent), cette passion pour le renseignement accumule un savoir qui ignore tout de la singularité de leurs auteurs. Comment alors envisager une réinsertion, se projeter dans l'avenir quand la société se souviendra de tout ? On attendrait plutôt une évaluation comparée des risques pour les libertés et des avantages pour la sécurité. Un bilan de la récidive des auteurs d'infractions sexuelles, par exemple, aurait montré qu'elle est parmi les plus faibles au regard d'autres délits comme les violences volontaires ou le trafic de stupéfiants[2]. Mais qui s'en soucie ?

Au total, l'idéal de réhabilitation subit une lourde défaite. Celui qui tient le fichier ne tient pas seulement la liberté d'autrui. Il l'attache irrévocablement à la trace de ses condamnations. Pis, il peut désormais produire les preuves d'une carrière criminelle. Un acte pourra toujours être rattaché à une séquence de traces. Une vocation pour le crime peut ainsi être déterrée. À l'appui de cette découverte, il sera aisé d'éluder tout espoir de traitement, toute projection dans un futur. Le fichier est le gardien du temps, des émotions et des peurs. En voulant protéger la société, il la fige et la rétracte.

Enfermer, exclure, territorialiser

Comment se protéger de ceux qui – tels les délinquants sexuels – se trouvent dans toutes les catégories de la popu-

---

1. Outre les fichiers existants (casier judiciaire, fichiers policiers comme le STIC de la police et le Judex de la gendarmerie), sont créés le FNAEG (fichier des empreintes génétiques des criminels sexuels) qui prévoit l'enregistrement de 400 000 profils en 2004 (40 000 en réalité) et le FJNAAIS (fichier judiciaire automatisé des auteurs d'infractions sexuelles).

2. Au contraire, pour le Conseil constitutionnel, le « fichier judiciaire national automatisé des auteurs d'infractions sexuelles » créé par la loi du 9 mars 2004 est jugé conforme à la Constitution, « eu égard à *la gravité des infractions* justifiant l'inscription des données nominatives dans le fichier et au *taux de récidive* » (§ 87). Décision du 2 mars 2004 précitée. Je souligne.

lation autrement que par une prolifération de la surveillance ? Faute d'y parvenir, on procède à leur enfermement massif et prolongé : régime pénal de plus en plus dérogatoire, taux de poursuite élevé, sévérité croissante des jugements, statut pénitentiaire spécifique. Ce système de la précaution évoque la gestion de la peste au Moyen Âge : enclos dans un territoire fermé, en quarantaine dans la ville, les pestiférés sont des exclus de l'intérieur. À l'inverse des lépreux qui sont rejetés au-dehors et déclarés juridiquement morts, les pestiférés restent *visibles* pour permettre l'observation, la production d'un savoir porteur de sécurité pour la population saine. Nos délinquants sexuels s'en rapprochent par le statut qui leur est accordé et l'abondance des contrôles qu'ils suscitent. La prison assume clairement un rôle de contrôle et d'isolement de ces populations à risque élevé. Ira-t-on, comme aux États-Unis, jusqu'à ouvrir au public un registre des criminels classés à haut risque (disponible sur Internet) qui logent près des écoles ? Peu importe que les criminologues aient jugé faible l'impact de ces mesures sur la prévention de la récidive. Ce qui compte est de suivre à vie ces déviants, les rendre ainsi toujours visibles, les « marquer » aux yeux de l'opinion pour nous en protéger. Nous en venons à « voir [l'autre] à travers le stigmate [1] » : cette hypervisibilité finit par rendre invisible l'humanité de l'autre.

Avec la même flexibilité, le droit de punir s'adapte à la menace protéiforme du crime organisé. En haut, dans le monde de la coopération policière, domine la criminalisation des groupes cibles. Les notions de police préventive ou proactive s'imposent : l'objet de cette coopération est de donner une marge d'action à la police afin qu'elle saisisse les auteurs d'infractions éventuelles au cœur de leur projet criminel. Dans l'Union européenne, le contrôle de l'immigration permet

---

1. Avishai Margalit, *La Société décente*, Climats, 1999, p. 100-101.

de surveiller principalement les migrants d'origine extra-européenne. Ce groupe, aisément discriminé par les critères juridiques qui séparent les titulaires des demandeurs de droits, les citoyens des non-citoyens[1], devient aussitôt suspect d'abriter des délinquants potentiels. À un dispositif d'inclusion (la citoyenneté européenne) correspond la stigmatisation des « autres dangereux » pour la sécurité. L'Europe de la puissance coexiste avec l'Europe du droit.

En bas, certains territoires sont construits par et pour le regard policier : la police délimite des « zones criminogènes » où chacun devient suspect, qui concentrent des signes de l'altérité qu'il faut réprimer. Le territoire, pour avoir un « rendement », doit faire apparaître les signes de l'appartenance à la clientèle policière. Le contrôle d'une niche de délinquance signifie son appartenance à un « dehors », à une « zone de non-droit ». La personne n'est plus identifiée par ses attributs juridiques ordinaires (sexe, nationalité, profession...) mais à partir d'« attributs secondaires » comme la couleur de peau[2]. Les médias de masse renforcent cette image en présentant des visages « masqués », des confessions anonymes, des témoignages apeurés. Il s'agit moins de comprendre les causes de l'insécurité réelle que de surveiller des groupes et des lieux désignés. Un travail de délimitation de l'espace permettant d'accroître la visibilité des mouvements par un « regard réificateur » qui fait *comme si* les hommes

---

1. Fabienne Brion, « Les menaces d'une forteresse. Citoyenneté, crime et discrimination dans l'Union européenne » in *La Justice pénale en Europe*, Bruylant, 1996, p. 271.
2. Fabien Jobard, « Le banni et l'ennemi. D'une technique policière de maintien de la tranquillité et de l'ordre publics », in *Construire l'ennemi intérieur, Culture et conflits*, nᵒ 43, 2001, p. 151 et *sqq*. Voir aussi C. Schaut, « L'insécurité et son traitement politique », in *Faut-il une sociologie du risque ?*, Cahiers internationaux de sociologie, vol. CXIV, PUF, 2003, p. 109 et *sqq*.

étaient des objets[1]. On pressent combien cette peur de l'autre peut alimenter un discours populiste.

Les politiques de lutte contre la drogue sont éloquentes de ce point de vue : la répression du trafic s'étend à l'échelle internationale alors qu'à l'échelle locale, la police dépénalise de fait l'usage, mais continue de traquer les « usagers reven deurs », afin de remonter des filières complexes. Comment combattre une offre qui se globalise alors que la demande est toujours plus fragmentée, locale et disséminée ? Là encore, il faut élargir le filet pénal, tenir la chaîne du crime par les deux bouts. Police et justice doivent s'adapter à un crime à la fois global et local. Pour garantir le marché, la possession des territoires est essentielle. Pour être efficace, la stratégie d'enquête s'adapte à cette criminalité au large spectre : le filet doit être large en raison de l'interdépendance entre consommation, trafic et production, niveaux national et international. À tel point que la lutte contre la toxicomanie est devenue le « ciment politique » de la « constitution négative de l'Europe[2] » : elle sert de ligne Maginot à une Europe-forteresse au nom d'une guerre contre la drogue. La sécurité est pensée dans un refus de toute réciprocité et d'échange qui évoque une culture de guerre : « Des groupes en guerre se disent : entre nous, pas de don/contre-don, pas de vengeance réglée, pas de justice ; mais l'affrontement *d'étrangers à étrangers* où l'on peut tout prendre à l'ennemi sans autre condition que celle de vaincre[3]. »

---

1. A. Margalit, *op. cit.*, p. 90.
2. Dan Kaminski, « La toxicomanie comme menace pour l'Europe », in *La Justice pénale en Europe*, *op. cit.*, p. 288.
3. Marcel Henaff, *Le Prix de la vérité. Le don, l'argent, la philosophie*, Seuil, 2002, p. 287. Je souligne.

« *Ne jugez pas !* » *ou le rêve d'André Gide*

« Ne jugez pas ! » On se souvient de cette parole du Christ qui obsède André Gide lors de son expérience de juré de cour d'assises. Comment juger quand la frontière tracée par la loi entre le mal et le bien, entre l'honnête homme et le gredin est parfois si mince ? Gide s'identifie à un pauvre homme qui erre la nuit au Havre et se laisse corrompre par un compagnon de beuverie avant de faire un mauvais coup de trop. À propos d'une bande de jeunes malfaiteurs, il note qu'ils profitaient, certes, de la société, mais n'étaient nullement insurgés contre elle. Au moment de les juger, il en appelle à une certaine retenue. Dans une affaire comme celle de *La Séquestrée de Poitiers,* il apprécie une justice qui acquitte un piètre coupable tout en lui adressant un sévère blâme moral. L'acte de punir, qui suppose d'infliger en même temps une souffrance et une honte, ne lui est guère facile. Tout au long de son expérience, l'angoisse de juger ne le lâche pas, à l'inverse d'autres jurés « pleins de santé et d'ignorance ». « Ce que vous arrachez du champ, est-ce que c'était vraiment l'ivraie ? Ce que vous laissez croître, est-ce que c'était toujours le bon grain [1] ? » Gide ne renonce pas à cette recherche douloureuse de la conviction. Un monde dominé par l'insécurité et le banditisme pourrait bien nous épargner de sonder la *terra incognita* de l'âme humaine. Gide ne se s'y résout pas. Retrouvant son rôle d'intellectuel influent, il rend visite à un condamné après le verdict, écrit des recours en grâce, multiplie les demandes d'audience aux autorités.

Mais, en racontant le rêve de la barque dans ses « Souvenirs de cour d'assises », Gide ira jusqu'au bout de l'épreuve

---

[1]. Gide fut juré à la cour d'assises de Rouen en 1912. André Gide, « Souvenirs de la cour d'assises », NRF, 1914, in *Souvenirs de voyages,* Bibliothèque de la Pléiade, 2001, p. 53.

du jugement. « Cette nuit, je ne puis pas dormir ; l'angoisse m'a pris au cœur et ne desserre pas son étreinte. Je resonge au récit que me fit jadis un rescapé de *La Bourgogne* : il était lui dans une barque avec je ne sais plus combien d'autres ; certains d'entre ceux-ci ramaient ; d'autres étaient occupés tout autour de la barque à flanquer de grands coups d'aviron sur la tête et les mains de ceux, à demi noyés déjà, qui cherchaient à s'accrocher à la barque et imploraient qu'on les reprît. Ou bien avec une petite hache, ils leur coupaient les poignets. On les enfonçait dans l'eau car en cherchant à les sauver, on eût fait chavirer la barque... Ce soir je prends en honte la barque et de m'y sentir à l'abri [1]. »

Il faut donc condamner des hommes, même au prix de l'injustice, pour préserver la société du chaos. En voulant échapper au naufrage, les juges incarnent leur communauté en proie à l'insécurité : ils doivent trancher des mains serrées sur le bastingage pour ne pas faire chavirer le navire. Il faut tenir bon, ne pas perdre pied dans le tangage de l'audience, ne céder ni à la pitié ni à la peur. La peine est toujours, en son tréfonds, cette réaction d'origine passionnelle au crime, que le droit et la justice cherchent à civiliser. Punir, c'est cette stabilité au bord de l'abîme, un mince espace hanté dans la culpabilité. Mandaté pour défendre la société, le juge dans la barque s'acquitte de sa tâche. Au risque de trahir ce mandat, peut-il croiser le regard de cet autre homme sans y voir son semblable, sans hésiter ?

« Lui » et « moi » : punir un semblable

Tel serait en tout cas le destin d'une justice aux prises avec une altérité irrémédiablement dangereuse. Alors oui,

---

1. *Ibid.*, p. 71.

il faudrait punir sans relâche nos « lointains » avec d'autant moins de scrupules que des appareils punitifs s'en chargent pour nous : la police, la justice et la prison. Mais, au stade de la mise en œuvre, le paysage est plus nuancé. L'autre devient proche. Il a un visage, une identité, une histoire. La représentation d'un autrui menaçant se délite. Derrière le miroir du théâtre punitif apparaît une scène plus intime, plus tragique aussi. Les acteurs de la violence légale sont saisis par des sentiments moraux, des conflits éthiques, des doutes persistants. Tous traversent l'épreuve du jugement de Gide. Chacun à sa place se découvre partie prenante d'une relation singulière non pas seulement agent de l'application d'une règle. L'acte de punir oscille entre le monde de l'accusation et celui de la compréhension. La volonté de punir se mesure à l'épreuve de la singularité.

Au-delà de l'affrontement, la « mesure de police »

La police est la première étape de cette rencontre paradoxale avec l'autre. Elle qui incarne la violence étatique présente de multiples visages. Fortement hiérarchisée, elle a aussi une grande autonomie sur le terrain au point qu'on parle d'« inversion hiérarchique » en sa faveur. Son corps professionnel où chacun occupe une place puissamment référée à un ordre interne renforce la frontière entre dedans et dehors. Quand triomphe la représentation de l'autre comme ennemi, les affrontements deviennent vite irréductibles. La relation hiérarchique les décuple plus qu'elle ne les modère. Où placer les limites à un pouvoir construit pour l'action dans une marge d'indétermination entre l'ordre et son exécution selon l'image du « chèque en gris » ?

Sur le terrain, les adversaires se ressemblent. Le mimétisme est tel que la police apparaît comme un groupe rival des autres dans l'espace urbain. Policiers et jeunes partagent le même territoire, ont presque le même âge, habitent souvent dans les mêmes lieux. Symétriquement, les jeunes apprennent à se définir collectivement contre ce rival : « S'il ne t'aime pas, tu peux ne pas l'aimer, tu peux le voler, tu peux le frapper, tu es excusé ; *ce n'est jamais grave de cogner ses ennemis*[1]. » Ce monde des doubles forme une échelle de rivalité où grandit l'identité délinquante cimentée par une violence mimétique. La domination de la police doit être totale sur la rue, cette « scène de l'apparence », où le défi doit être relevé. La voie est ouverte pour que les stéréotypes se multiplient : une doctrine largement répandue (la tolérance zéro) et des catégories conceptuelles (échelle des émeutes, cartographie des quartiers sensibles...) reconstruisent sans cesse l'ennemi adéquat. Dans ce climat d'hostilité, une propension à la victimisation transforme les blessures en arme de combat contre les persécuteurs. Il est fréquent aujourd'hui qu'un policier qui s'estime « victime » d'un préjudice se constitue partie civile à l'audience correctionnelle afin de réclamer de son « agresseur » un dédommagement.

Mais en voulant ainsi faire payer à l'autre le prix de son autorité bafouée peut-il prétendre la restaurer ? Face à la violence, seul un impératif de modération peut justifier la riposte. La violence porte avec elle l'équivalence des coups, le couple interchangeable de l'agresseur et de la victime, la confusion des places. À l'inverse, le travail paradoxal qui consiste à affaiblir sa force pour ne pas entrer dans cet engrenage permet au policier de rester lui-même, ne pas apparaître comme un persécuteur. Placée sous les ordres du Prince qu'elle renseigne et protège, la police est aussi soumise au droit qui la modère. C'est ainsi qu'il faut comprendre les injonctions à la maîtrise

---

1. Yazid Kherfi, Véronique Le Goaziou, *Repris de justesse*, Syros, 2000, p. 20. Je souligne.

de soi, dans un contexte de maintien de l'ordre : « Ne répondez jamais par des insultes. Ne répondez jamais aux jets de pierres par des jets de pierres. Restez calmes. Ne cherchez pas la provocation. Ne promettez pas la vengeance. Ne verbalisez pas quand l'infraction n'est pas nettement caractérisée [1]. » Pendant la garde à vue, la mission d'« arrêter » et de « protéger » le suspect a le même sens [2]. Une réponse proportionnelle préserve une identité professionnelle. Ainsi comprise, la « mesure de police » est ponctuelle, contenue, adaptée à la réalité. Elle se place dans la continuité des principes démocratiques qui prévoient un usage encadré de la force qui *neutralise* le risque de dérive mimétique. Faire passer son enquête au crible d'une « procédure » – donc d'un contrôle possible par un tiers – va dans le même sens. Le travail policier n'a pas pour seul but de traquer des suspects. Il rétablit la justice et, pour cela, transforme la violence en infraction, « dresse procès-verbal », c'est-à-dire produit une preuve pour un tribunal. Pour éviter d'apparaître comme un persécuteur, il doit renvoyer l'image d'un citoyen qui rend des comptes à la loi.

Cette éthique de la violence limitée peut-elle aller plus loin ? Le policier peut-il condenser l'énergie de la violence en infraction mais aussi la transformer en médiation ? Le modèle anglais de police consensuelle (*policing by consent*) incarné par le bobby effectuant sa ronde sans armes, représentatif de la communauté, irait dans ce sens. L'effort pour créer une police d'îlotage (en France dans les années 1980) à l'instar des *community policing*, vise à développer une confiance avec le

---

1. Manuel de gendarme mobile cité par Patrick Brunetaux, *Maintenir l'ordre,* Presses de Sciences Po, 1996, p. 220.
2. « Toute personne appréhendée et placée en garde à vue est placée sous la responsabilité et la protection de la police » (art. 10 du code de déontologie de la police nationale).

public. Une telle police aspire, du moins idéalement, à renouer le lien social dans un souci d'« identification du policier à la communauté et de la communauté au policier[1] ». En entrant en contact avec une société proche, elle est plus qu'un simple relais de la loi, et elle cherche à en prévenir la violation. Même si nul ne voit en lui l'ami du peuple qu'il n'est pas, le policier est de plain-pied dans l'épaisseur des conflits de la cité. Il convoque, prévient, admoneste, bref, place son indulgence sous l'égide de la modération pénale.

Ni en France, ni en Angleterre, ni *a fortiori* aux États-Unis, le combat contre le crime et la résolution des conflits ne se concilient aisément. Notre police a plutôt développé des outils de mise à distance (patrouille motorisée) au détriment de l'îlotage (patrouille pédestre sur des périmètres investis durablement par les mêmes agents). La police de proximité en France consiste à se mettre à l'écoute des plaignants – à transmettre les plaintes au parquet –, ce qui renforce plutôt l'engrenage de la pénalisation et de la victimisation. Au surplus, cette police n'est pas valorisée dans le corps policier, mais plutôt disqualifiée[2].

Placé *entre* les citoyens et dépositaire de leurs inquiétudes, le policier peut pourtant tempérer les élans répressifs, prévenir les conflits avant qu'ils n'éclatent en violence. L'acte de juger est au cœur de la pratique policière. « La surveillance n'est pas une vision passive mais choix d'orienter, d'attarder ou de détourner son regard[3]. » Parce qu'il connaît la réalité de la vie quotidienne, le policier va tolérer un certain désordre. Parce qu'il mesure le potentiel destructeur de certains actes, il repère les seuils au-delà desquels il faut

---

1. F. Dieu, *Policer la proximité*, L'Harmattan, 2002, p. 32.
2. Voir Christian Mouhanna, « Une police de proximité judiciarisée », *Déviance et société*, vol. 22, juin 2002, p. 163 et *sqq.*
3. Hélène L'Heuillet, *Basse Politique, haute police*, Fayard, 2001, p. 40.

intervenir ou pas. Il est d'autant plus respecté qu'il sait qu'une intervention trop hâtive et mal dosée peut créer plus d'insécurité encore. Son abstention joue un rôle de pacification. Sa connaissance du terrain et des hommes permet les bonnes anticipations. À son échelle, il répète le double mouvement du droit de punir partagé entre répression et indulgence.

Le geste policier n'est juste que s'il pèse la *bonne mesure de sécurité*. Son savoir, sur les sites d'une émeute par exemple, permet de désamorcer les logiques d'escalade, d'user les positions d'affrontement, de résister aux appétits répressifs d'une opinion lointaine. Sa capacité de résistance aux emballements du populisme pénal est précieuse. Il peut reconnaître en cet autre des parents désemparés ou un jeune en quête de reconnaissance, bref son semblable. Du coup, comme le raconte Yazid Kherfi, le jeune rebelle ressent comme moins protectrice l'identité de combat proposée par son groupe ; elle devient circonstancielle, purement imaginaire ; elle tombe avec le changement du regard des autres sur lui.

Image idéale ? Sans doute, dans une culture policière qui valorise « la belle affaire » criminelle, elle reste une fiction réconfortante. Mais il n'est pas nécessaire de vivre les armes à la main pour sécuriser nos villes. « On ne gagne pas la confiance de la population en se terrant dans des commissariats fortifiés mais en allant au-devant de ses besoins, en répondant à ses attentes qui sont globalement d'une présence plus visible et plus constante d'uniforme dans l'espace public. En *uniforme* et non en tenue de combat. La police est un service public comme un autre, elle doit adapter l'offre policière à la demande de sécurité [1]. » On raconte que dans certains

---

1. D. Montjardet, « L'insécurité politique : police et sécurité dans l'arène électorale », *Sociologie du travail*, 44, 2002, p. 543 et *sqq.*

quartiers, les jeunes reconnaissent le policier sans uniforme à son seul regard. Sans doute évitent-ils aussi un adversaire qu'il ne faut pas défier frontalement. On peut rêver d'un autre regard policier nourri d'un savoir acquis par la proximité avec ses semblables, sachant agir mais aussi fermer les yeux. L'autorité grandit par la modération du pouvoir et disparaît dans son excès.

Le moment singulier du jugement

À cette relation violente, le procès pénal, surtout en cour d'assises, substitue une relation hautement symbolisée. Sa dramaturgie se déroule dans un même lieu, un unique espace. Un temps continu rythme sa triple fonction : enquêter, juger, punir. Si les scénarios sont multiples, l'émotion n'y circule pas au hasard mais entre les rôles assignés à chacun (juger et être jugé). Entre indignation et pitié, les jurés partagent avec les juges l'expérience du mal, de la violence des hommes, de la vulnérabilité de la cité. Eux aussi se mettent à la place de l'autre pour le juger. Eux aussi traversent l'épreuve du jugement.

L'histoire du jury retrace la conquête de cette liberté. Dès son origine révolutionnaire, il s'affranchit de la tutelle de la loi pour juger selon ses propres normes une situation irréductiblement singulière. À cette époque le jury statue seul sur la culpabilité et laisse au juge le soin d'appliquer mécaniquement la peine correspondant au crime. Pour éviter les condamnations injustes, les jurés se révoltent, disqualifient les faits, acquittent massivement. Le taux d'acquittement atteindra 40 % au milieu du XIXe siècle malgré les réformes pour les limiter (correctionnalisation, révision des listes des jurés...). Les critiques pleuvent de toutes parts sur ces « acquittements scandaleux », qui sont le signe d'une société régulée par l'honneur plus que par la loi : incompétence du jury, commisération excessive, verdicts pervers. Il est significatif que la disparition des acquittements de masse survienne au milieu du siècle dernier, en 1941, à partir du moment où les juges sont associés aux jurés pour le prononcé de la culpabilité et de la peine.

Ces acquittements sont avant tout une protestation de la société contre le Code pénal de 1810, ce « code de fer ». Au XIXᵉ siècle, les accusés n'apparaissent pas dans les dossiers. Beaucoup ne mentionnent ni leur âge, ni leur lieu de naissance. Mais, avec les circonstances atténuantes (1832), le jugement peut s'individualiser. « Le jury, dit Saleilles, avait en face de lui un homme qui se défendait en mettant à nu toutes les circonstances de sa vie, tous les entraînements qu'il avait subis [...] et voyait qu'il pouvait y avoir des degrés dans la liberté et, par suite, dans la responsabilité [...]. Le criminel, loin d'apparaître dissemblable aux jurés qui doivent le juger [...], se présente comme *un être qui pense comme eux,* qui veut comme eux, qui se révolte comme eux. Le sentiment qui l'a poussé au crime est de ceux que tout le monde aurait éprouvés et que tout le monde peut avouer [1]. » En somme, le jury définit et évalue lui-même les seuils des déviances inacceptables, excusables ou tolérables.

Chacun retrouve en l'autre son semblable. Le jury et le juge sont confrontés à la nécessité de combler la disparition d'une société où les statuts étaient irrévocablement fixés. Il doit donner consistance à une société démocratique travaillée par une dynamique égalitaire. Dans une société marquée par la similitude des conditions, il devient le nouveau garant des places de chacun. Le travail du jury est là tout entier : il affirme le pouvoir de la société sur elle-même ; il nous fait basculer

---

1. Raymond Saleilles, *L'Individualisation de la peine* (1911) ; rééd. Érès, 2001, p. 87. Je souligne.

dans la modernité où le « semblable » succède au « tout autre ».

En réalité, les jurés jugent non des infractions mais des personnes inscrites dans un jeu complexe de représentations sociales. Ils ne voient pas l'incrimination, mais le poids de l'acte, sa résonance sociale, le trouble provoqué. Ils récusent la généralité de la loi, lui préférant, par proximité à leur semblable, une norme qui fasse sens pour eux et pour lui. Au cas par cas, ils s'efforcent de recréer des normes de jugement latentes, immergées dans l'épaisseur du lien social où ils vivent. Ils réinventent la loi dans chaque cas en puisant à la source même de l'idée de justice. Les jurés jugent des individus singuliers et, surtout, reconstruisent une *hiérarchie de normes*, en quelque sorte coutumières, qui leur servent de référence. Ce sont « les normes de la droiture plus que les règles du droit, la bienséance plus que la préséance, la convenance plus que le rang[1] ».

Le jugement d'autrui ne se formule pas au nom d'une loi que tous estiment souvent injuste ou inadaptée, mais le plus souvent au moyen d'un *code non écrit*. Ainsi, le refus fréquent d'appliquer les peines perpétuelles (grâce au jeu des circonstances atténuantes) s'observe pour les incendiaires, les femmes en général et plus particulièrement les coupables d'infanticide. Préservées de la peine de mort, celles-ci sont souvent acquittées et jugées non par la loi, mais par une communauté qui règne souverainement sur les réputations. C'est toute l'importance de l'intime conviction au sens d'un jugement moral où le mobile, l'intention, la réputation, le contexte comptent bien plus que les faits légalement qualifiés. Voilà pourquoi le jury n'est guère indulgent envers les traîtres à leur propre communauté, qui

---

1. Louis Gruel, *Pardons et châtiments*, Nathan, 1991, p. 123 et *sqq*.

ne sont pas forcément les délinquants les plus durement punis par la loi. Il est sévère pour ceux qui trahissent leur rôle (parents maltraitants, médecins empoisonneurs, policiers cambrioleurs...), comme s'il cherchait à protéger les différences sans lesquelles une société serait vouée à la confusion.

Aujourd'hui comme hier, un imaginaire démocratique est à l'arrière-plan de l'acte de juger. La règle est toujours la liberté d'appréciation fondée sur les *circonstances* et la *personne* jugée : un délibéré de cour d'assises commence souvent par la lecture de l'article du Code pénal qui donne une très large marge d'interprétation à la cour[1]. La loi qui propose des peines pourtant si lourdes autorise tout autant l'indulgence. La proximité du face-à-face avec un semblable inscrit ce jugement dans un espace de compréhension. L'intime conviction n'est-elle pas une synthèse improbable d'émotion et de raison ? Combien de fois a-t-on le sentiment d'un verdict d'acquittement fondé sur des postures ou des attitudes, à défaut de mots, bref sur un « climat » ? L'individualisation du jugement est rendue possible par cette structure en miroir entre les « jugeants » et les jugés. Une audience est une relation permettant à l'accusé de se reconnaître, mais aussi de se projeter dans la conscience de ses juges. Elle permet de penser la différence de l'autre dans une économie de la ressemblance. Le jury est pris dans un réseau d'identifications dont l'horizon est l'égalité des conditions. L'un (celui qui juge) et l'autre (celui qui est

---

1. C'est l'article 132-18 du nouveau Code pénal qui permet en cas de crime puni de la réclusion criminelle de parcourir l'échelle des peines *du niveau le plus élevé jusqu'au niveau le plus bas* fixé par la loi (un an d'emprisonnement). Il est ajouté que « la juridiction prononce les peines et fixe leur régime en fonction des circonstances de l'infraction et de la personnalité de leur auteur » (article 132-24 du nouveau Code pénal).

jugé) se découvrent insondablement proches, ce qu'observe Tocqueville dans la société démocratique américaine : « En vain s'agira-t-il d'étrangers et d'ennemis : l'imagination met [chaque homme] à leur place. Elle mêle quelque chose de personnel à sa pitié et le fait souffrir lui-même tandis qu'on déchire le corps de son semblable[1]. »

Il y a là un puissant facteur de résistance au populisme pénal si prompt à diaboliser l'autre. Comme notre ancien jury, le jury américain doit seul voter à l'unanimité la culpabilité. Lui aussi connaît les « acquittements scandaleux » de notre ancien jury. Les verdicts de protestation des jurés contre les politiques dures – notamment contre les petits trafiquants aux États-Unis – mais aussi contre les peines automatiques en cas de récidive – expriment au grand jour de silencieuses attentes morales. Ils sont une forme de protestation collective contre l'excès pénal. Ils montrent l'inadaptation d'une pénalité construite pour des cas extrêmes, peu en rapport avec la réalité. Au contact direct de celle-ci, ils marquent le besoin d'une échelle des peines plus mesurée. Certains juges n'hésitent plus – y compris dans la presse – à se désolidariser de certaines lois. Une peine automatique qui, bien que constitutionnelle, n'en est pas moins « injuste, cruelle et irrationnelle » : comment, écrit le juge Cassel, punir d'une peine de cinquante-cinq ans de prison un simple dealer alors qu'un terroriste, un meurtrier ou un violeur subissent des peines nettement inférieures[2] ?

Nous avons aussi en France une longue expérience démocratique de la fonction de juger que le jury exerça longtemps seul. Certains acquittements sont plus que des

---

1. Tocqueville, *De la démocratie en Amérique, op. cit.*, II, p. 174.
2. Voir le point de vue du juge Paul G. Cassel de Salt Lake City, « Judge questions long sentence in drug case », *The New York Times*, 17 novembre 2004.

contrepoids à la violence de la loi pénale ; en infléchissant le droit de punir dans le sens de la clémence, ils font figure d'acte de désobéissance civile. Contre cette tendance, au cours de l'histoire, le législateur opposera toujours les lois d'exception : ainsi des cours d'assises sans jury, par exemple en matière de terrorisme. Toutefois, une puissance bien plus grande encore s'oppose aujourd'hui à cette mansuétude : la présence de la victime. Le magnétisme de son « innocence » peut capter le climat de compréhension qui flotte dans l'espace-temps de l'audience. À mesure que la victime se fait proche, le coupable devient subitement plus lointain. Le voilà ramené à l'infraction dont la victime porte témoignage. Dommages visibles sur les photographies, paroles de victime étayées par les experts, trauma irréparable infligé : quand l'acte de juger se dissout dans une empathie, la sentence est prise par le halo de souffrance et la peine retrouve la passion première qui lui a donné naissance. Seule une éthique de l'acte de juger peut délimiter les droits auxquels chacun peut raisonnablement prétendre et ce vers quoi tous doivent converger : un acte de reconnaissance en vue de rétablir la paix auquel la peine est dédiée.

Le temps long de la relation carcérale
Au bout des réactions sociales au crime, la prison pénale incarne plus que jamais l'ultime frontière. À première vue, le temps pénitentiaire semble accomplir le rite de dégradation amorcé dès l'arrestation. L'entrée en détention passe par le rituel codifié de l'écrou qui suppose dépouillement systématique, mise à nu corporelle et attribution d'une nouvelle identité, le numéro d'écrou. Le condamné réduit à un corps immobilisé devient un pur objet de contrôle. Tout un vocabulaire permet de penser à ces hommes comme à des stocks

ou à des flux que l'on doit gérer. À l'inverse, la sortie – la levée d'écrou – est fort peu ritualisée. C'est un peu comme si le condamné, libéré furtivement, souvent à toute heure du jour ou de la nuit, fuyait un mauvais rêve. L'homme libre n'intéresse plus le monde carcéral.

La prison concentre la fonction sécuritaire de l'État. Elle est une forteresse cernée de barbelés ; tout son dispositif dissuasif révèle la guerre latente contre un ennemi intérieur. Vouées exclusivement à la sécurité, les maisons centrales (au nombre de cinq en France) font circuler entre elles les « condamnés sensibles ». Tout évadé est une cible pour les miradors. Chaque nouvelle évasion est un défi à la puissance étatique. Qu'il s'agisse d'un simple voleur ou d'un terroriste, un évadé *devient* un ennemi que l'on peut abattre après sommation. Comment mieux rendre visible la violence originaire de l'État ?

Une guerre psychologique sourde couve sans cesse : à la volonté de casser les groupes suspects par des fouilles ou des changements de cellule répond la stratégie de séduction de la part des détenus qui dressent les « bons » surveillants contre les autres. Personne ne regarde son vis-à-vis sans arrière-pensée. Le surveillant voit d'abord dans le détenu une source de risques (d'évasion, de suicide ou d'agression). « Si l'autre, dit Claude Lucas, est celui qui me tient sous son regard et m'interpelle, alors le détenu, *regardable à merci,* sans réciprocité, réduit à la visibilité d'un corps objet, perd tout caractère de personne, c'est-à-dire de ce qui fait l'essence même de son humanité[1]. » Vue de près, cette réalité est désolante. En maison d'arrêt, où on trouve le tiers des détenus, il faut vivre dans des cellules de moins de dix mètres carrés, souvent à deux ou trois,

---

1. Claude Lucas, *Suerte,* Plon, 1995, p. 437. Souligné par l'auteur.

et pendant plus de vingt heures par jour compte tenu du faible nombre d'activités. On comprend que ce surpeuplement entraîne un taux de suicide très élevé (taux sept fois supérieur à celui de la population non carcérale), un risque permanent d'abus sexuel et de sida.

Les droits reconnus aux détenus, pour indispensables qu'ils soient, n'ont pas atténué la puissance de ce dispositif. À toute liberté nouvelle s'ajoute un surcroît de mesures de sécurité. Un détenu qui travaille dans un atelier et qui suit une formation professionnelle est un risque de plus pour les surveillants. Un droit accordé – le parloir notamment – s'accompagne de fouilles à corps dont l'aspect intrusif est source de tensions permanentes. Au plus près du corps, le droit repousse le risque d'abus mais, par un effet de cliquet, il engendre de nouveaux dispositifs sécuritaires. Ce qui ne fait que renforcer le gouvernement de la crainte : « Moins la personne détenue est considérée comme un être moral, moins on veut la connaître, moins elle est traitée comme un être social, plus sa réaction sera imprévisible[1]. » Il faut donc redoubler de méfiance. Tel est l'effet paradoxal d'un surcroît de liberté : resserrer la boucle du cercle sécuritaire.

Comment trouver un espace de paix entre gardiens et gardés dans une structure quasi guerrière ? Comment concevoir, fût-ce a minima, une vie commune qui autorise à nouer une relation de réciprocité entre semblables ? La plupart des surveillants, qui entrent dans la fonction, oublient vite leur représentation du criminel quand ils découvrent que les détenus sont des hommes comme eux. Autant les règles organisationnelles sont strictement codifiées, autant la

---

1. Antoinette Chauvenet, « L'échange et la prison », in *Approches de la prison*, De Boeck, 1996, p. 54.

relation quotidienne au détenu reste indéterminée[1]. Dès lors qu'il faut vivre ensemble dans un même espace, le rapport de force n'est guère viable longtemps. Il fait place à une relation de réciprocité (parler avec un détenu, oublier une dispute, faire une démarche pour lui, l'aider à écrire une lettre...). Le maintien de la relation suppose un adoucissement des mœurs, une aptitude à négocier le cours de la vie ordinaire.

Chacun doit imaginer, dans les marges de l'organisation, sa relation à autrui. Pour se rapprocher de l'autre, il ne suffit pas de s'arracher à sa représentation négative. Il est vital de construire un code commun qui permette de sortir de la représentation de l'autre menaçant. Ainsi peut-on entrer dans l'échange sans pour autant rompre l'asymétrie des places. À une règle qui interdit, par exemple, la circulation des objets d'une cellule à une autre, le surveillant peut opposer certaines tolérances pour qu'une bonne entente règne à son étage. Dans les prisons pour peine, « les surveillants autorisent sous leur contrôle des échanges prohibés de biens entre détenus pour permettre une certaine vie sociale chez ceux-ci, améliorer le quotidien ou en rompre la monotonie. Ils laissent les portes ouvertes des auxiliaires (détenus qui ont une tâche d'intendance), autorisent les visites entre détenus autour du café dans les cellules quand ceux-ci n'en abusent pas, accordent les coups de téléphone, des douches supplémentaires[2] »... Paix, vraiment ? La pratique du don n'est pas pure gratuité. Elle relève tantôt de la « paix armée », selon le mot des surveillants eux-mêmes, tantôt d'une reconquête de l'autorité dans un monde où chacun est « réglo » avec l'autre : le système de dons et de

---

1. Voir l'enquête de A. Chauvenet, F. Orlic, G. Benguigui, *Le Monde des surveillants de prison*, PUF, 1994.
2. A. Chauvenet, 1996, *op. cit.*, p. 58.

contre-dons se borne à atténuer la relation asymétrique de la prison dans les intervalles laissés par son dispositif. Pour les surveillants, les prisonniers restent tantôt un groupe dangereux dont il faut se méfier, tantôt des individus cumulant les handicaps et la malchance. Chez les détenus, les attitudes varient entre ceux qui acceptent l'échange, multiplient les activités (les « hyperactifs ») et ceux qui vivent en reclus leur « statut de longue peine, souvent plongés dans le ressentiment (les « végétatifs ») [1].

À partir de sa propre expérience, Philippe Maurice raconte comment il est devenu un détenu insurgé, un ennemi de la société en réaction à la violence de ses geôliers. Face au regard de l'autre, à sa violence aussi, il répond par la haine qui grandit en lui et finit par l'habiter [2]. Mais peu à peu, il parvient à s'en libérer en quittant les quartiers de haute sécurité (QHS) où il était confiné. Une détention normale fait tomber sa perception clivée du bien (sa famille, ses codétenus) et du mal (la société et les « matons »). « Les détenus qu'*a priori* j'aurais eu tendance à considérer comme bons ne l'étaient pas et toutes les personnes libres que je pouvais croiser n'étaient pas forcément des ennemis [3]. » Mais, surtout, au moment d'une émeute dans la prison de Besançon, il joue un rôle d'apaisement et aide à la négociation entre surveillants et détenus. Il découvre que la haine mimétique n'était qu'une impasse. « J'avais tellement souffert de la bassesse d'hommes qui détenaient un pouvoir sans limites sur moi que *je ne concevais pas de leur ressembler* [4]. »

1. Anne-Marie Marchetti, *Perpétuités. Le temps infini des longues peines*, Plon, 2001, p. 285 et *sqq.*
2. Philippe Maurice, *De la haine à la vie*, Le Cherche Midi, 2001, p. 299.
3. *Ibid.*, p. 201 et *sqq.*
4. *Ibid.*, p. 220. Je souligne.

On ne se reconstruit pas à l'image de son ennemi, suggère Maurice. Au contraire, pour y échapper, pour viser une reconstruction identitaire, il faut accomplir un détour plus long et plus difficile que l'injonction faite de donner un « sens » à sa peine. Ultime paradoxe d'une prison qui s'est comprise dans un projet de réhabilitation et qui en devient le principal obstacle. Reste aux prisonniers seuls, adossés aux murs, à transformer leur libération en destin.

Ouvrir les portes de la Loi

Pourquoi en est-on arrivé là ? La parabole de l'avant-dernier chapitre du *Procès* de Kafka, « Devant la Loi », esquisse une réponse [1]. Un homme de la campagne après un long voyage se présente enfin devant les portes de la Loi. Fatigué, il s'assoit pour se reposer lorsque le gardien lui dit d'attendre. Fasciné par la vive lumière qui filtre sous la porte, il ne cesse d'attendre et d'attendre encore. Si le gardien repousse l'homme, s'il dit toujours : « Plus tard ! », il n'incarne pas pour autant une figure du Mal. Il offre un siège au voyageur, écoute sa plainte, converse avec lui. Il n'est qu'un geôlier qui s'acquitte de sa tâche sans méchanceté. L'homme attend, vieillit, et enfin meurt sans avoir pu entrer dans la Loi.

La Loi, suggère Kafka, loin d'être un ensemble de règles, est un monde où vivre ensemble. Son accès est entre les mains de ses gardiens. L'expérience positive ou négative que chacun peut en faire dépend d'eux, et d'eux seuls. La lumière peut en être dévoilée ou, au contraire, cachée. Mais si ses gardiens – qu'ils soient parents, éducateurs, policiers ou juges – renoncent à occuper leur place par lassitude ou par peur, le monde de la Loi devient alors inaccessible. Il peut se transformer en

---

1. Franz Kafka, *Le Procès*, Gallimard, « Folio classique », p. 242-243.

une pure violence au fur et à mesure que les médiateurs se dérobent, cessent d'en être les interprètes attentifs. Si chacun à sa place est défaillant, si nul ne s'autorise à singulariser l'application de la loi, une communauté devient inhabitable. Elle se vide de l'intérieur et se durcit à sa périphérie. Sa volonté de punir sera proportionnelle à son échec collectif. Car le dernier des gardiens ne garde que les portes. Seul maillon qui tient la chaîne de la Loi, il ne peut combler à lui seul la défaillance de tous. Nul ne l'ignorait mais tous ont affecté de ne pas le savoir.

Conçue comme une pure contrainte, la punition n'est qu'un « atermoiement illimité » rappelle Kafka dans *Le Procès*, un enfermement dans une attente démesurée. Aucune perspective ne lui donne sens. Les portes de la Loi sont définitivement refermées. Si une société n'assume pas ses responsabilités à l'égard de ses déviants, si elle est réduite à un troupeau apeuré par l'insécurité, elle punira en croyant se protéger. Chacun se transforme en instrument d'exclusion tout en protestant de son innocence. Parents fatigués, éducateurs surchargés, policiers et juges sous pression, tous répètent : « Cet acte est décidément trop grave, il faut punir. » À se dérober à la relation singulière, à grossir démesurément un acte, à y voir le risque d'un naufrage de la société, chacun façonne un peu plus la marque de Caïn.

Quand parents, éducateurs et professeurs baissent les bras, qu'advient-il de l'élan éducatif ? Investies d'une mission de substitution de l'autorité défaillante ou de bras armé d'une autorité humiliée, les institutions pénales iront-elles jusqu'au bout de leur radicalité punitive ? Elles seraient bien inspirées de résister à ces deux tentations et de réinvestir les autorités dépossédées. Plus elles tardent à exercer leur capacité d'interpellation, moins la société se sentira concernée, moins elles pourront inverser la tendance au populisme pénal. Évitons de verrouiller les portes de la Loi. Sachons éclairer ses gardiens – tous les gardiens – pour en rétablir la promesse d'intégration.

VI

Les défis d'une politique de justice et de sécurité

« La lumière a été chassée de nos yeux.
Elle est enfouie quelque part en nous.
À notre tour, nous la chassons
pour lui restituer sa couronne. »

René CHAR, *Feuillets d'Hypnos*, 1943-1944.

Cette invitation à un sursaut de responsabilité conduit à formuler la question en termes plus directement politiques : à quelles conditions est-il possible de résister aux élans de la volonté de punir qui fragilisent tant nos démocraties ? En se livrant à la surenchère pénale, la démocratie joue contre elle-même, dénature sa fonction d'expression du peuple. Trop stimulé, le droit de punir, construit aussi pour modérer la puissance de l'État, peut au contraire réveiller sa part d'irrationalité. Le danger vient de ce que le principe même de son équilibre – les droits de l'homme – passe de la limite assignée à l'exercice du pouvoir à celui de sa meilleure justification. Le

223

culte des victimes aiguillonne la volonté de punir, déplace les frontières du droit, ébranle son axe fondateur. Pour retrouver l'équilibre institutionnel où la justice contrebalance le pouvoir (l'équilibre des *checks and balances)*, il faudra puiser dans une volonté commune d'assumer une coresponsabilité pour le monde. Quand l'appareil d'État lui-même fonctionne à l'exception, quand la défense des droits n'est plus sa priorité, quand le monde lui-même se conçoit à travers la seule puissance, alors s'impose une éthique de la résistance légitime.

Naturellement cette éthique est moins exaltante que les vibrantes promesses électorales, les appels à l'unité nationale, le combat incessant du Bien contre le Mal. Au contraire, elle doit résister à la pathologie du populisme pénal qui affecte la représentation politique et le droit de punir : d'un côté, tenir à distance l'ivresse démagogique d'une communauté d'émotion ; de l'autre, retrouver une certaine sagesse pénale. Mais comment ? En posant simplement les conditions d'un retour à une démocratie d'équilibre : une lecture critique des droits de l'homme, un débat lucide sur la sécurité et une meilleure protection de la justice dans nos démocraties d'opinion en sont le préalable. Pour préserver son avenir, aucune société ne peut oublier le temps réintégrateur de la peine au-delà du délai de la réprobation sociale. Le projet d'une justice restauratrice peut être l'antidote aux excès de la pénalisation et aux apories de la victimisation.

Résister à un usage répressif des droits de l'homme

Par définition, le droit de punir est un système d'équivalence. Il estime la valeur d'une perte par la souffrance infligée à l'auteur de l'infraction au sens où tel délit « vaut » telle peine. Pour éviter tout excès, il institue des garanties – l'*habeas corpus* en est l'archétype – contre les abus de pouvoir.

Le recours à un juge garantit que la peine est pondérée par les droits. Telle est sa vocation la plus aboutie. Mais paradoxalement, notre attachement aux droits justifie trop souvent une plus grande répression : plus grandit l'attachement à la personne humaine, plus se renforce la répression à ses atteintes. Quand l'intangibilité du corps humain devient sacrée, les prohibitions se multiplient pour en fixer négativement la valeur. Dans une société dominée par le pluralisme des valeurs, où les frontières de la réprobation morale sont relatives, celles du droit de punir ne peuvent que se durcir. Pis, chaque morale particulière cherche à passer en force et à s'emparer d'une norme pénale pour imposer sa conception.

Faut-il un délit d'interruption involontaire de grossesse ?
(Affaire VO contre France, Cour européenne des Droits de l'homme, 8 juillet 2004)

Comment qualifier la mort d'un fœtus consécutive à une erreur médicale commise lors d'une intervention chirurgicale ? Faut-il ou non considérer le fœtus comme une personne tuée lors de l'intervention et y voir un homicide involontaire ? Les tribunaux français sont divisés. En première instance, il est jugé que l'infraction d'homicide involontaire n'a pas d'objet. Un fœtus de six mois environ n'étant pas une personne, il ne peut pas y avoir d'atteinte à une vie humaine constituée. Dès lors qu'il n'y a aucune définition ni scientifique, ni légale des débuts de la vie, la question n'a pas de sens. Le médecin est donc relaxé. En appel, il est jugé, au contraire, qu'il y a homicide par imprudence et négligence sur un fœtus viable. Peu importe, dit la cour d'appel, qu'il y ait ou non personne. Toute vie humaine a droit au respect de sa dignité dès son commencement. Le médecin est cette fois condamné à six mois d'emprisonnement avec sursis et 1 500 euros d'amende. Décision qui sera cassée car, selon la Cour de cassation, la loi strictement entendue ne prévoit que l'homicide volontaire, c'est-à-dire « la mort d'autrui ». Quelle interprétation faut-il choisir ? Incriminer la faute au nom du droit fondamental à la vie dès lors qu'elle aboutit au décès prématuré d'un enfant ? Ou, au contraire, opter pour la seule réparation du préjudice ?

La Cour européenne des droits de l'homme ira dans ce second sens. Certes, la Convention reconnaît, dans l'article 2, que « toute *personne* a droit à la vie », mais « l'obligation positive découlant de l'article 2 de mettre en place un système judiciaire efficace n'exige pas *nécessairement* dans tous les cas un recours de nature pénale [1] ». Le choix de la modération pénale l'emporte. Les responsabilités civiles de l'hôpital et la responsabilité disciplinaire des médecins fautifs sont jugées plus adéquates. À cette conception modérée du droit de punir s'opposent ceux qui, comme le juge Rees, veulent incriminer la violation des valeurs cardinales de notre société, au premier rang desquelles figure le droit à la vie. En France, l'amendement Garraud datant d'avril 2004 qui propose le délit d'interruption involontaire de grossesse va dans le même sens. À la mort d'un enfant à naître doit correspondre la plus haute « échelle de protection » : celle qui définit les crimes et les peines. C'est ce que soutiennent ceux qui prônent le droit à la vie, mais aussi des parents endeuillés qui ne peuvent accepter que la justice leur dise qu'ils n'ont rien perdu.

La sagesse de la Cour européenne permet d'endiguer l'engrenage de la victimisation et de la pénalisation. Elle n'entre pas dans un processus de moralisation punitive nourri d'attentes réparatrices illusoires. Elle refuse de dénaturer un

---

1. § 90.

« droit à la vie », conçu pour punir les atteintes à la personne délibérément meurtrières. Bel exemple de résistance à une perversion des droits de l'homme : contre ceux qui veulent restaurer ce droit fondamental qu'est le droit à la vie, la Cour rétablit ce droit dans l'esprit de la Convention européenne en mettant à distance l'interdit pénal.

Les incriminations exprimeraient ainsi les valeurs qu'une société ou une majorité veut affirmer. Dans une société pluraliste où dominent les droits subjectifs, les valeurs communes ne vont plus de soi. Pénalement affirmés, les droits de la personne sont le moyen de rétablir l'unité morale diluée. Ils deviennent la contrepartie d'une société vouée à la pluralité des valeurs. Nous serions condamnés à osciller entre des sphères de tolérance sans cesse accrues et des bouffées d'injonctions répressives. La volonté de punir s'épuise à vouloir contenir le foisonnement des déviances inhérentes à une société d'individus libres : multiplication des incriminations, renforcement des moyens policiers, activisme administratif et judiciaire. Ainsi l'amour du drapeau français conduit à édicter une peine d'emprisonnement ferme pour toute manifestation d'hostilité à son égard. Ainsi encore certains interprètent-ils l'interdiction d'un jeu « indigne » (le lancer de nain) comme le triomphe d'un moralisme de la dignité, comme un « holisme liberticide [1] ». À force de vouloir gouverner au moyen de l'interdit, on s'expose à son inapplication, on en fait une protection illusoire, une nouvelle « ligne Maginot [2] ».

---

1. Paul Martens, *Théorie du droit et pensée juridique contemporaine*, Larcier, 2003, p. 75.
2. A. P. Pires, « La ligne Maginot en droit criminel : la protection contre le crime versus la protection contre le prince », *Revue de droit pénal et de criminologie*, 2001, 1-6, p. 145-170.

Comment ne pas craindre une dérive fondamentaliste qui conduirait les droits de l'homme à une inversion par excès ? Le droit de punir deviendrait, en somme, le baromètre de nos valeurs dont les peines seraient le repère essentiel. Une souffrance (une peine) ne peut cependant jouer ce rôle. Une équivalence pénale est faite pour compenser une perte, non pour affirmer son prix. Sinon que faire quand la perte est hors de prix, quand la souffrance est incommensurable ? Ira-t-on vers des crimes inoubliables, des procès interminables, des peines illimitées ? Le danger d'un moralisme punitif n'est pas mince : nous choisissons implicitement d'exprimer nos valeurs au risque d'une indifférence aux droits des auteurs d'infractions. Les exigences réparatrices se retournent contre les droits de la personne dont elles revendiquent à leur seul profit l'application. C'est en ce sens – mais en ce sens seulement – que la démocratie joue contre elle-même[1].

Il n'est pas question ici de nier la valeur de combats politiques et moraux (lutte contre l'impunité, « guerre » contre la drogue, « cause » de l'enfance victime...). Mais leur ardeur militante tend à désarticuler la vieille alliance entre justice pénale et droit de la personne, de *toutes* les personnes dès lors que « la revendication de justice » s'identifie à « la représentation des victimes ». Beaucoup s'en inquiètent légitimement. « En favorisant le droit des victimes, y compris leur participation au procès, en encourageant un déroulement rapide et efficace dans le but d'obtenir une condamnation et en demandant des peines lourdes ("les victimes la réclament"), le système de protection des droits de l'homme en vient à contredire

---

1. Marcel Gauchet, *La Démocratie contre elle-même*, Gallimard, 2002, p. 326-385 (« Quand les droits de l'homme deviennent une politique »).

228

ses principes fondamentaux[1]. » Alors que les droits de l'homme ont été le rempart de la lutte contre le système totalitaire, ils deviendraient le meilleur soutien des politiques sécuritaires. Retournés par un discours politique sensible à une opinion inquiète, les « droits de l'homme de la victime » tendent à devenir le tout des droits de l'homme. Le droit de punir est en quelque sorte investi de la dignité morale des droits fondamentaux ainsi compris.

La peine ne peut être une équivalence de ce qui est « hors prix », au risque de se limiter à un simple message envoyé aux victimes. Elle n'est qu'un « bien négatif » par opposition aux biens positifs que sont l'aide sociale, la santé, l'éducation. Le droit de punir *défend* mais *n'exprime pas* les valeurs. À faire de la politique pénale un instrument de compensation des maux de la société, on oublie sa subsidiarité. En croyant renforcer la démocratie, on affaiblit ses véritables défenses. À vouloir surmonter l'écart entre l'irréparable et la peine, à prétendre éradiquer tous les comportements indésirables, on peut saper les bases de la démocratie libérale. Une manière de rompre avec cette vision serait de répondre à un mal par un bien et de lui opposer une justice capable de répondre à un triple défi : le sort du condamné, le tort subi par l'offensé et la restauration de l'universalité des droits.

Penser une politique pénale

Une telle option suppose une reformulation des enjeux du droit de punir. Trop souvent, la politique pénale

---

1. W. A. Schabas « Droit pénal international et droit international des droits de l'homme, faux frères ? », *in* Robert Roth, Marc Heuzelin (dir.), *Le Droit pénal à l'épreuve de l'internationalisation*, Bruylant LFDJ-Georg, 2002, p. 180-181 et Francesco Palazzo, « Constitutionnalisme en droit pénal et droit fondamentaux », *Revue de science criminelle*, oct.-déc. 2003, p. 709-720.

– résumée à une production compulsive de lois nouvelles – consiste à épouser les mouvements de l'opinion, les chocs émotionnels qui en résultent. Placé entre le scandale de l'impunité et celui de la punition, le droit de punir est soumis à des oscillations brutales : voici des parlementaires qui, toutes tendances confondues, s'émeuvent du scandale de la surpopulation carcérale dans leur rapport *Prisons, une humiliation pour la République* (2000) ; mais ensuite, les mêmes élus veulent alourdir les peines afin de réduire cet autre scandale qu'est l'impunité des récidivistes. Peut-on se solidariser avec les « victimes » des conditions d'incarcération inacceptables et, peu après, n'avoir de cesse qu'on ne châtie les « délinquants » par un recours accru à l'emprisonnement ? Comment espérer une quelconque efficacité d'une politique pénale exclusivement rythmée par des scandales aussi contradictoires ?

Sous la pression de l'opinion, aucun cadre d'action n'est apte à résister aux chocs, à fixer des lignes à long et moyen terme. Sait-on ce que représente la corruption en France et la politique qui est menée pour la combattre ? A-t-on fait le bilan de l'action des juges dans ce domaine ? Face aux risques de la criminalité transfrontière et du terrorisme, comment est contrôlée la police à l'échelle internationale ? Y a-t-il un débat démocratique sur l'évaluation des résultats, compte tenu des atteintes aux libertés publiques ? Dans une société du risque où des nouvelles menaces apparaissent, où l'évolution de la criminalité notamment dans des secteurs économique et sanitaire est lourde d'incertitudes, on comprend mal que de telles questions restent sans réponse. On a plutôt le sentiment d'une accélération spasmodique du temps juridique sans réelle élaboration, sans contrôle démocratique.

La politique pénale relève des trois pouvoirs : le parlement et le gouvernement qui élaborent conjointement les lois alors que leur application incombe à l'autorité judiciaire. L'intervention de plusieurs niveaux décisionnels exige une négociation permanente entre des acteurs diversifiés, publics et privés, internes et externes. On peut imaginer qu'un conseil de politique pénale placé au centre de réseaux complexes ait pour rôle de stabiliser une matière aussi mouvante. Une norme verticale, abstraite, purement textuelle ne peut épuiser la complexité du réel. Celui-ci s'appréhende *au sommet* par des formes nouvelles de délibération politique et *sur le terrain* par des répertoires d'action diversifiés issus de la contractualisation et du partenariat[1]. Un tel cadre d'action, à la fois décentralisé et mieux articulé au politique, donnerait à l'État une réelle capacité de gouvernance. Il pourrait peut-être ainsi entendre la part de critique salubre de la justice que contient, au-delà de ses excès, toute réaction populiste. Par-delà la violence dénonciatrice, ne peut-on pas aussi rationaliser un peu son énergie passionnelle ? Ainsi se doterait-on d'un cadre de pensée apte à résister aux vagues de populisme pénal.

Reste que devant l'opinion, tout pouvoir politique sera tenté de donner des instructions individuelles au nom des urgences du moment. N'a-t-on pas récemment enjoint aux policiers de signaler les affaires où interviendrait « la remise en liberté ou la non-condamnation à une peine de prison d'un certain nombre de délinquants multirécidivistes [qui] paraît toujours choquante aux victimes d'infractions et aux fonctionnaires de police[2] » ? On voit apparaître des formes d'intervention directe d'une autorité politique dans les enquêtes (par exemple, pour féliciter les policiers alors que le procès ne fait

---

1. Voir Jean-Louis Nadal, « Contractualisation de l'action publique » et Gilles Accomando, « Le statut des magistrats du parquet », *in* L. Cadiet et L. Richet, *Réforme de la justice, réforme de l'État, op. cit.*, p. 208 et *sqq.* et 270 et *sqq.*
2. Circulaire du ministre de l'Intérieur relative aux délinquants d'habitude adressée aux Directeurs départementaux de sécurité publique (4 février 2004).

que commencer), ou des réquisitions ordonnées par le ministre de la Justice au parquet compétent pour réincarcérer un assassin présumé. Ne faut-il pas résister légitimement à ces pratiques qui rétablissent une obéissance politique des procureurs de la République qui appartiennent à l'autorité judiciaire ? Faute de quoi, le lien des parquets au corps judiciaire, à une identité de magistrat soumis au droit, serait bel et bien compromis. La fragilité statutaire des procureurs perpétue une ambiguïté qu'il faudra bien lever un jour[1].

On peut imaginer qu'un parquet dont le statut sera affermi pourra d'autant mieux recevoir des instructions transparentes et motivées. L'indépendance statutaire du parquet n'est pas indispensable du seul point de vue des affaires politico-financières. Avec la globalisation, elle est devenue encore plus nécessaire. Que pouvons nous répondre aux autorités de l'Organisation de coopération et de développement économique (OCDE) – avec qui nous avons signé une convention de lutte contre la corruption – dont les experts soupçonnent notre système judiciaire de partialité à cause des interventions de l'exécutif ? Elles ont en effet demandé à la France de reconsidérer la tutelle du ministre « en raison du risque de pression sur le parquet en vue d'obtenir le classement de dossiers au nom des intérêts économiques de la France[2] ». Comment nos partenaires peuvent-ils accepter que des entreprises françaises soient favorisées – ou même soupçonnées de l'être – dans le règlement de leurs litiges ? La réforme de la

---

1. Les procureurs de la République sont nommés par le gouvernement sans obligation de suivre l'avis du Conseil supérieur de la magistrature ; les procureurs généraux, qui encadrent les premiers à l'échelle d'une cour d'appel, sont nommés en conseil des ministres. Rappelons que la réforme constitutionnelle avortée de l'an 2000 prévoyait l'avis conforme du CSM pour les procureurs de la République et les procureurs généraux.
2. Cité par Mireille Delmas-Marty, « Une conception policière et guerrière du procès pénal », *Libération*, 6 février 2004.

justice se fera dorénavant à l'échelle de la construction européenne. Réforme nécessaire si on veut éviter un « État creux », traversé par des instrumentalisations qui le discréditent et le débordent de toute part.

Une justice ouverte sur la cité mais protégée de l'opinion

Parmi les institutions, la justice est, en effet, plus que toute autre, confrontée au populisme. Ce n'est pas le moindre paradoxe, tant elle fut si longtemps coupée de la société. Le corps judiciaire, avec la police, assure de longue date en France la sécurité intérieure de l'État. Depuis le XIXᵉ siècle, les juges sont inscrits dans une hiérarchie quasi militaire de commandement. Tout au long de son histoire, l'institution judiciaire a été captive de la part violente de la souveraineté dont elle procède. Le contrôle de l'enjeu pénal est vital pour tout régime politique qui y trouve le manteau de légitimité nécessaire à sa propre violence. Les pouvoirs des juges sont d'autant plus puissants que l'État est puissant. Voilà pourquoi ils sont verticalement articulés au Léviathan, solidement ancrés dans la structure unitaire de l'État, à son corps souverain, dont ils sont le bras armé. Nous sommes toujours dans ce schéma mais en même temps nous en sortons. Notre justice – sans cesser d'appartenir à cet État unitaire mais en faisant pivoter les rouages qui l'accrochent à lui – se place davantage du côté de la société et de l'opinion. Cette « révolution démocratique » (le mot est à prendre au sens propre) la fait passer du soutien à une volonté politique à la réalisation d'un droit plus proche de la société et de ses aspirations.

Mais, à cette nouvelle place, en quelque sorte face à l'opinion, le juge est à découvert. Il s'expose à une critique publique directe, parfois justifiée et souvent violente. Le regard de l'opinion met à nu les carences de fonctionnement, l'illisibilité de ses motivations, la fragilité de ses circuits décisionnels. Le public de la justice n'est plus celui d'une salle d'audience. Les moyens de communication actuels la placent à une tout autre échelle. Un malentendu permanent vient de l'hiatus entre la singularité d'une décision (conçue pour un justiciable) et sa perception par l'opinion (ouverte à un large public). Tantôt, les uns lui reprochent de favoriser l'impunité et la voici coupable d'indifférence. Tantôt, les autres dénoncent ses choix liberticides et les atteintes à la présomption d'innocence. La personne du juge, seule visible au milieu de ces dysfonctionnements, focalise les tempêtes médiatiques. Les malentendus et les critiques font ressortir les failles de son mode de communication. Sa crédibilité en est fortement entamée. Comment alors préserver une institution clé de la démocratie libérale, en corrigeant ses erreurs, mais sans démagogie ?

Face au crime ou à une menace, toute démocratie réagit en deux temps. Le moment politique, par définition volontariste et programmatique, est le plus immédiat ; mû par la partialité de l'action, il vient au secours d'une société menacée ; l'accusation est portée par le procureur, la police, les avocats des victimes. Le moment judiciaire suppose, au contraire, un détour procédural ; il est par nature prudent et délibératif ; il cherche un équilibre entre accusation et compréhension. Or, la volonté de punir rabat ces deux moments l'un sur l'autre. Elle abolit la division entre la puissance collective et les droits des individus qui structure toute démocratie libérale. Un juge enrôlé dans une croisade contre le crime n'est plus à sa place de tiers impartial ; il prend le rôle d'un « saint belliqueux » voué à une mission sacrée, au risque de briser les principes qui gouvernent sa fonction. Comment la justice pourrait construire un ennemi, elle qui ne connaît que des justiciables ?

Dans une démocratie d'opinion, toute décision de justice doit opérer un partage des risques : ceux que nous acceptons tous en libérant un homme ; ceux que nous évitons à la société en le détenant. Un imaginaire de la menace occulte cette recherche d'équilibre et propose des solutions simples de type binaire : cet homme doit être « dedans » (risque zéro) ou « dehors » (risque majeur). Une stratégie alternative consisterait à hiérarchiser des valeurs contradictoires selon qu'on se place à court ou à long terme. Par exemple, un placement d'enfant met celui-ci à l'abri dans l'immédiat, mais n'est pas une garantie absolue de protection ou d'éducation ; de même, une décision de déferrement d'un prévenu au parquet, surtout dans des cas où la preuve est fragile (affaires de viol), peut avoir des conséquences irréversibles sur l'auteur présumé. Agir avec prudence implique de peser ses *justifications* en amont et, en aval, les *conséquences* prévisibles de l'acte de justice. Ce qui suppose de se démarquer sans cesse d'un rôle exclusivement punitif. À une décision tranchée, la prudence consiste à substituer une chaîne de décisions marquées par la flexibilité et la mesure. On imagine combien cette éthique de la prudence suppose de résister au culte du rendement qui gouverne actuellement l'institution judiciaire.

À la différence des États-Unis, le populisme pénal ne rencontre pas dans notre pays les facteurs qui le favorisent dans un monde où le juge – qu'il soit élu ou nommé – est un personnage politique. Le statut non électif des magistrats français les rend moins vulnérables aux secousses de l'opinion ; d'autre part, notre culture du service public (pénitentiaire notamment) ne permet guère d'envisager un marché de la punition analogue à ce que l'on voit outre-Atlantique. Les conditions d'une transaction entre les producteurs de menace et les consommateurs de sécurité y semblent moins déterminantes. La différence majeure est ailleurs : le juge français est un enquêteur aux pouvoirs incomparablement plus grands que son homologue anglo-saxon qui, s'il est plus prestigieux, reste avant tout un arbitre. Une grande part du pouvoir d'enquête est en *common law* dévolu aux avocats et le pouvoir décisionnel appartient au jury. En France (et dans les pays de tradition inquisitoire où le juge est un « ministre de vérité »), les critiques ou des attaques contre le juge sont à la mesure de ses pouvoirs. Une étape dans l'indépendance de la justice sera franchie quand la responsabilité professionnelle et la protection institutionnelle pourront s'adapter à ce contexte.

Les acteurs concernés sont-ils prêts à accepter les responsabilités correspondant aux pouvoirs que leur accorde la démocratie d'opinion ? On peut, bien sûr, rêver : une presse plus critique à l'égard de ses propres emballements, soucieuse d'adopter des chartes éthiques et de renforcer ses maigres capacités d'investigation ; une profession d'avocat qui résiste aux délices de l'équivalence morale en se spécialisant dans l'indignation tantôt pour la victime, tantôt pour l'auteur ; une procédure pénale plus lisible et centrée sur l'audience publique afin de se prémunir des effets de systèmes internes et des pressions externes ; un Conseil supérieur de la magistrature véritablement armé pour parler au nom de l'institution en cas d'attaques injustifiées. On peut aussi imaginer que les juges acceptent une responsabilité professionnelle adaptée à leur nouvelle place : l'éthique judiciaire incarne une déontologie citoyenne portée par une profession consciente de ses obligations devant un public informé et exigeant. Ce qui compte est de placer la fonction de juger dans un rapport de confiance à l'égard du public. La légitimité du juge s'exprime dorénavant dans une pratique professionnelle qui accepte de se réfléchir dans le regard d'une opinion éclairée.

Construire le débat public sur la sécurité

Trop d'informations erronées ou de préjugés faussent notre perception collective de l'insécurité, façonnée par ces acteurs. Il est vrai qu'il n'est pas aisé de résister à un discours qui nous est assené jour après jour. Qu'entend-on le plus souvent ? La délinquance augmenterait inexorablement ? Sur le long terme, on constate plutôt le déclin de la grande criminalité en Europe occidentale (notamment des homicides). La thèse dominante, bien connue depuis Norbert Elias, est le recul des violences les plus graves grâce à une intériorisation des normes. La croissance régulière de la délinquance, manifeste depuis les années 1960, correspond à une délinquance d'appropriation inhérente à l'expansion d'une société de consommation. Celle de la violence contre les personnes depuis les années 1970 concerne surtout les viols, les coups et blessures volontaires mais non les homicides. Une lecture purement quantitative de la délinquance tend à *naturaliser* sa croissance ou sa décroissance alors que nous ne percevons que la criminalité *constatée*. Inévitablement la police fait des choix. Ils sont le résultat d'une interprétation des faits, des moyens mobilisés et des priorités qui leur sont attribuées. Cette lecture est complexifiée par les enquêtes de victimisation qui montrent que la criminalité vécue est étroitement liée au sentiment d'insécurité[1]. Derrière l'idée simple d'une délinquance à la

---

1. Les enquêtes de victimisation (interroger un échantillon de personnes sur les infractions dont elles ont été victimes) soulignent la dualité du sentiment d'insécurité ressenti pour soi (et ses proches) mais aussi pour la collectivité en général. La dernière enquête en Île-de-France montre que 93,5 % des Franciliens n'ont pas été agressés physiquement entre 1998 et 2000 ; sur les 6,5 % restants, beaucoup l'ont été par des attitudes menaçantes ou des injures ; au total, 3 % ont été agressés physiquement (*Insécurité et victimisations en Île-de-France*, Questions pénales, CESDIP, mars 2002).

hausse ou à la baisse, il y a des formes de délinquance saisies à des moments différents : temps court ou temps long, victimisations ou infractions, réalités ou représentations. Pourquoi ne pas s'appuyer davantage sur un observatoire de la délinquance *indépendant* qui saisirait l'ensemble des sources et donnerait une idée globale des réponses apportées ?

Les jeunes délinquants seraient toujours plus nombreux, plus jeunes, plus violents ? Optant pour une carrière délinquante, ils devraient en assumer les risques. Ils sont perçus comme des acteurs rationnels, autonomes et conséquents dans leurs actes. Hédonistes, ils chercheraient avant tout à maximiser les profits. Pis encore, leur délit serait le premier pas dans une carrière criminelle qui conduit au crime organisé, à l'image des initiations dans les clans mafieux. Il ne suffit pourtant pas d'éradiquer un « noyau dur » pour vaincre l'insécurité. S'il est vrai que le nombre d'interpellations de mineurs est en hausse importante, jamais la justice des mineurs n'a été aussi sévère à leur égard. Jamais l'impunité n'a été autant combattue tant dans les poursuites que dans les condamnations. Jamais autant d'incarcérations de mineurs n'ont été prononcées[1]. Il n'y a ni culture de l'excuse, ni complaisance sociologique à *punir* la délinquance comme acte et à la *traiter* comme effet de la dislocation familiale et de l'échec scolaire. Une authentique culture de la sécurité suppose la répression mesurée des actes, un diagnostic contextualisé de leur signification, un traitement qui leur est ajusté.

Une présence policière sur le terrain serait seule capable de rassurer et protéger ? Ces dernières années, les hausses de

---

1. Les mineurs sont plus poursuivis – on évalue à 79 % le taux de « réponse pénale » pour les mineurs poursuivis (contre 68 % pour les majeurs) – et plus condamnés que la moyenne : malgré une baisse en 2003, les condamnations ont plus que doublé en dix ans (35 000 sanctions en 1990 et 85 500 en 2002). *Les Chiffres clés de la justice*, octobre 2003.

la criminalité les plus fortes se sont produites dans les pays au plus fort taux de policiers par habitant. Ce qui ne veut pas dire que la police est impuissante mais que son organisation répond mal au type de problèmes qui lui sont posés. La police de proximité est un leurre tant qu'elle se heurtera à des obstacles institutionnels et culturels comme on l'a vu au chapitre précédent. Aucune police ne peut assurer une mission de tolérance zéro à elle seule, en endossant les défaillances des autres formes de contrôle social, moral ou éducatif. Les lacunes dans la formation et l'encadrement de la police, jointes au renouvellement rapide des effectifs dans la région parisienne, sont autant de signes de fragilité. Ils sont une cause directe de violence policière, notamment la nuit[1]. Peut-on prendre le risque d'une police sans cesse plus sollicitée sans qu'elle soit dotée de contrôles hiérarchiques internes fiables ? On ne reconstruit pas une fonction d'autorité par une simple stratégie de recrutement. On ne la conforte guère en minimisant les brutalités pendant les gardes à vue. On ne la restaure pas par des postures de victimisation à l'audience correctionnelle. Une police démocratique doit être capable de contrôles internes afin d'obtenir la confiance du public.

Enfin, l'enfermement serait le seul moyen d'empêcher la récidive ? Pris à la lettre, un tel discours impliquerait pour tous les récidivistes la prison perpétuelle. Or, toute peine a une fin. Plus encore : seule l'existence d'un terme lui donne sa finalité. Les travaux de démographie carcérale montrent que c'est la libération conditionnelle avec ses contrôles et obligations qui évite la récidive. Actuellement 82 % des condamnés

---

1. Selon le rapport 2003 de la Commission nationale de déontologie et de la sécurité (CNDS), La Documentation française, 2004, p. 11. Le Comité de prévention de la torture (CPT, Conseil de l'Europe) évaluait en 2000 à 5 % les gardés à vue qui souffraient de lésions traumatiques résultant de leurs conditions de détention et d'interpellation.

libérés ne bénéficient d'aucun accompagnement alors qu'il est établi qu'un suivi à la sortie de prison fait chuter de moitié le risque de récidive. Pour les délinquants sexuels, la prison est le plus souvent un lieu où il ne se passe rien. Là encore les études disponibles montrent que le taux de récidive, infiniment plus faible que pour d'autres infractions, diminue quand il y a un véritable suivi[1]. Une véritable protection de la société suppose de donner sa chance au milieu ouvert. Une politique de réinsertion aux moyens renforcés est bien plus réductrice de risque que la prison. Pourquoi ne pas l'affirmer plus nettement ?

Prenons l'exemple de la toxicomanie. Comment comprendre qu'un tiers environ des entrants en prison soient des usagers de stupéfiants et qu'ils récidivent fortement à leur sortie, faute de centres de soins suffisants ? Là, plus peut-être qu'ailleurs, la stratégie de « la guerre contre la drogue », si florissante dans les années 1980 aux États-Unis puis en Europe, a montré clairement ses limites. On réalise aujourd'hui à quel point la criminalisation de la toxicomanie est inefficace. Dans le cas de l'héroïne, c'est la médicalisation de la réponse et la prescription de produits de substitution qui ont limité les épidémies et réduit la délinquance. C'est le succès des parcours de sevrage qui a tari le marché de l'offre illégale. C'est la prévention sanitaire, au demeurant bien moins coûteuse que la répression, qui obtient les meilleurs résultats.

En croyant défendre la société, la pénalisation la fragilise. Elle met face à face un État surarmé et une poussière d'individus abandonnés par des institutions disqualifiées. En fixant

---

1. Les travaux canadiens estiment à 10-15 % le taux de récidive des délinquants sexuels qui sont astreints à un suivi d'une durée moyenne de cinq ans (R. K. Hanson, « Facteur de récidive sexuelle ; caractéristique des délinquants et réponse au traitement », in *Psychopathologie et traitements actuels des auteurs d'agression sexuelle*, Conférence de consensus des 23 et 25 novembre 2001, John Libbey, 2003, p. 215).

les attentes sur la justice pénale, elle néglige les autres régulations et, au bout du compte, affaiblit la société en son entier. Or, toutes les institutions sont concernées par le contrôle de la violence. Ce sont elles qui introduisent le temps et les médiations permettant aux conflits de se dénouer. La véritable force de la société est dans sa capacité à réguler les conflits *dans* les institutions (famille, école, travail), non de demander à un pouvoir imaginaire de les résoudre. Aux institutions – à toutes les institutions – de jouer leur rôle, mais aussi aux initiatives qui appellent les citoyens à prendre leur part dans un monde commun perpétuellement à construire[1].

Préserver la pluralité des réponses à la déviance

Cela suppose aussi de maintenir les acquis des cultures professionnelles. Quand les magistrats et les psychiatres ont envisagé de traiter différemment les « enfants irréguliers », une alliance entre le monde éducatif et le monde judiciaire a pu se nouer. Quand, dans les années 1990, le sida est apparu, les réponses sanitaires et préventives ont scellé une « triple entente » entre patients, juristes et médecins pour briser la clôture des savoirs. Quand le droit est entré en prison, il n'a cessé de faire reculer l'arbitraire des peines obscures, de promouvoir la santé et de donner toute sa place au juge d'application des peines[2]. Ce pluralisme permet de maintenir un dialogue confiant entre les professionnels de l'acte (poli-

---

1. Voir l'expérience de lutte contre la violence dans la « cité des poètes », quartier de Pierrefitte, dans la banlieue nord de Paris (Nathalie Dollé et Hibat Tabib, *La Cité des poètes. Comment créer une dynamique de quartier face à la violence*, Le Temps des Cerises, 1998).
2. Il s'agit de la réforme des soins en prison (loi du 1er janvier 1994) et de la suspension de peine pour motif médical grave (loi du 4 mars 2002) ; des droits de la défense lors de la procédure disciplinaire (loi du 12 avril 2000) et de la juridictionnalisation de l'application des peines (lois du 15 juin 2000 et du 9 mars 2004).

ciers et juges) et ceux de la personne (soignants et travailleurs sociaux). La modération des peines peut s'appuyer sur ces régulations forgées par le partenariat. Elle doit beaucoup à ce métissage des savoirs qui s'enracine dans la connaissance des ressorts profonds de la déviance et désamorcent ses mécanismes de reproduction.

Cette culture criminologique résiste mal aux nouvelles grilles de lecture de la déviance. Que nous disent-elles ? Que le toxicomane usager est le rouage d'un trafic organisé à l'échelle internationale ; qu'un mineur délinquant réitérant fait ses premiers pas dans la carrière criminelle ; que les incivilités sont la première étape d'un inéluctable abandon du vivre-ensemble... Quand le récidiviste devient une « cible endurcie », que les agressions s'apparentent à des « attentats à basse intensité » et que les violences urbaines ne sont que le front régional d'un chaos mondial, comment ne pas livrer bataille ? L'irruption d'une grille stratégique qui décrypte les guerres civiles cachées dans la petite et moyenne délinquance appauvrit nos réponses. La politique pénale prête ainsi le flanc à des réactions populistes. Cette réponse univoque exprime notre malaise quand les contours entre sécurité intérieure et extérieure deviennent flous. Face au risque délinquant, il faut préserver la différenciation des savoirs, faute de quoi nos réponses seront elles aussi indifférenciées. Cette simplification brutale ferme les chemins diversifiés que nous avons su emprunter pour rendre la peine plus intelligente.

Longtemps, la bienveillance de l'État à l'égard des jeunes délinquants se résumait à une dialectique entre le judiciaire et l'éducatif. Elle se pensait sur le double registre de moyens éducatifs ou de peines adaptées. Aujourd'hui, *entre* l'État et l'individu, surgissent les véritables acteurs de notre société : les élus, les victimes, les associations d'habitants, les établissements scolaires... À eux seuls, les corps régaliens – justice et police – n'ont plus les moyens de répondre à la délinquance. Ce sont les ressources de la société qu'il faut désormais mobiliser pour nourrir les mesures de réparation ou les stages de citoyenneté. Tout l'enjeu est de réveiller la part éducative enfouie dans les institutions. Nous ne pouvons plus rester à un rapport « paternel » ou punitif entre l'État et l'individu, le juge et l'enfant. L'État ne peut plus, à lui seul, incarner le bien éducatif face au mal pénal. Nous entrons dans un champ plus vaste composé d'acteurs nouveaux qui doivent apporter leur contribution. Ce qui implique de tenir sur les deux fronts : accepter le « conflit éducatif » dans les quartiers et assumer « le rôle régulateur de la sanction pénale ou coercitive »[1].

Reste que la tendance à penser la justice des mineurs dans une dominante purement pénale n'est pas sans danger. Sans doute doit-elle être repensée à la hauteur d'une délinquance massive, chronicisée par la pauvreté, le chômage et l'exclusion. Sans doute aussi la priorité éducative suppose de ne plus penser comme antagoniques la contrainte et l'acte éducatif. Mais il faut conjuguer, sous l'égide d'un même juge (le juge des enfants), la répression de l'acte commis avec le soutien à l'autorité parentale. Voilà pourquoi il importe de préserver les *voies civiles* de résolution des conflits familiaux comme l'assistance éducative. Là seulement peuvent s'élaborer des réponses où sont en jeu des « parents » et des « enfants », sans que des « délinquants » soient face à des « victimes ». Là, ce sont des parents qui demandent simplement à être rétablis dans leur place. Le moment bref de la sanction épuise ses effets en soldant les comptes d'un acte. Le temps long de

---

1. Voir les propositions 4 (« des quartiers à reconquérir »), 5 (« être impitoyable avec les majeurs qui utilisent des mineurs pour commettre des infractions ») et 6 (« redécouvrir la dimension éducative de la sanction ») du rapport parlementaire *La République en quête de respect*, Commission d'enquête sénatoriale sur la délinquance des mineurs, n° 340, 2002, p. 219-220.

l'action éducative, au plus près du conflit familial, exerce une fonction transformatrice. Seul, il restaure un lien social qu'une action exclusivement pénale affaiblit. Seul, il peut aider la société à articuler le passé et le futur, à instituer la continuité des générations.

Un même souci de différenciation guide – et c'est heureux – *la réforme de l'individualisation des peines* en cours depuis quelques années. Un rapport parlementaire proposait de rétablir les régimes de détention correspondant non au seul souci de sécurité mais aussi au niveau de traitement souhaitable [1]. Avec la loi du 9 mars 2004 (Perben II), nous revenons à la notion de *progressivité des peines*, à une conception où la privation de liberté serait le dernier recours dans une pénologie diversifiée. « L'individualisation de la peine doit, chaque fois que cela est possible, permettre le retour progressif du condamné à la liberté et éviter une remise en liberté sans autre forme de suivi judiciaire [2]. » Une telle différenciation écarte l'hégémonie de la peine de prison. Le souci d'individualisation est marqué par le refus de tout traiter par l'enfermement (surtout les courtes peines) et par une claire volonté de *crédibiliser* les mesures alternatives à l'incarcération. Un plan de sauvegarde en faveur de la semi-liberté a été lancé pour contrecarrer l'échec massif des sorties aménagées et les moyens dérisoires donnés aux SPIP (services d'insertion et de probation) qui représentent environ 2 500 agents, soit à peine 11 % des personnels pénitentiaires. Comment mieux dire qu'il y a

---

1. Conformément aux propositions du rapport parlementaire qui met au centre de ses propositions *la priorité de réinsertion* : moyens des services de probation, personnalisation de la peine, progressivité dans la détention à l'instar du système canadien, voir *La France face à ses prisons*, Assemblée nationale, n° 2551, 2000 p. 262 et *sqq*.
2. Nouvel article 707 issu de la loi du 9 mars 2004 appuyé sur les réflexions du rapport Warsmann sur les peines alternatives à la détention, 2003, www.justice.gouv.fr/publication/rapports.

un prix politique à payer pour que la balance des risques penche moins en défaveur du condamné ?

Finalité courte, finalité longue de la peine

Faute de payer ce prix, une sorte de lassitude par résignation peut renforcer le recours au carcéral. Qu'on se souvienne des cas évoqués ci-dessus de Patrick Henry ou de Karla Faye Tucker. La société n'a pas voulu voir l'homme (ou la femme) qu'ils sont devenus. Le moment collectif de la réprobation occulte le long voyage intérieur du prisonnier en réclusion. Un climat de populisme pénal flotte comme une malédiction sur les condamnés. Il projette le moment du crime sur la finalité longue de la peine. Un parcours de réinsertion a peu de poids devant des images qui nous mettent à la place des victimes. De la peine, on n'attend que la réplique de la société offensée et non une démarche d'aveu ou *a fortiori* de repentir. Les portes de la Loi se sont lourdement refermées sur ces sujets. Ils sont astreints à porter le présent éternel de leur acte. Pour eux, les autres dimensions temporelles de la peine sont hors d'atteinte à l'image du voyageur figé dans une attente mortifère de la parabole de Kafka, « Devant la Loi ».

Toute peine contient pourtant des *temporalités successives* qui peuvent entrer en tension les unes avec les autres. Le temps de la peine n'est ni unique, ni linéaire. Il y a d'abord le moment de la dissuasion (porté par la clameur publique) ou de la rétribution (exigé par la loi). C'est le moment durkheimien de « la vitalité de la conscience commune » où l'on assiste au déferlement de la société sur un coupable. Il incarne un moment de la peine, celui de la colère mimétique, de cette « passion contraire » qu'est la peine sous l'emprise du sacré. L'intensité de ce moment est d'autant plus forte que cette « société » blessée a désormais le visage d'une victime qui énonce son récit, exige réparation et veut que « son » affaire serve d'exemple.

Ce premier moment est suspendu par l'intervention de la justice, de son appareil d'enquête, de preuve, de discussion. La réaction sociale entre dans des procédures qui la rationalisent par un jeu d'équivalences : de l'acte à l'infraction, de la vengeance à la poursuite, de la lamentation à la plainte. Cette chaîne d'équivalences modératrices permet d'user, de transformer la violence initiale, de la pacifier avec des mots. Peu à peu vient un temps où la passion de punir s'essouffle, où la société et la victime veulent passer à autre chose. Au-delà de son sens immédiat qui traduit la réaction de la société à l'offense subie, le sens de la peine s'inverse avec le temps. Au fur et à mesure que l'indignation sociale faiblit et que l'oubli grandit, la société relâche son emprise.

On découvre qu'un procès ne peut être exemplaire, contrairement au souhait de certaines victimes, au risque de se nier lui-même. Nul ne peut remplacer le temps du mal pour un temps sans mal. La peine, même si elle a un aspect dissuasif, ne peut faire en sorte que le mal ne se reproduise pas. Elle doit simplement être juste, ce qui suppose d'accorder la loi à la singularité du cas qui lui est soumis. Alors peut s'ouvrir un *second temps* plus favorable au condamné et qui lui appartient en propre. La pression pénale se relâche, ce qui permet de révéler l'autre face du droit de punir, d'inverser la répression en clémence : les libérations anticipées, les grâces, les aménagements de peine. Alors devient visible la virtualité créatrice de la peine. Le parcours du droit de punir peut s'accomplir dans sa totalité. Après l'énoncé afflictif et infamant de la peine advient le temps subjectif de sa médiation transformatrice [1].

---

1. A. Chauvenet et F. Orlic, « Sens de la peine et contraintes en milieu ouvert et en prison », *Déviance et société*, 2002, vol. 26, p. 443-461.

Une peine juste suppose, au-delà du temps court de la sentence, le temps long de la reconstruction et des recommencements. Il faut savoir patienter, attendre le bon moment à partir duquel le condamné est en mesure de s'identifier à des promesses nouvelles. Le travail sur la peine juste suppose de penser *l'entre-deux* qui permet de passer par étapes de la privation de liberté à l'autonomie. Au lieu des dispositifs de prévention du risque qui l'atomisent un peu plus, on réveille l'homme *capable* (et donc responsable), véritable postulat et finalité de la peine. La peine a donc un sens rétributif et un sens réhabilitatif. Une politique libérale ne doit pas fusionner ces deux dimensions, mais articuler l'une à l'autre les deux phases également légitimes de la peine : l'une qui appartient à la société et aux victimes ; l'autre, à l'homme coupable. Voilà pourquoi la volonté de gonfler le temps d'incarcération (par des peines automatiques, par exemple) priverait la peine de sa respiration démocratique.

Toute réflexion sur le temps de la peine doit garder « l'imagination du semblable » sans condamner un « autre » en lui fermant à jamais les portes de la Loi. Avec le temps, même le plus dangereux terroriste peut repenser son histoire, donner un autre sens à ses actes, mériter une « peine de réconciliation [1] ». Toute peine qui perd cet horizon de sens retourne au stade d'une violence sans visage, avide de frapper pour apaiser les tensions causées par le crime. Une rétribution mesurée est le gage d'une possible réhabilitation/réinsertion.

---

1. Tel François Besse, condamné à huit ans d'emprisonnement après s'être métamorphosé pendant le temps de sa peine au point d'être devenu un autre homme. Voir J.-M. Dumay, « François Besse ou les leçons d'un procès », *Le Monde*, 3 juillet 2002.

Les promesses d'une justice « restauratrice »

Mais peut-être faut-il aller plus loin et imaginer une justice qui échappe au couple de l'accusé et de la victime ? Tel est le pari tenté par les pays anglo-saxons qui ont développé les formes communautaires de justice en réaction au mouvement de criminalisation et avec le souci d'inventer des formes alternatives de justice. Traditionnellement, la place de l'État y est moindre, la société civile plus autonome. La longue habitude d'intervention des communautés dans la gestion de la cité explique que les initiatives novatrices viennent de la société elle-même. Par postulat, la justice restauratrice refuse de punir un coupable et de dédommager sa victime. Au contraire, elle veut mobiliser toutes les parties prenantes d'un conflit pour restaurer les liens sociaux *entre* offensé, offenseur et collectivité. Quels que soient les termes utilisés – « conférence », « cercle », « médiation » –, c'est un processus de reconstruction de la vie collective où chacun doit s'impliquer. La portée de ce modèle est vaste : chaque fois, en somme, que les protagonistes d'un conflit sont assez liés pour vouloir *continuer à vivre– ensemble*, la réconciliation est le seul chemin qui s'offre à eux. Voilà pourquoi il est préconisé autant pour résoudre les litiges courants que pour sortir des traumatismes profonds issus des crimes de masse comme les « comités Vérité et Réconciliation ». Comment analyser ses multiples occurrences ? Forment-elles un « duo » ou livrent-elles un « duel » avec la justice étatique ? Peut-on y voir une ligne directrice qui donne sens à un modèle d'éthique « restauratrice » au-delà même des formes de justice ?

Cette justice restauratrice est d'abord *une alternative* à la justice pénale. Au Canada, son apparition correspond au constat d'échec du système pénal étatique chez les peuples anciennement colonisés. Souvent ce sont des juges qui sautent le pas et décident de tenter une nouvelle expérience. Ils prennent acte de l'échec d'une justice imposée à ces communautés et d'une gestion purement carcérale de leurs déviances. La reconnaissance des droits des « premières nations » y retrouve une chance. La volonté politique de restaurer un équilibre brisé par plusieurs siècles de colonisation est à l'origine des « cercles de guérison[1] ». Les *Community conferencing* (Nouvelle-Zélande), les « cercles de détermination de la peine » (Canada) et les « consultations communautaires » (Pays-Bas) s'en inspirent. Par rapport à la justice pénale, la rupture est *triple* : il n'y a pas d'infraction (et donc de couple coupable/victime) mais une offense ; pas de condamnation de l'acte coupable mais un processus de restauration d'un lien ; pas de juge qui tranche mais des médiateurs, des facilitateurs de parole. Seule la réponse sociale au tort impliquant des offensés et des offenseurs est en jeu. L'infraction à la loi s'efface devant les perspectives de réparation de l'offense offertes par les participants.

À distance de l'appareil étatique (mais avec sa contribution), la justice est rendue à une communauté. Le but est non de faire payer à un seul le prix de son acte mais que tous se sentent concernés par le tort, que tous entrent dans le cercle de la réparation. Chacun doit retrouver la grammaire qui permet de se lier à un langage commun. Dans la philosophie amérindienne, le « cercle » signifie la terre et le cycle de vie brisé par la colonisation. Les « cercles » sont là pour vider les querelles dans les univers autochtones où la pauvreté et la délinquance sont endémiques. Tous ceux qui ont une légiti-

---

1. Mylène Jaccoud, « Les cercles de guérison et les cercles de sentence autochtones au Canada », in *La Justice réparatrice, Criminologie*, vol. 32, n° 1 (1999), p. 79-105.

mité à intervenir dans la relation y ont leur place. Après plusieurs heures de discussion, le groupe établit un « plan de sentence » auquel tous sont liés.

Ce type d'instance peut aussi exister *parallèlement* au système pénal. Les « cercles de sentence » sont une modalité de la « déjudiciarisation ». Le juge délivre une autorisation de médiation, par exemple, avant une poursuite ou après un plaider coupable. Les programmes américains *Victim offender mediation*, les « conférences restauratives » ou les *Family group conferences* en Nouvelle-Zélande réunissent tous les membres de la famille et de la communauté concernés. Le « cercle » met en scène des relations endommagées, non des actes illégaux : en marge de la justice pénale, il s'agit d'une reconstruction par étapes d'une confiance commune. Ce n'est pas la « victime » qui dépose une « plainte » ; ce n'est pas sa demande qui appelle une réaction rétributive (la peine) ; ce n'est pas *son* préjudice qui est réparé mais *le* lien social conçu comme un bien commun qui est restauré. Ce qui compte est de mettre chacun en situation d'implication et de restauration du lien dont tous sont coresponsables[1].

Face aux crimes de masse, *la simultanéité* des instances de justice est plus qu'ailleurs indispensable. À côté des tribunaux, d'autres régulations doivent intervenir dans le temps long de la reconstruction tant le lien entre les hommes est profondément brisé. On en mesure la nécessité, après le génocide rwandais, où il faut à la fois punir, réparer et restaurer de multiples lésions individuelles et collectives. À côté des procès pénaux, on trouve des formes plus populaires de justice (*Gacaca*), le tribunal international *ad hoc* d'Arusha mais aussi

---

1. Bien entendu, il ne peut s'agir d'une pure « justice communautaire », comme le spectre en a été agité lors de la récente demande, émanant d'un avocat de l'Ontario, d'instaurer une telle instance qui jugerait au nom de la charia. Il faut rappeler qu'il s'agit ici de traiter des litiges ordinaires en conformité avec les droits fondamentaux.

diverses commissions d'indemnisation. Après l'apartheid, les comités Vérité et Réconciliation en Afrique du Sud mettent en place plusieurs types de réponse : le comité « Vérité » permet de construire le récit dû aux victimes, le comité d'amnistie apprécie si la peine peut être amnistiée en cas d'aveu, le comité des réparations statue sur les indemnisations. Une société hétérogène, le regard tourné vers l'après-conflit, doit puiser dans ses ressources propres. *Unbuntu* symbolise ce lien plus fort que la mort qui, au-delà des vivants, nous porte à poursuivre la vie commune. La confiance en la parole atteste de l'énergie créatrice d'un lien social composite. La société va au-devant d'elle-même, invente son avenir, déterre le champ des possibles enfoui dans le tissu social. L'essentiel est de retrouver l'arbre à palabre qui, dans les plus anciennes représentations de la justice, « symbolise l'enracinement et surplombe les conflits par le vouloir vivre ensemble[1] ».

Le ressort de cette justice restauratrice est la honte. Son mécanisme opère le passage de la honte dégradante (*shaming*) – le tribunal vous déclare coupable de... – en honte positive (*reintegrating shaming*)[2]. À l'opposé de l'humiliation, elle exprime une désapprobation compréhensive de la part de la communauté. Le regard porté sur l'acte ne désigne plus un coupable mais un membre de celle-ci. L'auteur peut passer de l'indifférence à la prise de conscience (s'il présente des excuses, par exemple) et la victime, de la honte à la reconnaissance. Pour que l'un sorte de la honte et que l'autre y entre, pour permettre ce jeu d'équivalence, le rituel ne doit pas être punitif. Il ne résulte ni de la rétribution (« tu es coupable, tu seras puni pour la faute »), ni de la réhabilita-

---

1. J.-G. Bidima, *La Palabre, une juridiction de la parole*, Michalon, 1997, p. 13.
2. Sur la honte réintégrative, voir John Braithwaite, *Crime, Shame and Reintegration*, Cambridge University Press, 1989, p. 69.

tion (« tu es coupable, mais tu vaux mieux que tes actes »), mais de la volonté de régler une dette mutuelle : « en m'offensant, tu t'es endetté à mon égard ». Par conséquent, « tu » me dois la vérité afin qu'ensemble « nous » puissions retrouver la paix. L'offenseur doit se dissocier de son acte et prendre le risque de se couvrir de honte en reconnaissant les faits, en regardant la victime en face. Le bénéfice pour la victime est précieux : « La société ne songe qu'à sa sécurité et se fiche complètement des vies endommagées : elle regarde en avant et dans le meilleur des cas elle le fait pour éviter que ce genre de chose se reproduise. Mais mes ressentiments sont là pour que le crime devienne une réalité morale aux yeux du criminel lui-même, pour que le malfaiteur soit impliqué dans son propre forfait [1] ».

Comment mieux exprimer que ne le fait Jean Améry l'insuffisance du châtiment pour la victime ? L'acte est réprouvé mais son auteur est aussi reconnu comme moralement capable de changer. Sorti de sa matérialité brute, il est mis en récit, réécrit au futur, réinscrit dans un projet qui le dépasse. L'entrée de l'auteur dans un itinéraire moral – jamais acquise, du reste – est rendue possible par la confiance qui lui est maintenue. Cette démarche annule le crime aux yeux de la victime infiniment mieux qu'un châtiment. Celle-ci va être guidée plus facilement, sinon vers le pardon, du moins vers une forme de satisfaction.

L'éthique restauratrice fait plus que désamorcer l'éthique de la colère. Elle place l'œuvre de justice dans une perspective de compréhension qui nous lie les uns aux autres par-delà nos conflits. Elle permet une démarche réparatrice parce que la réprobation demeure compréhensive et donc d'autant mieux acceptable pour l'offenseur. Celui-ci ne subit plus passivement

---

1. Jean Améry, *Par-delà le crime et le châtiment*, Actes Sud, 1995, p. 123.

sa peine, la victime n'attend plus le jugement, le public n'assiste plus au procès : chacun, pris dans un jeu de rôle social et non plus pénal, se trouve de fait impliqué dans la reconstruction. Un procès d'assises, par exemple, ne peut-il pas – au moins à certains moments – échapper à l'étreinte de l'accusation, sortir de l'affrontement entre coupables et victimes ? N'a-t-il pas vocation à élaborer un récit plus proche du conflit quand le crime concerne des personnes qui se connaissent, une histoire commune à entendre, un tissu de liens à déplier ?

On ne peut donc pas éviter de payer au moins *trois dettes* : celle qui est due à la loi parce que toute société organisée vit par ses codes, interdictions et sanctions ; celle qui est due ensuite à la victime qui doit être reconnue à sa place, dire son récit, obtenir réparation ; celle, enfin, qui est due au condamné qu'il faut mettre sur la voie de la réintégration dans la communauté. Utopie de « satisfaire » tant d'intérêts contradictoires ? Peut-être. Mais « tenir cette issue pour improbable, c'est finalement avouer que la pragmatique de la peine, même réintégrée dans le périmètre du concept de satisfaction, reste incapable d'étouffer le scandale que reste la peine pour l'intelligence[1] ». La justice, dans ce sens, reste une médiation imparfaite et pour cela vouée à réinventer ses propres formes. Sa contribution à la paix n'en existe pas moins sur les trois plans : réduction de la criminalité (prévue par loi commune), réinsertion envisageable (du condamné), réparation des torts causés (à la victime).

---

1. Paul Ricœur, « Le juste, la justice et son échec », in *Ricœur*, L'Herne, n° 81, 2004, p. 306.

La sentence du juge Dutil

La pratique du juge Jean L. Dutil (juge à la chambre criminelle et pénale de Québec) de la justice réparatrice (terme en vigueur au Canada) correspond aux trois « satisfactions » qu'assigne Paul Ricœur à la peine. « Un individu d'environ quarante-cinq ans comparaît devant moi et plaide coupable à des infractions de voies de fait, d'entrave au travail de policiers, de divers méfaits et d'avoir troublé la paix. Tout cela était intervenu un soir dans un bar alors qu'il était en état d'ébriété. L'accusé comparaissait seul, avait plaidé coupable et n'avait aucun antécédent judiciaire. J'ai compris après l'avoir questionné qu'il passait des moments difficiles à cause d'une procédure de divorce. J'ai décidé de reporter ma sentence en demandant de convoquer la famille. Au jour dit, les frères, sœurs, beaux-frères et belles-sœurs se présentent. Je leur explique les difficultés qu'ils ignorent et qu'il a besoin d'eux. Un beau-frère qui a des billets de hockey offre de l'inviter le samedi soir. Sa sœur aînée veut bien organiser des dîners de famille les fins de semaine. Bref, toute la famille prend ses responsabilités et lui offre l'aide dont il a besoin. Ce n'est pas un criminel que j'ai devant moi, mais un individu qui a violé la loi alors qu'il était en détresse. Désormais sa famille est prête à l'aider. Il sera ainsi en mesure de réparer les dommages causés aux victimes. Je suis persuadé que je ne reverrai jamais cet individu en Cour. » Il conclut : « Les cercles de consultation de famille et des amis intimes pourraient contribuer à faire baisser le taux de criminalité. Notre système judiciaire pourrait-il évoluer en ce sens [1] ? »

---

1. Jean Dutil, *Juger des personnes d'une culture différente*, Conférence à l'École nationale de la magistrature, Paris, 10 octobre 2000.

Au-delà de la compréhension et de l'accusation

À l'inverse du pardon qui est un acte inconditionnel et librement voulu, le monde du droit se confronte au mal, le canalise, cherche à épuiser ses effets. Tempéré par l'équité ou les circonstances atténuantes, il place la compréhension au cœur de la punition. Il délivre de la folie de l'accusation et libère cette part de nous-mêmes qui reste proche du semblable. Mais le pardon rappelle à toutes les victimes qu'au-delà du mal il y a une dette intraitable, irréparable avec laquelle il faut rompre un jour et accepter d'en faire mémoire. Il marque la nécessité d'un travail de deuil sans lequel il n'y a pas d'engendrement possible d'un futur. Car si la justice rétablit les places et compense un dommage, elle ne rend pas la vie. Un procès, si ouvert à des gestes « restauratifs » soit-il, ne répare que le mal réparable. Rien, quoi qu'il fasse, ne redeviendra comme avant. Il reste toujours un excès du malheur qu'il ne peut épuiser. L'illusion selon laquelle tout est réparable ne peut que décevoir les victimes et ranimer le vieux fond archaïque et violent de la peine. Pas plus que la peine n'efface le crime, la réparation n'efface le tort. L'irréversible de ce qui est arrivé un jour subsistera. Le pardon commence d'abord par là.

Voilà pourquoi il appartient en propre à l'offensé. Il y a une absolue hétérogénéité du pardon par rapport aux mécanismes juridiques de l'oubli. À côté de l'accusation imprescriptible, on trouve la grâce (ou l'amnistie) qui renoue avec la clémence. Le droit de punir est ainsi fait : il lutte contre le mal soit par la répression, soit par la non-répression. À la recherche de la juste peine, il vit dans une dialectique du « trop » ou du « trop peu ». Rien de tel dans le pardon qui fait vivre une instance d'une autre nature. Aucune recherche de compensation n'anime sa démarche. Par sa structure binaire toujours singulière (le pardon et la demande de pardon), sa temporalité intérieure (« l'usure du temps », chère à Jankélévitch) et par sa visée hyperbolique (la « folie du pardon »), il appartient au monde moral[1]. Par-delà le droit dont il assure la relève, il affirme la souveraineté morale de l'offensé qui parle en son nom propre. « Pour moi, dit-il, je demande le pardon, pour les autres la justice. » Le monde moral du pardon offre un bloc de résistance ultime à la faute impardonnable qui le questionne. Il se place en face de l'injustifiable du mal commis, de l'irréparable de ses effets et de l'impardonnable de son acte. La phrase de Jankélévitch – « le pardon est fort comme le mal mais le mal est fort comme le pardon[2] » – signifie qu'il y a équilibre des forces et non rapport de force. Le monde du pardon surplombe celui du mal. Il délie des répétitions infernales et ouvre à de nouvelles promesses.

Entre la faute impardonnable et le pardon encore possible, il faut déceler ces « gestes » invisibles ou « incognitos du pardon » (Ricœur) toujours *en excès* par rapport à la réparation. Geste incarné par les mains de ce père qui reposent sur l'épaule de son fils dans *Le Retour du fils prodigue*, toile peinte par Rembrandt à la fin de sa vie. Toile qui saisit un moment de paix intérieure après le long tourment de la séparation dont chacun porte le stigmate (le père est aveugle, le fils en haillons). Sur cette scène nul n'est victime, nul n'est coupable. Peu importe la faute du fils et le reniement du père. Chacun est visiblement brisé par le conflit. Chacun a renoncé à livrer bataille. À genoux, le fils tremble encore. Mais de quoi ? Est-ce

---

1. J. Derrida, *Foi et savoir* suivi de *Le siècle du pardon*, Seuil, coll. « Points-essais », 2000 et la discussion de P. Ricœur, *La Mémoire, l'histoire, l'oubli*, Seuil, 2000, p. 606 et *sqq.*
2. V. Jankélévitch, *L'Imprescriptible. Pardonner ? Dans l'honneur et la dignité* (1971), Seuil, coll. « Points-essais », p. 15.

la surprise de la rencontre ? L'attente d'un pardon inespéré ? Son visage, dans le clair-obscur, préserve l'énigme. Seules sa nuque, ses épaules captent un peu de lumière. Lourdes du pardon qu'elles portent, les mains du père appellent une paix retrouvée. Mains larges et lumineuses qu'un obscur silence enveloppe. Gestes lourds d'épreuves que chacun a dû traverser afin que fléchisse l'orgueil et que s'ouvre la réconciliation.

Épilogue

Dans une petite ville de province, les habitants vivent dans un bonheur tranquille. Un dimanche matin, certains d'entre eux croient voir un rhinocéros circuler dans les rues. Hallucination passagère ? Psychose collective ? Nul n'y prête attention. Mais peu à peu les rhinocéros se répandent dans toute la ville. Ces maîtres puissants s'installent dans la vie quotidienne. Ils défilent dans les avenues et sur les places en meutes compactes. C'est alors qu'une épidémie de « rhinocérite » contamine les habitants. Les uns après les autres, ils auront la peau dure et la tête cornée. Les meilleurs amis se métamorphosent inexorablement en fauves. La plupart se résignent à l'accepter. « Pourquoi s'affoler pour quelques hommes qui ont changé de peau, disent-ils, ils sont libres, ça les regarde ! Un jour, ajoutent-ils, tout redeviendra comme avant. » Seuls quelques-uns luttent pour ne pas être mêlés au troupeau féroce. Béranger, le dernier homme, crie de toutes ses forces son refus de capituler. Sans eux, sans lui, la société serait détruite, le monde dévasté et le mot même d'homme ne pourrait plus être prononcé.

Quel est ce mal étrange qu'évoque *Rhinocéros,* cette allégorie de Ionesco écrite en pleine guerre froide ? Le mal, suggère-t-il, ne vient pas que de l'extérieur, d'une volonté mauvaise. Quand il est là, il importe, certes, de résister, de se battre, de le repousser. Nous n'avons pas de tâche plus urgente que de lutter contre lui. Mais sa force véritable vient du virus qu'il dissémine dans le corps social. Elle est décuplée par la réaction nocive qu'elle provoque au point de faire « changer de peau » l'homme démocratique. Un peuple entier peut être ainsi transformé en foule furieuse, vouée à la barbarie. N'a-t-on pas qualifié l'hyperterrorisme comme une « stratégie du microbe » qui s'infiltre dans nos démocraties et rend vaines les ripostes des « éléphants » étatiques [1] ? Comme Béranger, il nous faut lutter contre cette maladie de la démocratie qui détruit ses défenses immunitaires, subvertit son langage, affaiblit ses institutions. Jacques Derrida ne disait pas autre chose en évoquant « l'auto-immunité » instillée par le 11 Septembre, c'est-à-dire une autodestruction des mécanismes de défense des démocraties sous le choc d'une telle agression. Le mal véritable est là : une infinie blessure, un traumatisme sans perspective de dépassement, une menace perpétuelle liée à un avenir infigurable [2].

Mais comment ne pas basculer dans le nihilisme où peuvent nous conduire la lutte contre le terrorisme de masse, le crime organisé, la violence indiscriminée ? Comment éviter, dit Pierre Hassner, qu'à « l'embourgeoisement du barbare » (à l'image de Ben Laden) réponde la « barbarisation du bourgeois », dès lors que les valeurs universelles sont sacrifiées à un idéal guerrier ? L'impact mental de ce mal conduit à façonner une contre-violence à son image. Sa victoire est de ne rendre visible que la riposte démesurée : ainsi la réaction des autorités russes aux prises d'otages des indépendantistes tchétchènes (au

---

1. René Passet, *Mondialisation financière et terrorisme*, Enjeux planète, 2002, p. 88.
2. Jacques Derrida, Jürgen Habermas, *Le « Concept » du 11 Septembre*, Galilée, 2003, p. 144 et ss.

théâtre de Moscou en 2002) et le massacre d'enfants à la suite d'un assaut immédiat (école de Beslan, 2004)[1] ? La violence impensable a un pouvoir de sidération. Elle désarticule les institutions démocratiques et débride la puissance de l'État. C'est sur la scène de la démocratie qu'elle rend publics ses messages sanglants et que s'affiche l'irrationalité de ses réponses.

La rhétorique punitive qui envahit nos démocraties puise à cette source. Invoquée au nom des victimes, elle donne un puissant élan moral au discours politique. Elle devient la marque d'un patriotisme combattant capable de forger l'unité de tous. Mais où nous entraînera ce mouvement inspiré par une culture de guerre si ce n'est à glisser hors de l'État de droit ? En veut-on un nouvel exemple ? Depuis que la torture a cessé d'être un moyen légal de preuve (en Europe, depuis le XIXᵉ siècle), sa pratique est restée clandestine et le plus souvent niée. Lorsqu'ils sont accusés, les gouvernements opposent des démentis d'autant plus aisés que les témoignages sont rares et les lieux inaccessibles aux enquêteurs indépendants. Or, dans nombre de démocraties, on observe depuis peu le retour du débat sur *l'utilité de la torture* : alors que la France est condamnée par la Cour européenne des droits de l'homme pour ses violences policières, en Allemagne certaines voix légitiment l'usage de la torture en cas d'enlèvements d'enfants suivis de demandes de rançons. En Angleterre, un débat judiciaire porte sur des preuves obtenues par ce moyen dans une affaire où plusieurs personnes sont arrêtées pour terrorisme. En Espagne, Amnesty International note que des mauvais traitements frappent des détenus pour le même motif. En Israël, les autorités (mais non la Cour suprême) valident les

---

1. À Beslan (Ossetie du Nord), l'assaut donné par la police russe a fait 339 morts dans l'école où les enfants étaient pris en otage par un groupe qui se réclamait de la cause tchétchène.

renseignements obtenus à la suite de « pressions physiques modérées ». Un des théoriciens du droit le plus en vue aux États-Unis, comme Richard Posner, soutient que l'interdit de la torture doit être relativisé à l'aune d'un calcul d'utilité[1]. Beaucoup pensaient que ce débat était clos en Europe après la Seconde Guerre mondiale par l'interdit ferme posé par la Convention européenne des droits de l'homme. Pourtant le fait est là : ce noyau intangible des droits humains, ce grand héritage juridique de l'après-guerre – l'interdiction des « traitements inhumains et dégradants » et de leur forme extrême qu'est la torture – ne fait plus consensus.

Dans un climat de guerre universelle contre le crime, on aurait donc tort de minimiser les méfaits du populisme pénal. Sur son terreau fertile prospère l'appel à un peuple désorienté que seul un pouvoir fort peut rassurer. Dans un monde où nous sommes exposés aux pathologies chroniques du pluralisme, aux errements de l'opinion, le danger d'une dissolution de la politique dans les émotions collectives est toujours possible. À l'élection qui fragmente le peuple, beaucoup préfèrent à la suite de Carl Schmitt l'acclamation qui le rassemble dans un tout homogène autour de son chef. Par gros temps, la volonté du peuple doit parler pour ainsi dire directement par lui et en lui. Nul besoin de représentation qui éparpille l'autorité. Le pouvoir appelle à lui un peuple imaginaire plus conforme à son idéologie que la pluralité présumée ingouvernable du peuple réel.

Cette conjoncture ne s'installe pas aujourd'hui par hasard. La démocratie n'est plus ce théâtre de la volonté qui lui

---

1. Posner plaide l'argument de la « ticking bomb » : « Si la torture est le moyen d'obtenir des informations pour éviter l'explosion d'une bombe, elle doit et sera utilisée pour obtenir des informations [...] la torture est donc permise si les enjeux sont assez élevés » (*The New Republic*, 2 septembre 2002). Ce qui était déjà le principal argument apporté à l'appui de l'usage de la torture pendant la guerre d'Algérie.

permettait de gouverner et d'agir à partir d'un centre politique. Prestige et centralité ne caractérisent plus son pouvoir. Aucun État n'est l'organe unique ou le « guide de la nation » au travers duquel elle se représente. Il y a de multiples formes d'actions de la société sur elle-même que le politique subit au moment où il perd ses capacités d'intervention. La démocratie, à la recherche de son cadre d'action, n'a plus de centre. Plus les flux de la mondialisation s'intensifient et affaiblissent les frontières, plus l'insécurité s'accroît. La représentation politique devient un décor vide et inhabité face à une société polymorphe, plus ouverte à un marché globalisé, segmentée en intérêts multiples et, donc, malaisément gouvernable. Une crise de confiance profonde traverse la représentation qui forme le cœur de la légitimité démocratique : taux massif d'abstention, faiblesse des grands partis, montée des partis extrêmes et volatilité de l'électorat.

À cette perte de confiance s'ajoute la dévitalisation des institutions elles-mêmes. La démocratie comme système de gouvernement progresse partout mais la démocratie libérale recule. La compétition pour le pouvoir l'emporte sur la confiance envers des institutions, certes non élues, mais néanmoins légitimes et moins soumises à la pression de l'opinion. À cette logique de la démocratie majoritaire correspond la perte d'influence des corps intermédiaires suspects de perturber l'expression authentique du peuple. Irons-nous vers une justice rendue par les médias, des lois adoptées par plébiscites, un gouvernement soumis aux « suffrages » de l'opinion ? On comprend que les thématiques populistes gagnent du terrain dans cette inquiétante progression de la « démocratie illibérale [1] ».

---

1. Fareed Zakaria, *L'Avenir de la liberté. La démocratie illibérale aux États-Unis et dans le monde*, Odile Jacob, 2003.

Si ce scénario est possible, il n'est pas écrit. Le peuple n'est pas populiste par fatalité. Il est seulement en attente de représentation. S'il peut succomber à des manipulations, sa responsabilité citoyenne est entre ses mains. Dans son principe, une démocratie suppose d'accepter le « lieu vide du pouvoir [1] », c'est-à-dire de rester perpétuellement en quête de fondements faute de certitudes ultimes. Aucun pouvoir n'y a vocation à dominer les autres, à avoir le dernier mot. Un pouvoir incarné délivre dangereusement la démocratie du fardeau de la division. Son seul souci est de faire fonctionner à ses fins les pouvoirs médiatiques et judiciaires qui ne sauraient lui faire concurrence.

À l'inverse, la démocratie exprime une communauté à travers le conflit des intérêts, le désaccord des opinions. Elle ne cherche pas l'unité d'un peuple imaginaire mais vit une expérience qui lui donne forme et identité. Elle conduit la société à se figurer, à garder le fil de son récit, à refaire connaissance avec elle-même. Elle se prépare d'autant mieux au surgissement de l'inconnu et du possible. La chute du gouvernement Aznar après les attentats de Madrid du 11 mars 2004 est plus qu'une sanction de défiance envers un mensonge d'État sur l'origine des attentats. La démocratie espagnole s'est souvenue que sa victoire contre le franquisme s'est faite au nom des libertés. Elle accepte les lois d'exception mais pas le mépris envers le contrôle démocratique. Elle marque ainsi sa volonté de persévérer dans son récit tout en refusant que la lutte contre le terrorisme vienne corrompre la parole publique.

La dialectique entre le peuple et ses représentants est perpétuellement à construire. Encore faut-il, pour cela, ne pas renvoyer à ce peuple le miroir de ses émotions, mais plutôt ses interrogations, sa mémoire, sa capacité d'agir. Encore

---

1. Selon le mot de Claude Lefort, voir *La Complication*, Fayard, 1999, p. 189.

faut-il lui offrir des médiations et des représentations capables de faire entendre sa voix et de peser sur les choix collectifs. Une démocratie se raconte à elle-même une histoire qu'elle transmet aux générations futures. Pris entre la tyrannie de l'urgence et le trop-plein de mémoire, nous souffrons d'un déficit d'articulation entre les temporalités constitutives de la démocratie : temps de la mémoire des victimes, temps long des droits fondamentaux, temps court de l'action politique, temps immédiat de l'opinion. Pour y remédier, sachons distinguer, avec Arendt, l'*origine du pouvoir* (l'élection), d'où les représentants du peuple tirent leur légitimité à gouverner, de la *source de la loi* (principes constitutionnels et libertés civiques), qui fonde une communauté politique. « Sans doute les lois devaient leur existence effective au pouvoir du peuple et de ses représentants », mais en même temps les hommes doivent « se représenter la source supérieure d'où ces lois tiraient leur origine pour faire autorité et être valides pour tous, majorité et minorité, générations présentes et futures [1] ». C'est un effort de synchronisation des diverses expressions du peuple qui permettra de résister aux illusions populistes qui rétrécissent l'horizon de la démocratie.

Sachons nous souvenir du récit libéral né des luttes contre l'arbitraire de la répression, du combat contre la peine de mort d'hommes comme Albert Camus et Marc Ancel dans l'après-guerre. Leur refus des camps et des peines indignes, leur volonté d'échapper à la fusion totalitaire va de pair avec leur souci de construire un monde dont ils se sentaient responsables. Quand l'État devient un pur instrument, quand son lien avec la démocratie est perverti, quand il ne fait plus autorité, il importe de retrouver la mémoire d'une expérience fondatrice. La volonté de punir est une folie qui sape la légitimité

---

1. H. Arendt, *Essai sur la révolution, op. cit.*, p. 269.

du droit de punir. Elle dissout l'autorité du politique dans l'exercice d'un pouvoir soumis aux aléas d'une communauté d'émotions. Nul ne peut dans son sillage ni punir, ni pardonner. Aucune communauté ne peut guérir de ses blessures et concevoir son avenir. Contre cet imaginaire de la désolation, il faut poursuivre le travail de la représentation, tenir sans cesse le pacte qui relie pouvoir et autorité. La cité ne reste à la mesure de l'homme qu'au prix de cette résistance. Son avenir dépend de sa capacité à renouer avec l'énergie des commencements.

Bibliographie

ACKERMAN Bruce, *Au nom du peuple. Les fondements de la démocratie américaine* (1991, trad. française de Jean-Fabien Spitz), Paris, Calmann-Lévy, 1998.

AGAMBEN Giorgio, *État d'exception. Homo Sacer II* (trad. française de Joël Gayraud), Paris, Seuil, 2003.

ALLINNE Jean-Pierre, *Gouverner le crime. Les politiques criminelles françaises de la Révolution au XXI⁰ siècle*, Paris, L'Harmattan, coll. « Sciences criminelles », 2003 (t. I *L'Ordre des notables, 1789-1920*), 2004 (t. II *Le Temps des doutes, 1920-2004*).

ANCEL Marc, *La Défense sociale nouvelle* (1956), Paris, Cujas, 1981.

AMÉRY Jean, *Par-delà le bien et le mal, essai pour surmonter l'insurmontable*, Arles, Actes Sud, 1999.

APOSTOLIDÈS Jean-Marie, *Héroïsme et victimisation. Une histoire de la sensibilité*, Paris, Exils, 2003.

ARENDT Hannah, *Condition de l'homme moderne*, Paris, Pocket, coll. « Agora », 1983.

–, *Essai sur la révolution* (1963, trad. française de Michel Chrétien), Paris, Gallimard, coll. « Tel », 1985.

ARNAUD André-Jean, *Pour une pensée juridique européenne*, Paris, PUF, coll. « Les voies du droit », 1992.

Association française pour l'histoire de la justice, *La Cour d'assises. Bilan d'un héritage démocratique*, Paris, La Documentation française, coll. « Histoire de la justice », n° 13, 2001.

Association française pour l'histoire de la justice, *La Justice des années sombres, 1940-1944*, Paris, La Documentation française, coll. « Histoire de la justice », n° 14, 2001.

AUCLAIR Georges, *Le Mana quotidien. Structures et fonctions de la chronique du fait divers* (1970), Paris, Anthropos, 1982.

AUDOUIN-ROUZEAU Stéphane, BECKER Annette, *14-18. Retrouver la guerre*, Paris, Gallimard, coll. « Bibliothèque des Histoires », 2000.

BACHMANN Christian, LE GUENNEC Nicole, *Violences urbaines. Ascension et chute des classes moyennes à travers cinquante ans de politique de la ville* (1996), Paris, Hachette Littératures, coll. « Pluriel », 2002.

BADINTER Robert, *La Prison républicaine (1871-1914)*, Paris, Fayard, 1992 ; rééd. Le Livre de Poche, 1994.

BALIBAR Étienne, *Droit de cité*, Paris, PUF, coll. « Quadrige », 2002.

BARRIL Micheline, *L'Envers du crime* (1982), Paris, L'Harmattan, coll. « Sciences criminelles », 2002.

BAUMAN Zygmunt, *Le Coût humain de la mondialisation* (1998, trad. française d'Alexandre Abensour), Paris, Hachette Littératures, coll. « Pluriel », 2002.

–, *Liquid Modernity*, Cambridge, Polity Press, 2000.

–, *Modernité et holocauste* (1989, trad. française de Paule Guivarch), Paris, La Fabrique, 2002.

BECCARIA *Des délits et des peines* (1764), Paris, Flammarion, coll. « Champs », 1979.

BECK Ulrich, *La Société du risque. Sur la voie d'une autre modernité* (trad. française de Laure Bernardi), Paris, Alto-Aubier, 2001.

BENJAMIN Walter, *Critique de la violence* (1921), in *Œuvres I*, Paris, Gallimard, coll. « Folio essais », 2000.

BERLIÈRE Jean-Marc, *Le Crime de Soleilland. Les journalistes et l'assassin*, Paris, Tallandier, 2003.

BERNARD Philippe, *Immigration, le défi mondial*, Paris, Gallimard, coll. « Folio actuel », 2002.

BICKEL Alexander, *The Least Dangerous Branch: the Supreme Court at the Bar of Politics*, New York, Yale University, 1962.

BIDIMA Jean-Godefroy, *La Palabre, une juridiction de la parole*, Paris, Michalon, coll. « Le bien commun », 1997.

BIGO Didier, *Police en réseaux, l'expérience européenne*, Paris, Presses de Sciences Po, 1996.

BOGASLKA-MARTIN Ewa, *Entre mémoire et oubli. Le destin croisé des héros et des victimes*, Paris, L'Harmattan, 2004.

BOLTANSKI Luc, *La Souffrance à distance*, Paris, Métailié, 1993.

BOUTELLIER Hans, *Crime and Morality. The Significance of Criminal Justice in Post-modern Culture*, London, Kluwer Academic Publishers, 2000.

BRAITHWAITE John, *Crime, Shame and Reintegration*, Cambridge University Press, 1989.

BRAITHWAITE John, PETIT Philip, *Not Just Deserts. A Republican Theory of Criminal Justice*, Oxford, Clarendon Press, 1990.

BRAUD Philippe, *Violences politiques*, Paris, Seuil, coll. « Points », 2004.

BRODEUR Jean-Paul, *Les Visages de la police. Pratiques et perceptions*, Presses de l'université de Montréal, 2003.

BROSSAT Alain, *Pour en finir avec la prison*, Paris, La Fabrique, 2002.

BRUCKNER Pascal, *La Tentation de l'innocence*, Paris, Grasset, 1995.

CABANNES Bruno, PITTE Jean-Marc, *11 Septembre : la Grande Guerre des Américains*, Paris, Armand Colin, 2003.

CADIET Loïc, RICHET Laurent (dir.), *Réforme de la justice, réforme de l'État*, Paris, PUF, coll. « Droit et justice », 2003.

CADIET Loïc (dir.), *Dictionnaire de la Justice*, Paris, PUF, 2004.

CAMUS Albert, KOESTLER Arthur, *Réflexions sur la guillotine* (1957) in *Essais*, Roger Quilliot (dir.), Paris, Gallimard, coll. « Bibliothèque de la Pléiade », 1965.

CAMUS Albert, *Les Justes* (1949), in *Théâtre, récits, nouvelles*, Paris, Gallimard, coll. « Bibliothèque de la Pléiade », 1962.

CARBASSE Jean-Marie, *Histoire du droit pénal et de la justice criminelle*, Paris, PUF, coll. « Droit fondamental », 2001.

CARBONNIER Jean, *Sociologie juridique*, Paris, PUF, coll. « Quadrige », 1994.

–, *Droit et passion du droit sous la Vᵉ République*, Paris, Flammarion, 1996.

CARESCHE Christophe, PANDRAUD Robert, *Sur la création d'un Observatoire de la délinquance*, Paris, La Documentation française, 2003.

CARIO Robert, SALAS Denis, *Œuvre de justice et victimes*, Paris, L'Harmattan/ENM, 2001.

CARTUYVELS Yves, MARY Philippe, *L'État face à l'insécurité, dérives politiques des années 1990*, Bruxelles, Labor, 1999.

CASTEL Robert, *Les Métamorphoses de la question sociale. Une chronique du salariat*, Paris, Fayard, coll. « L'espace du politique », 1995.

–, *L'Insécurité sociale. Qu'est-ce qu'être protégé ?*, Paris, Seuil, coll. « La République des idées », 2003.

CHAR René, *Feuillets d'Hypnos* (1943-1944), in *Œuvres complètes*, Paris, Gallimard, coll. « Bibliothèque de la Pléiade », 1983.

CHAUMONT Jean-Michel, *La Concurrence des victimes. Génocide, identité, reconnaissance*, Paris, La Découverte, coll. « Textes à l'appui », 1997.

CHAUVENET Antoinette, ORLIC Françoise, BENGUIGUI Georges, *Le Monde des surveillants de prison*, Paris, PUF, 1994.

CHEVALIER Jacques, *L'État postmoderne*, Paris, LGDJ, 2003.

CHOMSKI Noam, HERMAN Edward S., *La Fabrique de l'opinion publique. La politique économique des médias américains* (*Manufacturing consent*, 1988, trad. française par Guy Ducornet), Paris, Le Serpent à Plumes, 2003.

CHRISTIE Nils, *L'Industrie de la punition. Prison et politique pénale en Occident* (*Crime Control as Industry*, 1993, trad. française par Knut Sverre), Paris, Autrement, 2003.

CONSTANT Benjamin, *Écrits politiques*, Paris, Gallimard, coll. « Folio-essais », 1997.

CORNU Daniel, *Journalisme et vérité. Pour une éthique de l'information*, Genève, Labor et Fides, 1994.

CROCQ Louis, *Les Traumatismes psychiques de guerre*, Paris, Odile Jacob, 1999.

CUSSON Maurice, *La Criminologie*, Paris, Hachette-supérieur, coll. « Les fondamentaux », 2000.

DANET Jean, *Défendre. Pour une défense pénale critique*, Paris, Dalloz, 2004.

DANET Jean (dir.), *Le Nouveau Procès pénal après la loi Perben II*, Journées d'études Dalloz, Paris, Dalloz, 2004.

DEBOUT Michel, LAROSE Christine, *Violences au travail*, Paris, Éditions de l'Atelier, 2003.

DEBUYST Christian, DIGNEFFE Françoise, LABADIE Jean-Michel, PIRES Alvaro P., *Histoire des savoirs sur le crime et la peine. Des savoirs diffus à la notion de criminel-né (I)* ; *La Rationalité pénale et la naissance de la criminologie (II)*, Bruxelles, De Boeck Université, 1995 (I) et 1998 (II).

DEBUYST Christian, DIGNEFFE Françoise, KAMINSKI Dan, PARENT Colette, *Essais sur le tragique et la rationalité pénale*, Bruxelles, De Boeck, coll. « Perspectives criminologiques », 2002.

DELMAS-MARTY Mireille (dir.), *Procédure pénale d'Europe*, Paris, PUF, coll. « Thémis », 1995.

–, *Trois Défis pour un droit mondial*, Paris, Seuil, 1998.

–, *Le Flou du droit. Du Code pénal aux droits de l'homme* (1986), Paris, PUF, coll. « Quadrige », 2004.

–, *Le Relatif et l'Universel. Les forces imaginantes du droit*, Paris, Seuil, coll. « La couleur des idées », 2004.

DELUMEAU Jean, *La Peur en Occident, XIVᵉ-XVIIIᵉ siècle*, Paris, Fayard, 1978 ; rééd. Hachette Littératures, coll. « Pluriel », 1999.

–, *Rassurer et protéger, le sentiment de sécurité dans l'Occident d'autrefois*, Paris, Fayard, 1989.

DERRIDA Jacques, *Foi et savoir* suivi de *Le siècle du pardon*, Paris, Points-Seuil, 2000.

DERRIDA Jacques, HABERMAS Jürgen, *Le Concept du 11 Septembre. Dialogue à New York avec Giovanna Borradori*, Paris, Galilée, 2004.

DOLLÉ Nathalie, TABIB Hibat, *La Cité des poètes. Comment créer une dynamique de quartier face à la violence ?*, Paris, Le Temps des cerises, 1998.

DORMOY Odile (dir.), *Soigner et/ou punir. Questionnement sur l'évolution, le sens et les perspectives de la psychiatrie en prison*, Paris, L'Harmattan, 1995.

DRAY Dominique, *Victimes en souffrance. Une ethnographie de l'agression à Aulnay-sous-Bois*, Paris, LGDJ, 1999.

–, *Une nouvelle figure de la pénalité : la décision correctionnelle en temps réel*, Paris, Mission de recherche droit et justice, 1999.

DULONG Renaud, *L'Aveu, histoire, sociologie, philosophie*, Paris, PUF, coll. « Droit et justice », 2001.

DUMOUCHEL Paul (dir.), *Violences, victimes et vengeances : comprendre pour agir*, Paris, L'Harmattan, 2001.

DURKHEIM Émile, *De la division du travail social* (1930), Paris, PUF, coll. « Quadrige », 1986.

ELIAS Robert, *Victims still. The Political Manipulation of Crime Victims*, Londres, Sage Publications, 1993.

EWALD François, *L'État providence*, Paris, Grasset, 1986.

FAGET Jacques, *La Médiation, essai de politique pénale*, Érès, collection « Trajet », 1997.

FAUCONNET Paul, *La Responsabilité, étude de sociologie*, Paris, Alcan, 1928.

FAUGERON Claude, CHAUVENET Antoinette, COMBESSIE Philippe, *Approches de la prison*, Bruxelles, De Boeck Université, 1996.

FORTMAN Michel, MACLEOD Alex, ROUSSEL Stéphane, *Vers des périmètres de sécurité ? La gestion des espaces continentaux en Amérique du Nord et en Europe*, Québec, Athéna éditions, 2003.

FOUCAULT Michel (dir.), « *Moi, Pierre Rivière ayant égorgé mon père, ma mère, ma sœur et mon frère* » : un cas de parricide au XIXe siècle, Paris, Gallimard, coll. « Archives »,1973.

FOUCAULT Michel, *Surveiller et punir, naissance de la prison*, Paris, Gallimard, 1975.

–, *Dits et écrits 1954-1988* (D. Defert et F. Ewald dir.), Paris, Gallimard (4 vol.), coll. « NRF », 1994.

–, « *Il faut défendre la société* ». *Les anormaux. Sécurité, territoire, population*, Cours au Collège de France, 1974-1975, 1976 et 1977-1978, Paris, Gallimard/Seuil, coll. « Hautes études », 1994, 1999 et 2004.

FROMENT Jean-Charles, GLEIZAL Jean-Jacques, KALUZYNSKI Martine, *Les États à l'épreuve de l'insécurité*, Presses universitaires de Grenoble, 2003.

FROMENT Jean-Charles, *La République des surveillants de prison. Ambiguïtés et paradoxes d'une politique pénitentiaire en France (1958-1998)*, Paris, LGDJ, 1998.

GARAPON Antoine, SALAS Denis, Débat avec Olivier Mongin, *La République pénalisée*, Paris, Hachette, coll. « Questions de société », 1996.

GARAPON Antoine, GROS Frédéric, PECH Thierry, *Et ce sera justice. Punir en démocratie*, Paris, Odile Jacob, 2001.

GARAPON Antoine, *Des crimes qu'on ne peut ni punir, ni pardonner*, Paris, Odile Jacob, 2002.

GARLAND David, *Punishment and Modern Society. A Study in Social Theory*, Clarendon Paperback, Oxford, 1990.

–, *The Culture of Control. Crime and Social Order in Contemporary Society*, Oxford University Press, 2001.

GARNOT Benoît (dir.), *Les Victimes, des oubliées de l'histoire ?*, Presses universitaires de Rennes, 2000.

GASSIN Raymond, *Criminologie*, Paris, Dalloz, 2003.

GAUCHET Marcel, *La Démocratie contre elle-même*, Paris, Gallimard, 2002.

GIDE André, « Souvenirs de la cour d'assises », Paris, Gallimard, coll. « NRF », 1914, in *Souvenirs de voyages*, Paris, Gallimard, coll. « Bibliothèque de la Pléiade », 2001.

GIONO Jean, *Refus d'obéissance* (1937), in *Récits et essais* (P. Citron dir.), Paris, Gallimard, coll. « Bibliothèque de la Pléiade », 1989.

GIRARD René, *La Violence et le sacré*, Paris, Grasset, 1972 ; rééd. Hachette Littératures, coll. « Pluriel », 1996.

Groupe européen de recherche sur la justice pénale, *La Surpopulation pénitentiaire en Europe*, Bruxelles, Bruylant, 1999.

Groupe européen de recherche sur la justice pénale, *Délinquance et insécurité en Europe,* Bruxelles, Bruylant, 2001.

GUILLARME Bertrand, *Penser la peine,* Paris, PUF, coll. « Questions d'éthique », 2003.

GUILLEBAUD Jean-Claude, *Le Goût de l'avenir,* Paris, Seuil, 2003.

GRUEL Louis, *Pardons et châtiments. Les jurés français face aux violences criminelles,* Paris, Nathan, coll. « Essais et recherches », 1991.

HAARSCHER Guy, *Les démocraties survivront-elles au terrorisme ?,* Bruxelles, Labor, 2002.

HASSNER Pierre, *La Terreur et l'empire. La violence et la paix II,* Paris, Seuil, coll. « La couleur des idées », 2003.

HASSNER Pierre, ROLAND Marchal (dir.), *Guerres et sociétés. États et violence après la guerre froide,* Paris, Karthala, 2003.

HEISBOURG François, Fondation pour la recherche stratégique, *Hyperterrorisme. La nouvelle guerre,* Odile Jacob-Poches, 2003.

HENAFF Marcel, *Le Prix de la vérité. Le don, l'argent, la philosophie,* Paris, Seuil, coll. « La couleur des idées », 2002.

HERMET Guy, *Le Peuple contre la démocratie,* Paris, Fayard, coll. « L'espace du politique », 1989.

–, *Les Populismes dans le monde. Une histoire sociologique XIX-XX siècle,* Paris, Fayard, coll. « L'espace du politique », 2001.

HONNETH Axel, *La Lutte pour la reconnaissance* (trad. française de Pierre Rusch), Paris, Cerf, 2000.

HULSMAN Louk, BERNAT DE CELIS Jacqueline, *Peines perdues. Le système pénal en question,* Paris, Le Centurion, 1982.

IONESCO Eugène, *Rhinocéros* (1959), Gallimard, coll. « Folio ».

JACCOUD Mylène (dir.), *Justice réparatrice et médiation pénale. Convergences ou divergences,* Paris, L'Harmattan, coll. « Sciences criminelles », 2003.

JANKÉLÉVITCH Vladimir, *L'Imprescriptible. Pardonner ? Dans l'honneur et la dignité* (1971), Paris, Seuil, coll. « Points ».

JEAN Jean-Paul, *Réformes de la justice pénale,* « Regard sur l'actualité », n° 300, Paris, La Documentation française, avril 2004.

J<small>ULLIEN</small> François, *L'Ombre au tableau, du mal ou du négatif*, Paris, Seuil, 2004.

K<small>AFKA</small> Franz, *Le Procès* (trad. française par Alexandre Vialatte), Paris, Gallimard, coll. « Folio-classique », 1987.

K<small>ALIFA</small> Dominique, *Crime et culture au XIXᵉ siècle*, Paris, Perrin, 2005.

K<small>ASPI</small> André, *La Peine de mort aux États-Unis*, Paris, Plon, 2003.

K<small>ELLENS</small> Georges, *Pénologie et droit des sanctions pénales*, Éditions juridiques de l'université de Liège, 2000.

K<small>HERFI</small> Yazid, L<small>E</small> G<small>OAZIOU</small> Véronique, *Repris de justesse*, Paris, Syros-La Découverte, 2000.

L<small>AGRANGE</small> Hugues, *De l'affrontement à l'esquive. Violences, délinquances et usage de drogue*, Paris, Syros, 2001.

–, *Demande de sécurité, France, Europe, États-Unis,* Paris, Seuil, coll. « La République des idées », 2003.

L<small>AMEYRE</small> Xavier, *La Criminalité sexuelle*, Paris, Flammarion, coll. « Dominos », 2000.

L<small>AMEYRE</small> Xavier, L<small>AVIELLE</small> Bruno, *Le Guide des peines*, Paris, Dalloz, 2004.

L<small>ASCOUMES</small> Pierre, *La Corruption*, Paris, Presse de Sciences Po, 1999.

L<small>ASCOUMES</small> Pierre, A<small>RTIÈRES</small> Philippe, *Gouverner, enfermer. La prison, un modèle indépassable*, Paris, Presses de Sciences Po, 2004.

L<small>AZERGES</small> Christine, *Introduction à la politique criminelle*, Paris, L'Harmattan, coll. « sciences politiques », 2000.

L<small>ÉAUTÉ</small> Jacques, *Les Prisons*, Paris, PUF, coll. « Que sais-je ? », 1990.

L<small>EFORT</small> Claude, *Écrire à l'épreuve du politique*, Paris, Calmann-Lévy, 1994.

–, *La Complication. Retour sur le communisme*, Paris, Fayard, 1999.

L<small>EGAULT</small> Albert, *La Lutte antiterroriste ou la tentation démocratique autoritaire*, Presses de l'université de Laval, 2003.

L'H<small>EUILLET</small> Hélène, *Basse Politique, haute police. Une approche historique et philosophique de la police*, Paris, Fayard, 2001.

LITS Marc, DUBIED Annick, *Le Fait divers*, Paris, PUF, coll. « Que sais-je ? », 1999.

LOUZOUN Claude, SALAS Denis, *Justice et psychiatrie, normes, responsabilité, éthique*, Erès, 1998.

LUCAS Claude, *Suerte. L'exclusion volontaire*, Paris, Plon, coll. « Terres humaines », 1995.

MAGOS Vincent (dir.), *Procès Dutroux, penser l'émotion*, Bruxelles, Temps d'arrêt lectures, 2004.

MAGUIRE Mike, ROD Morgan, REINER Robert (dir.), *The Oxford Handbook of Criminology*, Oxford, 2001.

MAILLARD Jean de, MAILLARD Camille de, *La Responsabilité juridique*, Paris, Flammarion, coll. « Dominos », 1999.

MARCHETTI Anne-Marie, *Perpétuités. Le temps infini des longues peines*, Paris, Plon, coll. « Terres humaines », 2001.

MARCUS Michel, *Sécurité et démocratie à l'épreuve de la violence*, Strasbourg, Conseil de l'Europe, 2003.

MARGALIT Avishai, *La Société décente.* (trad. française par François Billard), Paris, Climat, 1999.

MARTENS Paul, *Théorie du droit et pensée juridique contemporaine*, Bruxelles, Larcier, 2003.

MARY Philippe, *Délinquant, délinquance et insécurité ; un demi-siècle de traitement en Belgique (1944-1997)*, Bruxelles, Bruylant, 2000.

MAURICE Philippe, *De la haine à la vie*, Paris, Le Cherche Midi, 2001.

MERLE Roger, *La Pénitence et la peine*, Paris, Cerf/Cujas, 1985.

MICHAUD Yves, *Changements dans la violence, essai sur la bienveillance universelle et la peur*, Paris, Odile Jacob, 2002.

MICHEL Barbara, *Figures et métamorphoses du meurtre*, Presses universitaires de Grenoble, 1991.

Ministère de la Justice, *Les Chiffres clés de la justice*, publication annuelle.

MONTJARDET Dominique, *Ce que fait la police. Sociologie de la force publique*, La Découverte, coll. « Textes à l'appui », 1996.

MUCCHIELLI Laurent, *Violences et insécurité, fantasmes et réalité dans le débat français*, Paris, La Découverte, 2002.

NABERT Jean, *Essai sur le mal* (1955), Paris, Cerf, 2001.

NAPOLI Paolo, *Naissance de la police moderne. Pouvoir, normes, société*, Paris, La Découverte, 2003.

Observatoire international des prisons, *Les Conditions de détention en France. Rapport 2003*, Paris, La Découverte, 2003.

OZOUF Mona, *L'Homme régénéré. Essais sur la révolution française*, Paris, Gallimard, coll. « NRF », 1989.

QUÉRÉ Louis, *Des miroirs équivoques*, Paris, Aubier, 1982.

PACKER Herbert L., *The Limits of the Criminal Sanction*, University of Stanford, 1968.

PAPADOPOULOS Ioannis, ROBERT Jacques-Henri, *La Peine de mort. Droit, histoire, anthropologie, philosophie*, Paris, Éditions Panthéon-Assas, 2000.

PAPADOPOULOS Ioannis, *Le Plaider coupable. La pratique américaine, les textes français*, Paris, PUF, coll. « Droit et justice », 2004.

PAYE Jean-Claude, *La Fin de l'État de droit. La lutte antiterroriste de l'état d'exception à la dictature*, Paris, La Dispute, 2004.

PEDROT Philippe (dir.), *Traçabilité et responsabilité*, Paris, Economica, 2003.

PERROT Michèle, *Les Ombres de l'histoire. Crime et châtiment au XIXᵉ siècle*, Paris, Flammarion, 2000.

PETIT Jacques-Guy, *Ces peines obscures. La prison pénale en France 1780-1875*, Paris, Fayard, 1990.

PETIT Jacques-Guy, CASTAN Nicole, FAUGERON Claude, PIERRE Michel, ZYSBERG André, *Histoire des galères, bagnes et prisons, XIIIᵉ-XXᵉ siècle. Introduction à l'histoire pénale de France*, Toulouse, Privat, 1991.

PETIT Jacques-Guy, FAUGERON Claude, PIERRE Michel, *Histoire des prisons en France, 1789-2000*, Toulouse, Privat, 2002.

PEYRAT Didier, *Éloge de la sécurité*, Paris, Gallimard/Le Monde, 2003.

PONCELA Pierrette, *Droit de la peine*, Paris, PUF, coll. « Thémis », 2001.

PORÉE Jérôme, *Le Mal, homme coupable, homme souffrant*, Paris, Armand Colin, 2000.

PRIGENT Yves, *La Cruauté ordinaire*, Paris, Desclée de Brouwer, 2003.

RAUFER Xavier, QUÉRÉ Stéphane, *Le Crime organisé*, Paris, PUF, coll. « Que sais-je ? », 2000.

RENNEVILLE Marc, *Crime et folie. Deux siècles d'enquêtes médicales et judiciaires*, Paris, Fayard, 2003.

REVAULT d'ALLONNES Myriam, *Ce que l'homme fait à l'homme, essai sur le mal politique*, Paris, Seuil, coll. « La couleur des idées », 1995 ; rééd. Flammarion, coll. « Champs », 1999.

–, *Doit-on moraliser la politique ?*, Paris, Bayard, 2002.

RIALS Stéphane, ALLAND Denis (dir.), *Dictionnaire de culture juridique*, Paris, PUF, 2003.

RICŒUR Paul, *Histoire et vérité*, Paris, Seuil, 1956.

–, *Temps et récit (Le temps raconté, III)*, Paris, Seuil, 1985 ; rééd. coll. « Points ».

–, *Le Mal, un défi à la philosophie et à la théologie*, Genève, Labor et Fidès, 1994.

–, *Le Juste*, Paris, Esprit, 1995.

–, *Ricœur*, L'Herne, n° 81, Paris, 2004.

ROBERT Philippe, *Le Citoyen, le crime et l'État*, Genève, Droz, 1999.

ROBERT Philippe, MUCCHIELLI Laurent, *Crime et insécurité, l'état des savoirs*, Paris, La Découverte, coll. « Textes à l'appui », 2002.

ROBERTS Julian V., STALANS Loretta J., INDERMAUR David, HOUGH Mike, *Penal populism and public opinion. Lessons from five countries*, Oxford University Press, 2003.

ROCHÉ Sébastien, *Sociologie politique de l'insécurité*, Paris, PUF, 1999.

ROMAN Joël, *La Démocratie des individus*, Paris, Calmann-Lévy, 1998.

ROSANVALLON Pierre, *Le Peuple introuvable. Histoire de la représentation démocratique en France*, Paris, Gallimard, coll. « Bibliothèque d'histoire », 1998.

ROTH Robert, HENZELIN Marc (dir.), *Le Droit pénal à l'épreuve de la mondialisation*, Paris, Bruylant-LGDJ-Georg, 2002.

ROVIELLO Anne-Marie, *Il faut raison garder. Désespérance de l'espace public belge*, Presse de Belgique, Quorum, 1999.

SALAS Denis (dir.), *La Justice, une révolution démocratique*, Paris, Desclée de Brouwer, 2001.

SALAS Denis, JEAN Jean-Paul (dir.), *Barbie, Touvier, Papon, des procès pour la mémoire*, Paris, Autrement, 2002.

SALAS Denis, EPINEUSE Harold (dir.), *L'Éthique du juge, une approche européenne et internationale*, Paris, Dalloz, 2003.

SALAS Denis (dir.), *Victimes de guerre en quête de justice. Faire entendre leurs voix et les pérenniser dans l'Histoire*, Paris, L'Harmattan, coll. « Sciences criminelles », 2004.

SALEILLES Raymond, *L'Individualisation de la peine* (1899) ; réédité sous la direction de Reynald Ottenhof, Erès, 2001.

Semaines sociales de France, *La Violence. Comment vivre ensemble ?*, Paris, Bayard, 2003.

SEYLER Monique (dir.), *La Prison immobile*, Paris, Desclée de Brouwer, 2001.

SHKLAR Judith, *Les Vices ordinaires* (1984), trad. française par Francine Chase, Paris, PUF, 1989.

─, *Visages de l'injustice* (*Faces of Injustice*, 1990, trad. française par Jean Mouchard), Paris, Circé, 2002.

SIMONNOT Dominique, *Justice en France, une loterie nationale*, Paris, La Martinière, 2003.

SOULEZ-LARIVIÈRE Daniel, DALLE Hubert, *Notre justice, le livre vérité de la justice française*, Paris, Robert Laffont, 2002.

TAGUIEFF Pierre-André, *L'Illusion populiste*, Paris, Berg International, 2002.

TAGUIEFF Pierre-André (dir.), *Le Retour du populisme, un défi pour les démocraties européennes*, Paris, Universalis, 2004.

TARDE Gabriel, *La Philosophie pénale* (1890), Paris, Cujas, 1972.

TERNON Yves, *L'État criminel. Les génocides au XXᵉ siècle*, Paris, Seuil, 1995.

─, *L'Innocence des victimes*, Paris, Desclée de Brouwer, 2001.

TOCQUEVILLE Alexis de, *De la démocratie en Amérique* (1835), Paris, Gallimard, coll. « Folio-histoire », 1986.

–, *Écrits sur le système pénitentiaire en France et à l'étranger* (1833), dir. Michèle Perrot, in *Œuvres complètes*, (tome IV, 2 volumes), Paris, Gallimard, coll. « NRF »,1984.

THÉNAUT Sylvie, *Une drôle de justice. Les magistrats dans la guerre d'Algérie*, Paris, La Découverte, 2001 ; rééd. La Découverte-poche, 2004.

TONRY Michael, *Thinking About Crime, Sense and Sensibility in American Penal Culture*, Oxford University Press, 2004.

TRÉVISAN Carine, *Les Fables du deuil. La grande guerre : mort et écriture*, Paris, PUF, coll. « Perspectives littéraires », 2001.

TRICAUD François, *L'Accusation, recherche sur les figures de l'agression éthique*, Paris, Dalloz, 1977.

TRUCHE Pierre, *Commission de réflexion sur la justice*, Paris, La Documentation française, 1997.

TULKENS Françoise, VAN DE KERCHOVE Michel, *Introduction au droit pénal*, Bruxelles, Story-Scientia, 1998.

TULKENS Françoise, BOSLY Henri (dir.), *La Justice pénale en Europe*, Bibliothèque de la faculté de droit et de l'université catholique de Louvain, Bruxelles, Bruylant, 1996.

VAN CAMPENHOUDT Luc (*et al.*), *Réponses à l'insécurité, des discours aux pratiques*, Bruxelles, Labor, 2000.

VANNESTE Charlotte, *Les Chiffres des prisons. Des logiques économiques à leur traduction pénale*, Paris, L'Harmattan, 2001.

VAN DE KERCHOVE Michel, *Le Droit sans peines*, Bruxelles, Faculté Saint Louis, 1987.

VERDIER Raymond, COURTOIS Gérard, POLY Jean-Pierre (dir.), *La Vengeance* (4 tomes), Paris, Cujas, 1980.

VERDIER Raymond (dir.), *Vengeance. Le Face-à-face victime/agresseur*, Paris, Autrement, 2004.

VIGARELLO Georges, *Histoire du viol, XVIᵉ-XXᵉ siècle*, Paris, Seuil, coll. « L'univers historique », 1998.

VIRILIO Paul, *La Ville panique, ailleurs commence ici*, Paris, Galilée, 2004.

WACQUANT Loïc, *Les Prisons de la misère*, Paris, Raisons d'agir, 1999.

–, *Punir les pauvres. Le nouveau gouvernement de l'insécurité sociale*, Paris, Agone, 2004.

WALKER Nigel, *Why Punish?*, Oxford University Press, 1991.

WHITMAN James Q., *Harsh Justice. Criminal Punishment and the Widening Divide between America and Europe*, Oxford University Press, 2003.

WILSON James Q., *Thinking about crime*, New York, Basic Books, 1983.

ZAKARIA Fareed, *L'Avenir de la liberté. La démocratie illibérale aux États-Unis et dans le monde* (2003), Paris, Odile Jacob, 2003.

ZEHR Howard, *Changing Lenses, A New Focus for Crime and Justice*, Waterloo, Herald Press, 1990.

Remerciements

Merci à Loïc Cadiet, Geneviève Giudicelli-Delage, Michel Van de Kerchove, Françoise Tulkens et Lucien Karpik d'avoir bien voulu lire et discuter une première version de cet essai.

Table des matières

Ce volume a été composé
par IGS-CP à L'Isle-d'Espagnac (16)

Imprimé en France
FRHW011444110821
28045FR00026B/483

9 782213 677095